"L'ART DE LA DANSE"
série dirigée par Sonia Schoonejans

CAHIERS

REMERCIEMENTS

Je tiens à remercier Tamara Nijinski de la confiance qu'elle m'a témoignée en m'accordant la possibilité de publier cette version non expurgée des *Cahiers* de son père.

Le professeur Peter Ostwald, auteur d'une brillante étude sur Vaslav Nijinski, m'a fourni plusieurs des éléments biographiques qui m'ont aidé à écrire l'avant-propos de ce livre ; qu'il en soit ici remercié.

Je remercie Lily Denis pour les judicieux conseils qu'elle m'a prodigués au cours de ce travail et pour sa patiente relecture de cette traduction.

Enfin, l'inspiration que m'a donnée Redjep Mitrovitsa, interprète de la parole de Nijinski au théâtre, me fut très précieuse, je l'en remercie.

C. D.-L.

Librairie de la danse.
Publiée avec le concours du Centre national du livre
et de la Direction de la musique et de la danse.

Photographie de couverture :
*Nijinski en crise de catatonie,
à l'age de trente-sept ans à Paris*
© Archives Nijinski

NIJINSKI

CAHIERS

Le Sentiment

version non expurgée traduite du russe par
Christian Dumais-Lvowski et Galina Pogojeva

ACTES SUD / LEMÉAC

Je suis un fou qui aime l'humanité.
Ma folie c'est l'amour de l'humanité.

AVANT-PROPOS

C'est pendant l'hiver 1918-1919, alors qu'il séjournait en Suisse, à Saint-Moritz, avec sa femme Romola et leur fille Kyra, que Vaslav Nijinski écrivit les quatre cahiers qui constituent ce qu'il est convenu d'appeler son "Journal". Bien qu'il soit difficile de les dater avec certitude, nous croyons que Nijinski écrivit ses *Cahiers* entre le 19 janvier et le 4 mars 1919.

L'étoile des Ballets russes, le chorégraphe révolutionnaire de *l'Après-Midi d'un faune* et du *Sacre du printemps*, celui que le monde avait surnommé "le dieu de la danse", s'apprêtait alors à jouer le rôle le plus long et le plus pathétique de sa carrière, celui du "fou".

Comme l'atteste un dossier du Théâtre Mariinski de Saint-Pétersbourg, où Nijinski entama sa fulgurante carrière avant de rejoindre les Ballets russes, le danseur présenta très tôt des signes de grande fragilité émotionnelle. En 1913, son mariage avec Romola de Pulszki suivi de sa rupture avec Diaghilev – rupture affective, les deux hommes sont amants, et rupture artistique, Diaghilev le congédie de sa compagnie – accentuèrent ces désordres intérieurs. Privé du contexte éblouissant des Ballets russes, et du soutien artistique et financier de Diaghilev, Nijinski vit son étoile pâlir. Les années qui suivirent furent faites de saisons chaotiques avec toutefois un rappel vers la gloire en 1916 et en 1917.

Fin 1917, au retour d'une tournée en Amérique du Sud, la dernière de sa carrière, Nijinski décide de prendre un peu de repos en Suisse. Ses médecins lui ayant recommandé d'éviter toute tension inutile, et sa femme croyant que l'air des Alpes lui serait bénéfique, il accepte, malgré son aversion pour les montagnes, de s'installer à Saint-Moritz. Les Nijinski y louent la villa *Guardamunt*, maison spacieuse qui surplombe le village, face à un extraordinaire paysage de glaciers.

Il semble que les premiers mois de son installation à Saint-Moritz furent profitables à Nijinski. La compagnie de Kyra, sa fille aînée alors âgée de quatre ans, le grand air, les exercices qu'il faisait quotidiennement sur les balcons de la villa et les paysages de neige, qui lui rappelaient peut-être ceux de la Russie, lui apportèrent sans doute un sentiment de sécurité qui le rasséréna. Mais les ombres de la folie se firent bientôt plus menaçantes, et à l'automne de 1918, Nijinski montra des signes inquiétants de déséquilibre qui culminèrent à la fin de l'année.

Au cours de l'hiver, Nijinski se mit à avoir un comportement de plus en plus incohérent. Ses accès d'agressivité terrorisaient son entourage. S'exerçant à la danse jusqu'à l'épuisement, parfois jusqu'à seize heures par jour, son exaltation le poussait aussi à courir la montagne qui faisait dos à la villa, où il entendait Dieu lui dicter ses "commandements". Endossant le rôle du prêcheur, la poitrine barrée d'un large crucifix, Nijinski exhortait les habitants de Saint-Moritz à fréquenter l'église et à mener une "vie droite". Effrayée pour elle-même et pour Kyra – Nijinski avait déjà frappé sa femme, allant même jusqu'à la pousser violemment dans l'escalier de la villa –, Romola finit par engager un infirmier chargé de surveiller son mari jour et nuit, et capable de le maîtriser au besoin.

Cette "maladie de l'âme" n'empêchait pas Nijinski de créer. Il imaginait de nouvelles chorégraphies, travaillait à un système de notation de la danse, et dessinait beaucoup. Il fit notamment quantité de dessins abstraits, au crayon, crayons de couleur, au pastel ou à la gouache. Ces dessins ont le cercle pour motif dominant. Selon Peter Ostwald*, professeur de psychiatrie américain, auteur d'une importante étude sur Nijinski, nous pourrions "interpréter la persistance des formes circulaires dans l'art de Nijinski comme une tentative de maintenir équilibre et intégrité face aux dangers de désintégration qui menaçaient son existence".

Le samedi 19 janvier 1919, Nijinski doit danser à une représentation de charité dans l'un des salons de l'hôtel Suvretta de Saint-Moritz. C'est la dernière fois qu'il dansera en public. Devant une assistance composée de touristes en villégiature, d'aristocrates désœuvrés et de nouveaux riches, Nijinski danse ce que Romola a appelé "la danse de la vie contre la mort". Venu pour s'amuser, le public assiste à une évocation tragique des horreurs de la guerre qui a dévasté l'Europe pendant quatre ans et qui bouleverse Nijinski.

> "Il faisait vivre devant nos yeux toute une humanité souffrante et frappée d'horreur. C'était tragique. Ses gestes avaient une dimension épique.

* *Vaslav Nijinski, un saut dans la folie*, Peter Ostwald, Paris, Passage du Marais, 1993.

> Comme un magicien, il nous donnait l'illusion de flotter au-dessus d'une foule de cadavres. Le public, horrifié, semblait frappé de stupeur, étrangement fasciné... Vaslav était comme l'une de ces créatures irrésistibles et indomptables, comme un tigre échappé de la jungle, capable de nous anéantir d'un instant à l'autre*."

Le premier cahier s'ouvre sur une description du déjeuner et des heures qui précèdent la représentation mémorable de l'hôtel Suvretta. Il semble que ce soit ce même jour que Nijinski ait entrepris la rédaction de ce premier cahier. Le fit-il de sa propre initiative, ou y fut-il incité par le docteur Fränkel, médecin de Saint-Moritz, qui s'intéressait à la psychanalyse et tenta d'analyser le danseur ? De ce point de vue, les *Cahiers* constituent une véritable auto-analyse qui fait surgir fantasmes, souvenirs et associations libres. Fränkel, souvent évoqué par Nijinski, et qui apparemment était amoureux de Romola, est l'une des figures importantes des *Cahiers*. Nijinski en fait un personnage de tragi-comédie, "le Docteur Fränkel", pour qui il semble éprouver des sentiments partagés, tantôt de sympathie, tantôt de condescendance ironique ou d'agressivité.

En quelques semaines, soudé à sa table pendant des heures d'affilée, Vaslav Nijinski rédige les quatre cahiers qui doivent constituer "le livre" qu'il veut voir "publier de son vivant, en beaucoup de milliers d'exemplaires" et qui sera une "source d'enseignement pour l'humanité". Les trois premiers cahiers sont illustrés de dix pages de dessins abstraits au crayon, et contiennent quinze pages de notations chorégraphiques qui ne sont pas

* *Nijinski*, Romola Nijinski, Paris, Denoël, 1934.

reproduites dans la présente édition. Le manuscrit comporte quarante-quatre pages écrites au crayon, le reste l'est au stylo. Sensible à la calligraphie de ses écrits, Nijinski a une écriture soignée, et le texte, essentiellement en russe, comporte très peu de ratures ou de corrections. Le quatrième cahier sert d'annexe aux trois premiers, Nijinski y consignait des poèmes, dont certains composés en français, et des lettres à diverses personnes, en russe, en polonais et en français. Ce cahier est aujourd'hui déposé à la Bibliothèque nationale (fonds Igor Markevitch). Nijinski, lui-même, l'ayant dissocié de l'ensemble, nous n'avons pas jugé utile de le publier intégralement. On trouvera, à la fin de ce livre, quatre des lettres y figurant.

Au fil des jours de janvier et de février 1919, la santé mentale de Nijinski ne cesse de se délabrer et l'inquiétude de Romola de croître. Elle demande bientôt à sa mère, la célèbre actrice hongroise Emilia Markus, et à son beau-père, Oscar Párdány, de venir la rejoindre à Saint-Moritz, ce qu'ils font à la fin du mois de février. Vaslav devient de plus en plus violent, frappe du poing sur la table pendant les repas, menace de se tuer – "Je me tirerai une balle dans la tête si Dieu le veut" – et ne cesse de se quereller avec ses proches. Les soins du docteur Fränkel s'avérant inefficaces, Romola décide de consulter un autre médecin. Le 2 mars, Fränkel écrit à Zurich au célèbre professeur Eugen Bleuler, directeur de l'hôpital psychiatrique universitaire Burghölzli, lui demandant de recevoir Nijinski en consultation.

Le mardi 4 mars, Nijinski, sa femme et ses beaux-parents quittent Saint-Moritz pour Zurich. L'idée de ce voyage semble plaire à Nijinski, il sait qu'il ira consulter un "docteur des nerfs", mais il veut surtout en profiter pour faire publier "son livre", et "jouer à la Bourse". Cependant le départ de la villa *Guardamunt* n'a pas dû être sans déchirement : "Ma femme est venue me voir et m'a dit de dire à Kyra que je ne reviendrais plus. Ma femme a senti mes larmes et a dit avec émotion qu'elle ne m'abandonnerait pas." Quelques minutes avant le départ, Nijinski est encore à son écriture : "J'irai maintenant... J'attends... Je ne veux pas..."

Le professeur Bleuler reçoit Nijinski en consultation et diagnostique une "confusion mentale de nature schizophrène, accompagnée d'une légère excitation maniaque*". Selon lui, il n'est pas utile d'hospitaliser Vaslav, mais il conseille à Romola de se séparer de son mari, de sorte qu'il n'ait plus aucune obligation familiale. Le professeur croit même que le danseur pourrait poursuivre sa carrière, du moins pendant un certain temps, ou bien vivre dans un sanatorium où il pourrait travailler à ses chorégraphies tout en étant adéquatement soigné, et peut-être guérir de son état psychotique...

Choquée par les recommandations de Bleuler, Romola regagna leur hôtel avec Nijinski. Au cours de la nuit, après un accès de colère qui mit tout le monde en émoi, Vaslav s'enferma dans sa chambre pendant vingt-quatre heures, plongeant sa famille dans l'angoisse. On appela la police, qui força la porte de sa chambre, puis un confrère du professeur Bleuler qui persuada aisément Nijinski de revenir à l'hôpital psychiatrique Burghölzli. Nijinski y resta quarante-huit heures au cours desquelles les psychiatres examinèrent les cahiers dont il n'avait pas voulu se séparer, espérant, comme

---

* Rapport du professeur Bleuler, cité par Peter Ostwald.

il est dit plus haut, faire publier "son livre" à Zurich. Ainsi ses *Cahiers* allaient-ils servir à affiner le diagnostic des médecins sur son état mental, à "étudier son cerveau".

Bleuler estima imprudent de laisser Nijinski rentrer à son hôtel, ou à Saint-Moritz. On décida d'opter pour le sanatorium, et le lundi 10 mars, Nijinski, accompagné du docteur Fränkel, partit pour le sanatorium Bellevue, à Kreuzlingen. Vaslav Nijinski, qui n'avait que trente ans, venait de s'engager sur la voie des ténèbres qu'il ne devait quitter que pour de brèves éclaircies. L'histoire du "Journal de Nijinski" pouvait commencer.

En juin 1934, Romola prétendit avoir accidentellement retrouvé les cahiers de son mari, dans une malle laissée en garde depuis 1919… Cette version des événements est peu vraisemblable quand on sait l'intérêt que Romola portait aux écrits de Nijinski et l'inquiétude qu'ils suscitaient en elle. "Ma femme parle au téléphone, mais elle pense à ce que j'écris. Elle m'a demandé ce que j'écrivais… Je lui ai fermé mon cahier au nez, car elle veut lire ce que j'écris." "Ma femme veut regarder, mais je ne la laisse pas faire, car je cache ce que j'écris avec ma main." On peut supposer que Romola ne se sépara jamais des *Cahiers*, jusqu'au jour où elle décida de les publier.

C'est ce qu'elle fit en 1936, en établissant une version anglaise des *Cahiers*, avec l'aide de Jennifer Mattingly. Il s'agit là d'une édition expurgée du texte original. Romola remania l'ordre des *Cahiers* et amputa le manuscrit d'environ trente mille mots, c'est-à-dire un tiers du texte. Les *Cahiers* furent censurés de tous les poèmes et de la plupart des passages érotiques. Le docteur Fränkel disparut de la scène, et les répétitions obsessionnelles de Nijinski furent atténuées. Toute la structure des *Cahiers* fut réorganisée, et ce qui resta fut publié sous le titre *Journal de Nijinski*. C'est cette édition anglaise qui servit de matrice aux traductions dans les autres langues étrangères, et notamment la traduction française publiée chez Gallimard en 1953. Il faut préciser que la traduction anglaise respecta davantage la structure de langage de Nijinski et notamment ses impropriétés de syntaxe, alors que la retraduction française procède plus de la réécriture.

Romola Nijinski disparut en 1978, après avoir œuvré toute sa vie à la sauvegarde de la mémoire de Vaslav, mort à Londres en 1950, après trente années de ténèbres. Il ne nous appartient pas de juger la conduite de Romola pendant ces trente ans où Nijinski vécut le plus souvent dans des "maisons de fous", mais force est de constater que malgré certains agissements qui apparaissent inconséquents et parfois cruels, elle ne désarma jamais pour maintenir vivant le souvenir de Nijinski.

Quelque temps avant sa mort, Romola fit cadeau des trois premiers cahiers de Nijinski à un ami, lui laissant le soin de les publier ou non. Le quatrième cahier échut à Igor Markevitch*. En 1979, les trois cahiers furent vendus à un antiquaire anglais et le montant de la vente servit à acquitter les frais de la succession laissée par Romola. Markevitch légua le quatrième cahier à la Bibliothèque nationale de France. Les deux filles de Nijinski, Kyra et Tamara, héritèrent du "copyright" des *Cahiers*,

---

* Le compositeur et chef d'orchestre Igor Markevitch avait épousé en premières noces Kyra Nijinski. Il fut également l'exécuteur testamentaire de Romola Nijinski.

ce qui excluait toute publication sans leur consentement. C'est ainsi que les "Cahiers de Nijinski" furent revendus à trois reprises au cours des quinze dernières années et qu'ils séjournèrent en Angleterre, aux Etats-Unis puis en Suède sans que leurs propriétaires successifs puissent en publier le contenu... La parole de Nijinski continuait d'être "châtrée".

En 1992, Kyra et Tamara Nijinski m'accordèrent les droits d'adaptation théâtrale de la version publiée du *Journal de Nijinski*. J'allais enfin réaliser un rêve né de ma première lecture de ce texte, quinze ans plus tôt. Je choisis de refaire une traduction du texte anglais, espérant ainsi me rapprocher de l'original russe alors inaccessible. Des lectures de cette adaptation furent données l'année suivante par le comédien Redjep Mitrovitsa, au Festival d'Avignon.

Durant toutes ces années, Kyra et Tamara avaient été sollicitées à plusieurs reprises pour qu'une édition complète des *Cahiers* de leur père voie le jour, mais elles s'y étaient toujours opposées. Leur mère avait veillé à ce que la flamme ne cesse de brûler devant "l'icône Nijinski", et elles craignaient que la révélation des *Cahiers* ne vienne abîmer cette image. N'y aurait-il pas de l'indécence, voire de l'obscénité, à montrer toute la souffrance de cet homme, toute sa misère ?

Après presque deux ans d'une correspondance suivie, où je plaidai inlassablement la cause d'une édition non expurgée, Tamara Nijinski m'invita à Phoenix, en Arizona, où j'eus accès aux archives de la "Fondation Vaslav et Romola Nijinski", qu'elle avait créée quelques années auparavant. Parmi des vêtements et objets lui ayant appartenu, je vis le costume que portait Nijinski l'après-midi du récital à l'hôtel Suvretta, une tunique de soie blanche gansée de noir, brûlée par la sueur, un vêtement d'agonie. L'âme de Nijinski avait palpité dans cette chemise qui, suspendue à un cintre, ressemblait à un épouvantail vidé de sa paille. C'était là le vêtement qu'il portait pour son "mariage avec Dieu". Un peu plus tard, Tamara me remit une grande enveloppe volumineuse : "Tenez, si cela vous intéresse toujours…"

Je demandai à Galina Pogojeva, écrivain russe et traductrice, de m'aider à préparer l'édition française. C'est grâce aux travaux de Galina Pogojeva que nous pûmes notamment rétablir la chronologie des *Cahiers*. Nijinski disait qu'il voulait écrire "un grand livre sur le sentiment", c'est peut-être le titre qu'il aurait donné à son livre s'il avait pu se charger de sa publication. Nous avons mis "le Sentiment" en sous-titre des *Cahiers*.

Nous nous sommes attachés à rester au plus près du texte russe, à en respecter la syntaxe défectueuse et les particularités de vocabulaire. Nijinski, qui parlait le polonais et le russe, avait aussi une connaissance rudimentaire du français. Lorsqu'il écrit ses *Cahiers*, il a quitté la Russie depuis dix ans et son vocabulaire russe est émaillé de nombreux polonismes et gallicismes.

Nijinski attache une grande importance aux mots "sentiment", "sentir" et "ressentir". Il oppose le "sentiment", qu'il assimile à l'intuition et à une perception intuitive des choses et des gens, à l'"intellect" qu'il considère comme un défaut qui empêche la véritable compréhension. "Sentir" ou "ressentir" permettent une fusion de l'être avec ce qui l'entoure, que ce soit Dieu, la nature ou d'autres personnes, alors que "penser" est une activité cérébrale qui sépare l'homme de sa nature profonde. Si l'"intellect" est un défaut, en revanche la "raison" est l'une des qualités spécifiquement humaines, contrairement aux animaux qui en sont dépourvus, et elle vient directement de Dieu.

Nijinski fige parfois invariablement le sens d'un mot qu'il emploie – le mot "habitude", par exemple. Pour lui, "avoir une habitude" est péjoratif et signifie être l'esclave d'un comportement ou d'un préjugé dictés par l'"intellect", et non par le "sentiment". Au contraire, "ne pas avoir d'habitudes" est synonyme de liberté.

Dans le cas de certaines phrases clés, nous avons gardé leur impropriété de structure, comme par exemple : "Je suis un homme avec des fautes", qu'il faut probablement lire : "Je suis un homme qui a des défauts."

Nijinski accorde beaucoup d'importance à l'emploi des majuscules et des minuscules. Pour ce qui est de Dieu et du docteur Fränkel, il semble même adopter un système d'alternance, que nous avons respecté. De même, nous avons gardé l'ordre originel des paragraphes, qui permet de juger du flot de son écriture, plus souvent dicté par des associations d'idées que par la logique.

En travaillant à ce livre, nous n'avons eu qu'un souhait, rendre à Nijinski sa parole entière, insécable. Ces pages sont le témoignage de ce que l'homme et l'artiste ont voulu laisser à l'humanité, une recherche de l'amour humain, spirituel et religieux. Ce torrent de mots n'est qu'un cri, celui d'une âme en débâcle qui, pour son ultime danse, bondit là où personne ne pourra la suivre, "dans le cœur de Dieu".

CHRISTIAN DUMAIS-LVOWSKI

VIE

(premier cahier)

J'ai bien déjeuné, car j'ai mangé deux œufs
à la coque avec des pommes de terre frites
et des fèves. J'aime les fèves, mais elles sont
sèches. Je n'aime pas les fèves sèches, car il
n'y a pas de vie en elles. La Suisse est malade,
car elle est toute en montagnes. En Suisse, les
gens sont secs, car il n'y a pas de vie en eux.
J'ai une femme de chambre sèche, car elle
ressent. Elle pense beaucoup, car on l'a des-
séchée à l'autre endroit où elle a longtemps
servi. Je n'aime pas Zurich, car c'est une ville
sèche, il y a beaucoup d'usines et beaucoup
d'hommes d'affaires. Je n'aime pas les hommes
secs, c'est pourquoi je n'aime pas les hommes
d'affaires.

La femme de chambre servait le déjeuner à
ma femme, à ma cousine (si je ne me trompe
pas, c'est ainsi qu'on appelle cette parente qui
est la sœur de ma femme), à Kyra et à l'infirmière de la Croix-Rouge. Elle porte des croix,
mais elle n'en comprend pas le sens. La croix,
c'est ce que le Christ a porté. Le Christ a porté
une grande croix, et l'infirmière porte une
petite croix sur un petit ruban attaché à sa
coiffe, et la coiffe est repoussée en arrière
pour montrer les cheveux. Les infirmières de

la Croix pensent que c'est plus beau ainsi, c'est pourquoi elles ont abandonné l'habitude que les docteurs voulaient leur imposer. Les infirmières n'obéissent pas aux docteurs, car elles exécutent des choses qu'elles ne comprennent pas. L'infirmière ne comprend pas sa mission, car tandis que la petite mangeait, elle a voulu lui retirer sa nourriture croyant qu'elle avait envie de dessert. Je lui ai dit qu'elle "aurait du dessert quand elle aurait mangé ce qui était dans son assiette". La petite ne m'en a pas voulu, car elle sait que je l'aime, mais l'infirmière l'a ressenti autrement. Elle a cru que je voulais la corriger. Elle ne se corrige pas, car elle aime manger de la viande. J'ai dit plusieurs fois qu'il était mauvais de manger de la viande. On ne me comprend pas. Ils pensent que la viande est une chose indispensable. Ils veulent beaucoup de viande. Après le déjeuner, ils rient. Moi, je suis maussade après avoir mangé, car je sens mon estomac. Ils ne sentent pas leur estomac, mais ils se sentent le sang vif. Après avoir mangé, ils sont excités. L'enfant aussi est excitée. On la met au lit en pensant que c'est un être faible. L'enfant est forte et n'a pas besoin d'aide. Je ne peux pas écrire, ma femme me dérange. Elle pense toujours à mes affaires. Je ne m'en soucie pas. Elle a peur que je ne sois pas prêt. Je suis prêt, mais mon estomac fonctionne encore. Je ne veux pas danser l'estomac plein, c'est pourquoi je n'irai pas danser tant que mon estomac sera plein. Je danserai quand tout se sera calmé, et quand tout sera sorti de mon intestin. Je n'ai pas peur des railleries, c'est pourquoi je l'écris ouvertement. Je veux danser parce que je sens, et pas parce qu'on m'attend. Je n'aime pas qu'on m'attende, c'est pourquoi je vais m'habiller. Je mettrai un costume de ville, car ce sera un public de citadins. Je ne veux pas me disputer, c'est pourquoi je ferai tout ce qu'on m'ordonne. Je vais monter dans mon vestiaire, car j'ai beaucoup de vêtements et de linge coûteux. Je mettrai des vêtements coûteux pour que tout le monde croie que je suis riche. Je ne laisserai pas les gens m'attendre, c'est pourquoi je vais monter tout de suite.

Je suis resté longtemps là-haut. J'ai dormi un peu, et en me réveillant, je me suis habillé. Après m'être habillé, je suis allé à pied chez ma couturière. La couturière a bien fait son travail. Elle m'a compris. Elle m'aime, car je lui ai donné un cadeau pour son mari. Je voulais l'aider, mais elle n'aime pas les médecins. Je l'ai forcée à aller voir un médecin. Elle ne voulait pas. Je voulais lui montrer que je ne regrettais pas mon argent. J'ai fait cadeau à son mari d'un caleçon et d'un tricot. Elle lui a remis ce cadeau. Elle a accepté ce cadeau avec amour. Elle m'a compris, car elle n'a pas refusé. J'aime Négri, c'est comme ça qu'elle s'appelle. C'est une femme bien. Elle vit très pauvrement, mais en entrant chez elle, j'ai éteint l'électricité qu'elle laissait brûler pour rien. Elle a compris mon geste et ne s'est pas offensée. Je lui ai dit qu'elle avait très bien fait son travail. Elle aura de l'argent et un cadeau. Elle n'a pas de vêtements chauds. Je lui donnerai un tricot et un bonnet comme vêtements chauds. Je n'aime pas les cadeaux, mais j'aime donner aux pauvres ce dont ils ont besoin. Elle a froid. Elle a faim, mais elle n'a pas peur du travail, c'est pourquoi elle a de l'argent. Elle a un petit garçon de six ans environ, et une fillette de deux ans environ. Je veux faire un cadeau aux enfants, car ils sont vêtus très pauvrement. Je lui donnerai mes tricots ou quelque chose d'autre pour ses enfants. J'aime les enfants, ils m'aiment aussi. Elle sait que j'aime les enfants. Elle sent que je ne fais pas semblant, car je suis un être humain. Elle sait que je suis un artiste, c'est pourquoi elle me comprend. Elle m'aime. Je l'aime. Son mari est violoniste au *Palace Hôtel*, où les gens s'amusent à toutes sortes de futilités. Il est pauvre, car il joue la nuit. Il a froid, car il n'a pas de vêtements chauds. Il aime jouer du violon. Il voudrait étudier mais il ne sait pas comment, car il n'a pas le temps. Je veux l'aider, mais j'ai peur qu'il ne me comprenne pas. Je peux jouer du violon sans l'avoir étudié. Je veux jouer, mais il me reste peu de temps. Je veux vivre longtemps. Ma femme m'aime beaucoup. Elle a peur pour moi, car j'ai joué d'une façon très nerveuse aujourd'hui. J'ai joué d'une façon nerveuse exprès, car le public me comprendra mieux si je suis nerveux. Ils ne comprennent pas les artistes qui ne sont pas nerveux. Il faut être nerveux. J'ai offensé Gelbar, la pianiste. Je viens de me tromper en disant qu'elle s'appelait Belvar. Je lui veux du bien. J'étais nerveux, car Dieu voulait exciter le public. Le public était venu pour s'amuser. Il pensait que je dansais pour l'amuser. J'ai dansé des choses effrayantes. Ils avaient peur de moi, c'est pourquoi ils ont cru que je voulais les tuer. Je ne voulais tuer personne. J'aimais tout le monde, mais personne ne m'aimait, c'est pourquoi je me suis énervé. J'étais nerveux, c'est pourquoi j'ai transmis ce sentiment au public. Le public ne m'a pas aimé, car il a voulu s'en aller. Alors, j'ai commencé à jouer des choses gaies*. Le public a commencé à s'amuser. Il pensait que j'étais un artiste ennuyeux, mais j'ai montré que je savais jouer des choses gaies. Le public s'est mis à rire. Je me suis mis à rire. Je riais dans ma danse. Le public aussi riait dans la danse. Le public a compris ma danse, car il a eu envie de danser lui aussi. Je dansais mal, car je tombais quand il ne fallait pas. Peu importait au public, car ma danse était belle. Il avait compris mon idée, et s'amusait. Je voulais danser encore, mais Dieu m'a dit : "Ça suffit !" Je me suis arrêté. Le public s'est dispersé. Les aristocrates et le public riche m'ont supplié de danser encore. J'ai dit que j'étais fatigué. Ils ne m'ont pas compris, car ils ont insisté. J'ai dit qu'une des aristocrates avait des mouvements excités. Elle a cru que je voulais l'offenser. Alors, je lui ai dit qu'elle ressentait le mouvement. Elle m'a remercié du compliment. Je lui ai donné la main et elle a senti que j'avais raison. Je l'aime, mais je sens qu'elle était venue pour faire ma connaissance. Elle aime les jeunes hommes. Je n'aime pas cette vie, c'est pourquoi je lui ai demandé de me laisser, en le lui faisant ressentir. Elle a ressenti, c'est pourquoi elle ne m'a pas laissé la possibilité de poursuivre la conversation. Je voulais lui parler, mais elle ressentait le contraire. Je lui ai montré le sang sur ma jambe. Elle n'aime pas le sang. Je lui ai fait comprendre que le sang c'était la guerre, et que je n'aimais pas la guerre. Je lui ai posé une question sur la vie, en lui faisant voir une danse de cocotte. Elle l'a

* Nijinski ne fait pas de distinction entre les disciplines artistiques, et il utilise le mot "jouer" pour "danser". (N.d.T.)

ressentie, mais elle n'est pas partie, car elle savait que je jouais la comédie. Les autres ont cru que j'allais me coucher par terre et faire l'amour. Je ne voulais pas compliquer la soirée, c'est pourquoi je me relevais quand il le fallait. Toute la soirée j'ai senti Dieu. Il m'aimait. Je l'aimais. Nous étions mariés. Dans la voiture, j'ai dit à ma femme que ce jour-ci était le jour de mon mariage avec Dieu. Elle l'a ressenti dans la voiture, mais pendant la soirée, elle a perdu le sentiment. Je l'aimais, c'est pourquoi je lui ai donné la main en disant que je me sentais bien. Elle a ressenti le contraire. Elle pensait que je ne l'aimais pas, car j'étais nerveux. Le téléphone sonne, mais je n'irai pas, car je n'aime pas parler au téléphone. Je sais que ma femme veut décrocher. Je suis sorti, et j'ai vu ma femme en pyjama. Elle aime dormir en pyjama. Elle m'aime, c'est pourquoi elle m'a fait sentir qu'il fallait monter dans la chambre à coucher. Je suis monté et je me suis mis au lit, mais j'ai pris mon cahier pour noter tout ce que j'ai vécu aujourd'hui. J'ai vécu beaucoup de choses, c'est pourquoi je veux les noter. Je n'ai vécu que des horreurs. J'ai peur des gens, car ils ne me ressentent pas, mais me comprennent. J'ai peur des gens car ils veulent que je vive la même vie qu'eux. Ils veulent que je danse des choses gaies. Je n'aime pas la gaieté. J'aime la vie. Ma femme dort à côté et j'écris. Ma femme ne dort pas, car elle a les yeux ouverts. Je l'ai caressée. Elle ressent bien. J'écris mal, car je trouve ça difficile. Ma femme soupire, car elle me ressent. Je la ressens, c'est pourquoi je ne réponds pas à ses soupirs. Aujourd'hui, elle m'aime par le sentiment. Je lui dirai un jour que nous devrions nous marier par le sentiment, car je ne veux pas aimer sans sentiment. Maintenant je la laisse, car elle a peur de moi*. Je ne peux pas écrire, car j'ai pensé à un homme de la soirée. Cet homme veut apprendre la musique, mais il ne peut pas, car il en a assez. Je le comprends très bien, car je lui ai dit que moi non plus je n'aimais pas les études. Ma femme me dérange, car elle ressent. J'ai ri nerveusement. Ma femme écoute au téléphone, mais elle pense à ce que j'écris. J'écris vite. Elle m'a demandé ce que j'écrivais. Je lui ai fermé mon cahier au nez, car elle veut lire ce que j'écris. Elle sent que je parle d'elle, mais elle ne comprend pas. Elle a peur pour moi, c'est pourquoi elle ne veut pas que j'écrive. Je veux écrire, car j'aime écrire. Je veux écrire longtemps aujourd'hui, car je veux dire beaucoup de choses. Je ne peux pas écrire vite, mais ma main écrit vite. J'écris déjà mieux, car je ne me fatigue pas vite. Mon écriture est claire. J'écris d'une façon nette. Je veux encore écrire, mais je veux que ma femme dorme. Elle n'arrive pas à s'endormir. Elle est énervée. Elle veut dormir, parce qu'elle pense. Elle ne veut pas dormir, parce qu'elle ne dort pas. Je sais que je lui ai fait une forte impression. Elle a compris mes sentiments. Elle sait que je sais jouer, car elle est d'accord pour dire que j'ai joué comme la Duse ou Sarah Bernhardt. Je lui ai posé un problème difficile. Elle ne peut pas comprendre ce que c'est que la mort. Elle ne pense pas à la mort, car elle ne veut pas mourir. Je pense à la mort,

* La phrase qui suit dans le manuscrit a été rayée par Nijinski, on peut lire : "Elle croit que je suis devenu fou, mais je connais sa ner." Le dernier mot est incomplet, il faut sans doute lire nervosité. *(N.d.T.)*

car je ne veux pas mourir. Elle bâille, croyant que je veux dormir. Elle ne veut pas dormir. Elle a peur que je n'écrive des choses mauvaises sur les gens. Je n'ai pas peur d'écrire, car je sais que j'écris des choses bonnes. Ma femme tousse et bâille en exagérant, croyant qu'elle peut me forcer à me mettre au lit et à dormir. Elle me regarde, et croit que je ne connais pas ses intentions. Je la connais bien. Elle ne dit rien, mais elle souffre. Elle veut me forcer à me coucher, car elle croit qu'elle est fatiguée. Elle est nerveuse, et les nerfs sont une chose mauvaise. Elle pense que je dois dormir. J'ai répondu à son bâillement. Elle ne me comprend pas. Elle croit que je suis fatigué. Je ne suis pas fatigué. Mes muscles sont fatigués, mais moi, je ne suis pas fatigué. Je leur ai promis de danser, c'est-à-dire aux aristocrates. Je ne danserai pas pour eux, car ils croient qu'ils peuvent tout avoir. Je ne veux pas leur donner mes sentiments, car je sais qu'ils ne me comprendront pas. Je jouerai à Paris très bientôt. Je danserai seul, au profit des artistes français pauvres. Je veux que les artistes me ressentent, c'est pourquoi je prendrai leur vie. Je me soûlerai pour les comprendre. Si Dieu le veut, j'irai au cabaret avec eux. Ils ont besoin de moi, car ils ont perdu le sentiment. Ils ont besoin d'argent, et je leur en donnerai. Ils m'oublieront, mais leur sentiment sera vivant. Je veux qu'ils ressentent, c'est pourquoi je danserai à Paris dans les mois à venir au profit des artistes pauvres. J'organiserai ça s'ils le veulent. S'ils le veulent, ils l'organiseront. Il faudra seulement me payer mon séjour à Paris. Je demanderai à Astruc de convoquer les artistes pauvres à une conversation, car je leur parlerai. Je leur dirai : "Écoutez ! Je suis un artiste, vous aussi. Nous sommes des artistes, c'est pourquoi nous nous aimons. Ecoutez, je vais vous dire quelque chose de bien. Voulez-vous ?" Je leur poserai une question sur la vie. S'ils me ressentent, je suis sauvé. S'ils ne me ressentent pas, je serai un pauvre homme, un malheureux, car j'en souffrirai. Je ne veux pas danser à Saint-Moritz, car les gens ne m'aiment pas. Je sais qu'ils croient que je suis malade. Je les plains, parce qu'ils croient que je suis malade. Je suis en bonne santé, et je n'épargne pas mes forces. Je danserai plus que jamais. Je veux apprendre la danse, c'est pourquoi je travaillerai un peu chaque jour. J'écrirai aussi. Je n'irai plus à leurs soirées. Cette gaieté-là, j'en ai eu assez pour la vie entière. Je n'aime pas m'amuser. Je comprends ce que c'est que la gaieté. Je ne suis pas gai, car je sais que la gaieté c'est la mort. La gaieté est la mort de la raison. J'ai peur de la mort, c'est pourquoi j'aime la vie. Je veux inviter les gens à venir me voir, mais ma femme a peur de moi. Je veux inviter un vieux Juif qui est parent du baron de Gunzbourg. Le baron de Gunzbourg est un homme bien. Il ne comprend pas la vie. Il devrait se marier, et avoir des enfants, mais il tourmente sa femme car il veut qu'elle mène une joyeuse vie. Je sais que tout le monde dira : "Nijinski est devenu fou", mais ça m'est égal, car j'ai déjà joué au fou à la maison. Tout le monde le pensera, mais on ne me mettra pas dans une maison de fous, car je danse très bien et je donne de l'argent à tous ceux qui m'en demandent. Les gens aiment les excentriques, c'est pourquoi on me laissera tranquille, en disant que je suis un clown fou. J'aime les fous, car je sais leur parler. Quand mon frère était dans sa maison de fous, je l'aimais, et il me ressentait. Ses camarades m'aimaient. J'avais dix-huit ans à l'époque. Je comprenais la vie d'un fou. Je connais la psychologie d'un fou. Je ne contredis pas les fous, c'est pourquoi les fous m'aiment. Mon frère est mort dans une maison de fous. Ma mère vit ses dernières heures. J'ai peur de ne plus la revoir. Je l'aime, c'est pourquoi je prie Dieu de lui donner de longues années. Je sais que ma mère et ma sœur ont quitté Moscou pour fuir les maximalistes. Les maximalistes les ont épuisées. Elles se sont sauvées avec Kotchetovski, le mari de ma sœur, et leur fille Ira, en abandonnant toutes leurs affaires. Ce sont des gens bien. J'aime ma sœur Bronia. Kotchetovski est un homme bien. Sa vie lui pèse, car il lui faut beaucoup penser à l'argent. Il pense aussi à la peinture. Il pense à l'écriture. Il aime être écrivain. Il écrit bien, mais il ne connaît pas les arts. Je connais les arts, car je les ai étudiés. Ma femme me traduisait les choses que je ne comprenais pas. On sonne. C'est Tessa qui est allée s'amuser après que j'ai dansé. Elle ne m'aime pas, car elle pense à s'amuser. Elle veut que je la prenne dans ma troupe. Je ne peux pas la prendre, car elle ne ressent pas le travail. Elle veut entrer dans ma troupe parce que ça l'arrange. Elle veut aider son mari, mais elle ne pense pas à moi. Elle ne se soucie pas de ce que je fais. Elle s'amuse quand je travaille. Elle ne ressent pas mon amour. Je lui ai offert une bague et des vêtements pour qu'elle me ressente. J'ai fait semblant d'être amoureux, mais elle ne m'a pas ressenti, car elle boit du vin. Ma femme lui donne du vin, car elle sait qu'elle boit en cachette. C'est une ivrognesse. Les ivrognes ne ressentent pas, car ils pensent au vin. Mon garçon de chauffe aussi est un ivrogne. Il boit sans arrêt. Il est tombé malade. Je l'avais pressenti, et je lui ai dit que moi j'étais tombé malade bien des jours avant lui. Il est tombé malade, et il a laissé geler toute la maison, alors que je devais préparer mes costumes avec Négri. Je n'aime pas Tessa parce qu'elle boit et fait la fête, mais je l'aime parce qu'elle ressent l'art. Elle est bête. Elle ne comprend pas la vie. Elle ne peut pas forcer son mari à ne pas boire et, au contraire, elle boit elle-même. Elle boit du madère, des liqueurs, etc. J'ai peur pour elle, car quand elle ressent la danse, elle chancelle. Ma femme ne chancelle pas quand elle ressent la danse. C'est une femme en bonne santé, seulement elle pense beaucoup. J'ai peur pour elle, car je crois que la pensée peut l'empêcher de me comprendre. J'ai peur pour elle, car elle ne comprend pas mes objectifs. Elle ressent beaucoup de choses, mais elle ignore leur sens. J'ai peur de le lui dire, car je sais qu'elle aura peur. Je veux l'influencer autrement. Elle m'écoute. Je l'écoute. Elle me comprendra si les autres disent que tout ce que je fais est bien. Je me trouve devant un précipice où je pourrais tomber, mais je n'ai pas peur de tomber, c'est pourquoi je ne tomberai pas. Dieu ne veut pas que je tombe, car il m'aide quand je tombe. Une fois, je suis allé me promener, et il m'a semblé qu'il y avait du sang sur la neige, alors j'ai couru en suivant les traces. Il m'a semblé qu'on avait tué un homme, mais qu'il était vivant, alors j'ai couru dans une autre direction, et j'ai vu une grande trace de sang. J'avais peur, mais je marchais vers le précipice. J'ai compris que les traces n'étaient pas du sang, mais de la pisse. Je ne connais pas d'autre expression, c'est pourquoi j'écris celle-là. Je pourrais me forcer à apprendre toutes les expressions, mais je n'aime pas perdre mon temps. Je veux décrire mes promenades. Quand je marchais sur la neige, j'ai vu une trace de skis qui s'arrêtait devant la trace de sang. J'ai eu peur qu'on n'ait enterré un homme dans la neige, car ils l'avaient zigouillé à coups de bâton. J'ai eu peur, et je suis revenu en courant sur mes pas. Je connais des gens qui ont peur. Je n'ai pas peur, c'est pourquoi je suis retourné sur mes pas, alors j'ai senti que c'était Dieu qui m'éprouvait pour voir si j'avais peur de lui ou non. J'ai dit à haute voix : "Non, je n'ai pas peur de Dieu, car il est la vie, et pas la mort." Alors, Dieu m'a fait aller vers le précipice en disant qu'un homme était accroché au-dessus, et qu'il fallait le sauver. J'avais peur. Je pensais que c'était le diable qui me tentait, comme il a tenté le Christ quand il était sur la montagne, en disant : "Saute, alors je croirai en toi." J'ai eu peur, mais après un moment, j'ai senti une force qui m'attirait vers le précipice. Je suis allé vers le précipice, puis j'y suis tombé, mais les branches d'un arbre que je n'avais pas remarqué m'ont retenu. Alors, je me suis étonné, et j'ai pensé que c'était un miracle. Dieu voulait m'éprouver. J'ai compris Dieu, c'est pourquoi j'ai voulu me décrocher, mais Il ne me l'a pas permis. J'ai tenu longtemps, mais après quelque temps, j'ai eu peur. Dieu m'a dit que je tomberais si je lâchais une seule branche. J'ai lâché une branche, mais je ne suis pas tombé. Dieu m'a dit : "Rentre chez toi et dis à ta femme que tu es fou." J'ai compris que Dieu me voulait du bien, c'est pourquoi je suis allé à la maison dans l'intention de lui annoncer cette nouvelle. Sur la route, j'ai revu les traces de sang, mais je n'y ai plus cru. Dieu m'a montré ces traces pour que je le sente. Je l'ai senti, et je suis retourné sur mes pas. Il m'a dit de m'allonger dans la neige. Je me suis allongé. Il m'a ordonné de rester allongé long-temps. Je le suis resté jusqu'à ce que je sente le froid dans ma main. Ma main a commencé à geler. J'ai retiré ma main en disant que ce n'était pas Dieu, car j'avais mal à la main. Dieu était content, et il m'a ordonné de revenir sur mes pas, mais après quelques pas, il m'a ordonné de m'allonger à nouveau dans la neige, près d'un arbre. Je me suis accroché à l'arbre, et je me suis allongé en me renversant lentement en arrière. Dieu m'a à nouveau ordonné de rester dans la neige. J'y suis resté longtemps. Je ne sentais pas le froid, quand Dieu m'a ordonné de me relever. Je me suis relevé. Il a dit que je pouvais rentrer chez moi. Je suis reparti. Dieu m'a dit : "Arrête !" Je me suis arrêté. J'étais sur la trace de sang. Il m'a ordonné de retourner sur mes pas. Je suis revenu sur mes pas. Il a dit : "Arrête !" Je me suis arrêté. Je sais que tout le monde pensera que tout ce que j'écris est inventé, mais je dois dire que tout ce que j'écris est la pure vérité, car j'ai vécu tout ça dans la pratique. J'ai fait tout ce que j'écris. J'écrirai jusqu'à ce que ma main s'engourdisse. Je ne me fatigue pas, c'est pourquoi j'écrirai encore. On frappe à la mai-son. Les gens dorment. Je n'ai pas sommeil, car je sens beaucoup de choses. Dehors, l'homme a dit "Oïga". Il continue de crier "Oïga". Je ne veux pas réveiller ma femme, c'est pourquoi je ne veux pas me lever de mon lit. Ma femme dort bien. J'espère que les domestiques se réveilleront et ouvriront la porte. Mon cahier n'est pas commode, car il glisse. Quelqu'un monte l'escalier. Je n'ai pas peur. Je crois que c'est Tessa qui rentre d'avoir fait la fête, mais ce n'est pas ça, en fait, je ne sais pas. Dieu sait. Je ne sais pas, car je suis encore un homme, et pas Dieu. Si Dieu le veut, je saurai, car il me fera lever de mon lit. Dieu m'a fait comprendre que c'était Tessa. Tessa habite à côté de notre chambre, et à côté de la chambre de Tessa, il y a la chambre de Kyra. Kyra dort profondément, c'est pourquoi elle ne pouvait pas frapper. La porte a grincé. J'ai senti que c'était Tessa. Je connais les mouvements de Tessa. Elle est toujours nerveuse, c'est pourquoi la porte a grincé très nerveusement. Elle est rentrée à la maison à une heure un quart du matin. J'ai regardé ma montre en or qui marche très bien. Je n'ai pas peur de ce que je raconte, seulement, les gens ont peur de la mort. Je vais continuer mon récit de la promenade à Saint-Moritz.

Après avoir vu les traces, je me suis retourné brusquement et je suis vite revenu en arrière, car j'étais certain que quelqu'un avait été tué. J'ai compris que les traces de sang étaient effacées avec un bâton pour qu'on pense que c'était de la pisse. J'ai regardé attentivement, et j'ai compris que c'était de la pisse. Après ça, je suis revenu en arrière. La distance sur laquelle j'allais et venais ne dépassait pas dix archines*, peut-être un peu plus. Je courais bien. J'aime courir. Je me sens comme un petit garçon. J'ai couru à la maison, content

* Mesure de longueur russe, l'archine équivaut à 0,711 mètre. (N.d.T.)

que ce soit la fin de mes épreuves, mais Dieu m'a ordonné de prêter attention à un homme qui venait à ma rencontre. Dieu m'a ordonné de retourner sur mes pas, disant que cet homme en avait tué un autre. J'ai couru. Une fois arrivé, j'ai senti le sang, et je me suis caché derrière un monticule. Je me suis accroupi, pour que cet homme ne me voie pas. J'ai fait semblant d'être tombé dans la neige, et de ne pas pouvoir me relever. Je suis resté couché longtemps. Quelquse temps après, je suis revenu sur mes pas. En me retournant, j'ai vu l'homme qui fouillait la neige avec un bâton. Cet homme cassait un arbre. J'ai compris que l'homme cherchait quelque chose. J'ai pris une route qui passait plus bas. Cet homme m'a remarqué, mais ne m'a rien dit, alors j'ai voulu lui dire : "Bonjour, mon vieux." Le vieux était occupé à quelque chose. Je ne savais pas à quoi, mais quelque temps après, Dieu m'a ordonné de retourner sur mes pas. Je suis retourné sur mes pas, et j'ai vu l'homme qui fouillait la neige avec son bâton, avec effort. J'avais peur que son bâton ne se casse. J'ai senti que c'était l'assassin. Je savais que j'avais tort, mais je le sentais. Mon erreur s'est confirmée. J'ai voulu partir, mais tout à coup, j'ai remarqué un banc sur lequel on avait construit un tertre, où un morceau de l'arbre était enfoncé. L'arbre était un sapin. Le sapin était cassé en deux, dans le tertre il y avait un grand trou. J'ai regardé dans le trou, et j'ai pensé que l'homme avait construit ce tertre exprès. Le tertre était petit, avec une croix au-dessus, et sous la croix, il y avait une inscription. J'ai compris que c'était le cimetière de sa femme. J'ai compris que l'homme avait construit ce cimetière, parce qu'il avait pensé à sa femme. J'ai eu peur, et je suis parti en courant, pensant que ma femme était tombée malade. J'ai peur de la mort, c'est pourquoi je n'en veux pas. Je suis revenu sur mes pas, et j'ai enlevé l'arbre. Pensant que l'homme apprendrait mon insolence, j'ai enfoncé l'arbre à nouveau, mais j'ai effacé la croix, pensant que l'homme ne comprenait pas la mort. La mort est la vie. L'homme meurt pour Dieu. Dieu est mouvement, c'est pourquoi la mort est nécessaire. Le corps meurt, mais la raison vit. Je veux écrire, mais ma main meurt, car elle ne veut pas m'obéir. J'écrirai longtemps aujourd'hui. Dieu veut que je décrive ma vie. Il la juge bonne. J'ai dit "bonne", mais je pensais autre chose. J'ai peur que ma vie ne soit pas bonne, mais je sens que ma vie est bonne. J'aime tout le monde, mais on ne m'aime pas. Je continuerai à écrire demain, car Dieu veut que je me repose…

....

Que l'homme descend du singe, ce n'est pas Nietzsche qui l'a dit, mais Darwin. J'ai demandé à ma femme ce matin parce que j'ai eu pitié de Nietzsche. J'aime Nietzsche. Il ne me comprendra pas, car il pense. Darwin est un savant. Ma femme m'a dit qu'il écrivait des choses savantes en français, ça s'appelle *l'Histoire de la nature*. La nature de Darwin est inventée. La nature est la vie, et la vie est la nature. J'aime la nature. Je sais ce que c'est que la nature. Je comprends la nature, car je sens la nature. La nature me ressent. La nature est Dieu, je suis la nature. Je n'aime pas la nature inventée. Ma nature est vivante. Je suis vivant. Je connais des gens qui ne comprennent pas la nature. La nature est une chose superbe. Ma nature est superbe. Je sais qu'on me dira que moi aussi j'étudie. Mais j'étudie la nature d'après le sentiment. Mes sentiments sont grands, c'est pourquoi je sais sans étudier ce que c'est que la nature. La nature est la vie. La vie est la nature. Le singe est la nature. L'homme est la nature. Le singe n'est pas la nature de l'homme. Je ne suis pas le singe en l'homme. Le singe est dieu dans la nature, car il ressent les mouvements. Je sens les mouvements. Mes mouvements sont simples. Les mouvements du singe sont compliqués. Le singe est bête. Je suis bête, mais je suis doué de raison. Je suis un être doué de raison, et le singe n'est pas doué de raison. Je crois que le singe descend de l'arbre, et l'homme de Dieu. Dieu n'est pas le singe. L'homme est Dieu. L'homme a des mains, et le singe aussi. Je sais que par les matières organiques, l'homme ressemble au singe, mais par celles de l'esprit, il ne lui ressemble pas. Ils pensent que je ne comprends pas ce qu'ils disent en hongrois. J'écris, et en même temps, j'écoute leur conversation. Mes écrits ne m'empêchent pas de penser à autre chose. Je suis un homme avec du sentiment, c'est pourquoi je sens la langue hongroise. J'ai vécu chez la mère de ma femme pendant la guerre. J'ai compris la guerre, car je faisais la guerre à la mère de ma femme. J'ai voulu entrer dans un restaurant, mais une force intérieure m'a retenu. J'appelle force intérieure le sentiment. Je me suis arrêté net, comme cloué sur place, devant un petit restaurant fréquenté par des ouvriers. Je pensais y entrer, mais j'avais peur de les gêner, car je ne suis pas un ouvrier. Les ouvriers font les mêmes choses que les riches. Je voulais écrire sur la mère de ma femme, et j'ai commencé à écrire sur le restaurant des ouvriers. J'aime le peuple ouvrier. Les ouvriers ressentent plus que les riches. Un ouvrier, c'est la même chose qu'un riche, la différence, c'est qu'il a peu d'argent. J'ai vu des ouvriers aujourd'hui, c'est pourquoi je veux parler d'eux. Les ouvriers sont aussi dépravés que les aristocrates. Ils ont moins d'argent. Ils boivent du vin à bon marché. Le vin à bon marché, c'est la même chose. J'aimais les cocottes parisiennes quand j'étais avec Diaghilev. Il pensait que j'allais me promener, mais j'allais chez les cocottes. Je courais dans Paris, et je cherchais des cocottes à bon marché, car j'avais peur qu'on ne découvre mes actes. Je savais que les cocottes n'avaient pas de maladies, car elles étaient surveillées par la police. Je savais que tout ce que je faisais était affreux. Je savais que si on s'en apercevait, je serais perdu. Je sais que Tessa aime les jeunes hommes, mais elle a peur qu'on ne s'en aperçoive. Elle est comme moi quand j'étais jeune. J'ai vingt-neuf ans aujourd'hui. J'ai honte de dire mon âge, car tout le monde pense que je suis plus jeune. J'ai voulu changer de crayon, car mon crayon est petit et me glisse des doigts, mais j'ai remarqué que l'autre est pire, car il se casse. Dieu m'a conseillé à haute voix, qu'il valait mieux écrire avec le petit, car je ne perds pas mon temps. A présent, je vais changer de crayon, car j'ai peur de me fatiguer à écrire, et je veux écrire beaucoup. Je suis allé chercher un crayon, mais je ne l'ai pas trouvé, car l'armoire où se trouvent les crayons était fermée à clé. Ensuite, j'ai changé plusieurs fois de crayon, pour les essayer, pensant qu'il valait mieux écrire avec un grand crayon qu'avec un petit.

Je sais que les crayons se cassent, c'est pourquoi j'écrirai avec une fountain-plume*. Un
stylo avec lequel Tolstoï et beaucoup d'hommes d'affaires ont écrit à notre époque. Je
changerai d'habitude, car je sais qu'il ne faut
rien corriger de tout ce que j'écris. Demain,
j'écrirai avec de l'encre, car je sens que Dieu
le veut. Maintenant, j'écris avec un crayon à
encre. Je veux décrire mes manigances avec
les cocottes. J'étais très jeune, c'est pourquoi
je faisais des bêtises. Tous les jeunes gens
font des bêtises. J'ai perdu l'équilibre, et je
suis parti dans les rues de Paris à la recherche
de cocottes. Je les cherchais longtemps, car je
voulais que la fille soit belle et en bonne santé.
Je cherchais parfois toute la journée, et je ne
trouvais pas, car mes recherches manquaient
d'expérience. Je faisais l'amour à plusieurs
cocottes par jour. Je savais que mes actions
étaient affreuses. Je n'aimais pas ce que je faisais, mais mes habitudes se sont compliquées,
et j'ai commencé à courir après elles tous les
jours. Je connaissais un endroit affreux, où
on pouvait trouver des cocottes. Cet endroit
s'appelait le Boulevard. Je me promenais sur
le Boulevard, et j'y rencontrais souvent des
cocottes qui ne me ressentaient pas. J'utilisais
toutes sortes de ruses pour que les cocottes
me remarquent. Elles me remarquaient peu,
car j'étais modestement vêtu. Je ne voulais pas
être richement vêtu, de crainte d'être remarqué.

* Nijinski parle ici d'un stylo à réservoir d'encre, avec
lequel il a écrit la majeure partie de ses cahiers, la première partie étant écrite au crayon. Il utilise le mot
"fountain-plume" qu'il a créé d'après l'inscription anglaise *fountain-pen* qui figurait sur son stylo. Nous
avons gardé cette appellation telle quelle. A d'autres
endroits, Nijinski utilise le mot stylo, ou plume. *(N.d.T.)*

Une fois, je poursuivais une cocotte qui avait tourné du côté des Lafayette (le magasin). Soudain, j'ai remarqué le regard fixe d'un jeune homme qui était dans un fiacre avec sa femme et leurs deux enfants, si je ne me trompe pas. Il m'a reconnu. J'ai reçu un coup moral, et j'ai changé de direction. Je suis devenu tout rouge, mais j'ai continué ma chasse aux cocottes. Si ma femme lit tout ça, elle deviendra folle, car elle me croit. Je lui ai menti en lui disant qu'elle était la première femme que j'aimais. J'en ai connu beaucoup d'autres avant ma femme. Elles étaient simples, et belles. Une fois, j'ai fait l'amour à une femme qui avait ses règles. Elle m'a tout montré, alors j'ai été horrifié et je lui ai dit que c'était dommage de faire ça quand on est malade. Elle m'a dit que si elle ne le faisait pas, elle mourrait de faim. Je lui ai dit que je ne voulais rien, et je lui ai donné de l'argent. Elle a insisté mais je n'ai pas voulu, car j'ai éprouvé un sentiment de dégoût envers elle. Je l'ai laissée seule, et je suis parti. Je trouvais des chambres dans de petits hôtels parisiens. Paris est archiplein de tels hôtels. Les gens de ces hôtels sont simples. Je connais beaucoup de petits hôtels qui vivent de la location de chambres à temps réduit pour y faire l'amour libre. J'appelle amour libre l'amour où les gens aiment exciter leur membre et les entrailles d'une femme. Je n'aime pas l'excitation, c'est pourquoi je ne veux pas manger de viande. Aujourd'hui, j'ai mangé de la viande, et j'ai été pris de désir pour une femme des rues. Je n'aimais pas cette femme, mais la luxure me poussait vers elle. Je voulais lui faire l'amour, mais Dieu m'a retenu. J'ai peur de la luxure, car j'en connais le sens. La luxure est la mort de la vie. Un homme pris de luxure est pareil à une bête. Je ne suis pas une bête, c'est pourquoi j'ai repris le chemin de la maison. Sur la route, Dieu m'a arrêté, car il ne voulait pas que je continue ma route. Soudain, j'ai aperçu la même fille, en compagnie d'un homme qu'elle empêchait d'entrer au restaurant, alors l'homme a insisté en italien, pour qu'elle vienne au restaurant avec son amie. Je me suis arrêté net, comme si j'étais cloué sur place. Le sentiment me retenait. Je suis resté comme ça longtemps. Après que la fille et l'homme furent entrés au restaurant, un homme âgé a fermé la porte en me disant "bonjour". Je lui ai répondu la même chose. J'ai pris l'habitude de dire "bonjour" à tous les gens, sans les connaître. J'ai compris que tous les gens sont les mêmes. Je dis souvent, mais les gens ne me comprennent pas, que tout le monde a un nez, des yeux, etc., c'est pourquoi nous sommes tous les mêmes. Je veux dire par là qu'il faut aimer tout le monde. J'aime ma femme plus que tout au monde. Je le lui ai dit aujourd'hui, à table, pendant le dîner. Je ne mange pas de viande, mais aujourd'hui, Dieu voulait que j'en mange. Je ne sais pas pourquoi, mais il le voulait. J'ai exécuté ses ordres, et j'ai mangé de la viande. J'avais le cœur lourd, c'est pourquoi j'ai mangé vite, en avalant de gros morceaux. Je ne savais pas exactement ce que signifiait son commandement, mais j'ai exécuté ses ordres. Il le voulait ainsi, car je le sentais. Les gens diront sûrement que Nijinski fait semblant d'être fou pour servir ses actions affreuses. Je dois dire que les actions affreuses sont une chose affreuse, c'est pourquoi je ne l'aime pas et je ne veux pas la commettre. Je la commettais avant, car je ne comprenais pas Dieu.

Je le sentais, mais je ne le comprenais pas. C'est ce que tout le monde fait aujourd'hui. Tous les gens possèdent le sentiment, mais ils ne comprennent pas le sentiment. Je veux écrire ce livre, car je veux expliquer ce que c'est que le sentiment. Je sais que bien des gens diront que ce n'est là que mon avis sur le sentiment, mais je sais que ce n'est pas vrai, car cet avis provient des commandements de Dieu. Je suis un homme qui, comme le Christ, exécute les commandements de Dieu. J'ai peur des gens, car je pense qu'ils ont des intentions bestiales, et qu'ils pourraient mal me comprendre, et alors me lyncher. Je sais ce que c'est qu'un lynchage. Le lynchage est une chose affreuse. Le lynchage est une action bestiale. Lynch est une bête. Lynch n'est pas Dieu. Je suis Dieu. Dieu est en moi. J'ai commis des erreurs, mais je les ai corrigées par ma vie. J'ai souffert plus que quiconque au monde. J'aime Fränkel. C'est un bon docteur. Il commence à me ressentir. Il commence à me comprendre. Sa femme est intelligente. Elle me ressent, c'est pourquoi elle lui transmet son sentiment. Il l'aime, c'est pourquoi il fait tout ce qu'elle veut. Il m'a invité au restaurant, pour voir un danseur, Wilson, mais j'ai refusé en disant que je ne pouvais pas le voir, car il me faisait pitié. Sa femme était d'accord, lui aussi. Je les ai invités à faire une promenade avec nous, en voiture, à Maloja, à plusieurs verstes* de Saint-Moritz. C'est une belle promenade quand il fait beau. J'aime la nature russe, car j'ai été élevé en Russie. J'aime la Russie. Ma femme a peur de la Russie. Peu m'importe où je vis.

* Verste, ancienne mesure de longueur russe, une verste équivaut à 1 067 mètres. *(N.d.T.)*

Je vis où Dieu veut. Je voyagerai toute ma vie si Dieu le veut. J'ai dessiné le Christ sans barbe ni moustache, les cheveux longs. Je lui ressemble, seulement lui son regard est calme, et le mien bondit partout. Je suis un homme bondissant, et pas un homme assis. J'ai d'autres habitudes que celles du Christ. Il aimait être assis. Moi j'aime danser. Hier, je suis allé voir la petite Kyra qui étouffait à cause de la bronchite. Je ne sais pas pourquoi on a donné à Kyra une machine pour respirer des vapeurs avec des médicaments. Je suis contre tous les médicaments. Je ne veux pas que les gens prennent des médicaments. Les médicaments sont une invention. Je connais des gens qui prennent des médicaments par habitude. Les gens croient que les médicaments sont une chose nécessaire. Je trouve que les médicaments sont une chose indispensable seulement pour aider, mais ils n'ont pas de sens, car ils ne peuvent donner la santé. Tolstoï n'aimait pas les médicaments. J'aime les médicaments, car ils sont une chose nécessaire. J'ai dit que les médicaments n'étaient pas nécessaires, car ils n'ont pas de sens. J'ai dit la vérité, car c'est comme ça. Si vous ne me croyez pas, tant pis. Je crois Dieu, c'est pourquoi j'écris tout ce qu'il me dit. Ma femme m'a dit aujourd'hui que ce que j'ai fait à la soirée d'hier ressemblait à du spiritisme, car je m'arrêtais de danser quand il ne fallait pas. A quoi j'ai répondu que je ne m'étais pas balancé comme on le fait aux séances de spiritisme. Les gens en transe de spiritisme ressemblent à des hommes ivres, et moi je n'étais pas ivre, car je sentais tout ce que je faisais. Je ne suis pas un ivrogne, mais je sais ce que c'est qu'un ivrogne, car j'ai goûté du vin, et j'ai été ivre. Je ne veux pas que les gens boivent du vin et s'adonnent aux séances de spiritisme, car c'est mauvais pour la santé. Je suis un homme en bonne santé, mais je suis maigre, parce que je ne mange pas beaucoup. Je mange ce que Dieu me commande.

Je vais parler de Nietzsche et de Darwin, car ils pensaient. Darwin, de même que Nietzsche, descendent du singe. Ils imitent ceux qui ont déjà inventé quelque chose. Ils croient qu'ils ont découvert l'Amérique. J'appelle découvrir l'Amérique, qu'un homme répète quelque chose qui a déjà été dit. Darwin n'a pas été le premier à inventer le singe. Le singe descend du singe, et le singe descend de Dieu. Dieu descend de Dieu, et Dieu de Dieu. Je sens bien, car je comprends tout ce que j'écris. Je suis un homme de Dieu, et pas du singe. Je suis singe si je ne sens pas, je suis Dieu si je sens. Je sais que bien des gens seront enchantés de mon raisonnement, et j'en serai heureux, car mon but aura été atteint. Je danserai pour gagner de l'argent. Je veux donner à ma femme une maison tout équipée. Elle veut avoir un enfant de moi, un petit garçon, car elle a peur que je ne meure bientôt. Elle croit que je suis fou, car elle pense beaucoup trop. Je pense peu, c'est pourquoi je comprends tout ce que je sens. Je suis le sentiment dans la chair, et pas l'intelligence dans la chair. Je suis la chair. Je suis le sentiment. Je suis Dieu dans la chair et le sentiment. Je suis un homme, et pas Dieu. Je suis simple. Il ne faut pas me penser. Il faut me ressentir, et me comprendre à travers le sentiment. Les savants réfléchiront sur beaucoup de choses, et se casseront la tête, car le fait de penser ne leur donnera aucun résultat. Ils sont bêtes. Ce sont des bêtes. Ils sont de la viande. Ils sont la mort. Je parle simplement et sans aucune singerie. Je ne suis pas un singe. Je suis un homme. Le monde descend de Dieu. L'homme vient de Dieu. Il est impossible aux hommes de comprendre Dieu. Dieu comprend Dieu. L'homme est Dieu, c'est pourquoi il comprend Dieu. Je suis Dieu. Je suis un homme. Je suis bon, et pas une bête. Je suis un animal doué de raison. J'ai une chair. Je suis la chair. Je ne descends pas de la chair. La chair descend de Dieu. Je suis Dieu. Je suis Dieu. Je suis Dieu...

Je suis heureux, car je suis amour. J'aime Dieu, c'est pourquoi je me souris à moi-même. Les gens pensent que je vais devenir fou, car ils pensent que je vais perdre la tête. C'est Nietzsche qui a perdu la tête, car il pensait. Je ne pense pas, c'est pourquoi je ne perdrai pas la tête. J'ai la tête solide, et dans ma tête, c'est aussi du solide. Je me tenais debout sur la tête dans le ballet *Shéhérazade*, où je devais représenter un animal blessé. Je représentais bien l'animal, c'est pourquoi le public me comprenait. Maintenant, je représenterai le sentiment, et le public me comprendra. Je connais le public, car je l'ai bien étudié. Le public aime s'étonner, il connaît peu de chose, c'est pourquoi il s'étonne. Je sais ce qu'il faut pour étonner le public, c'est pourquoi je suis certain de mon succès. Voulez-vous parier avec moi que j'aurai des millions ? Je veux avoir des millions pour faire craquer la Bourse. Je veux ruiner la Bourse. Je déteste la Bourse. La Bourse est un bordel. Je ne suis pas un bordel. Je suis la vie, et la vie est l'amour pour les gens. La Bourse c'est la mort. La Bourse dépouille les pauvres qui y apportent leur dernier argent pour en avoir plus, dans l'espoir d'atteindre leurs buts dans la vie. J'aime les pauvres, c'est pourquoi je jouerai à la Bourse pour détruire les boursiers. Les boursiers sont ceux qui jouent à la Bourse avec des sommes immenses. Les sommes immenses sont la mort, c'est pourquoi les sommes ne sont pas Dieu. Je veux gagner de l'argent à la Bourse, c'est pourquoi, un de ces jours, j'irai à Zurich. Ma femme me presse d'aller à Zurich pour y voir un médecin des nerfs, pour faire examiner mon système nerveux. Je lui ai promis cent mille francs si elle a raison de dire que mes nerfs sont dérangés. Je les lui donnerai si le docteur voit que je suis malade des nerfs. Je ne lui donnerai pas cet argent si elle perd. Je n'ai pas cet argent, mais je le lui ai promis. Dieu veut que je joue à la Bourse. Je jouerai, mais pour ça, il faut rester quelques semaines à Zurich. J'irai à Zurich un de ces jours. Je n'ai pas d'argent, mais j'espère que ma femme m'en donnera. J'irai avec ma femme. Elle m'emmènera à ses frais. J'ai un peu d'argent à la banque, environ deux cents francs. J'irai à la Bourse et je les jouerai. Je veux perdre mon dernier argent pour que Dieu m'en donne d'autre. Je suis certain que Dieu me permettra de gagner, c'est pourquoi j'irai jouer à la Bourse. Je n'ai pas peur de la Bourse, car je sais que Dieu veut que je gagne. Il veut que je détruise la Bourse. Je gagnerai de l'argent à la Bourse, et pas avec ma danse. J'irai bientôt à Zurich, et le matin, j'irai à la Bourse. A la Bourse, je regarderai les valeurs avant de les acheter, et je les achèterai avec tout mon argent. Je ne sais pas lire l'allemand, mais je comprendrai ce qu'il faut comprendre.

....

Je me suis soûlé ce matin, avant le déjeuner, car je suis allé chez Hanselmann. J'ai perdu conscience, car Dieu l'a voulu. Je ne voulais pas être bête, car pour moi c'est la mort. Je ne peux pas forcer ma femme à manger des légumes, au lieu de la viande. Elle mange de la viande, car elle aime la viande. Elle a senti la force de mon coup de poing sur une noix. J'ai frappé tout d'un coup, avec une force de géant. Je suis très fort. J'ai les poings durs. Elle a eu peur de moi et a dit que j'avais frappé exprès. Elle a senti vrai, car j'avais frappé exprès. Elle me ressent mieux. Aujourd'hui, j'ai fait semblant d'être malade à cause du vin bu chez Hanselmann. J'en ai bu un petit verre, après avoir mangé des pâtés. J'ai été pris de vertige beaucoup plus tard. Je suis sorti avec Tessa, et après quelques pas, j'ai été pris de faiblesse aux genoux. Mes genoux se dérobaient. Je tombais presque, et Tessa était contente de moi. Elle aime les ivrognes, c'est pourquoi c'est elle-même une ivrognesse. Je connais ses habitudes. Elle aime un homme. Ils se soûlent ensemble. C'est une mauvaise femme, car elle a beaucoup d'habitudes. Je suis un mauvais homme, car je fais des choses avec les autres. Dieu a voulu que je comprenne Tessa. Hier, elle est allée se promener avec moi, pour que je lui donne des bottes. Je lui ai acheté des bottes aujourd'hui, car elle n'en a pas. J'ai des bottes, c'est pourquoi je n'en ai pas besoin. Je lui ai donné mes bottes, car elles sont juste à son pied.

Mes pieds sont un peu plus grands que les siens, pourtant elle les enfile maladroitement, car elle ne comprend pas ce qu'elle fait. Elle ressent le vin, la viande, etc. Moi, elle ne me ressent pas quand je lui parle à table. Elle ressent la viande, etc. Sous toutes sortes de prétextes, je dis à ma femme : "Ce n'est pas bon de manger de la viande." Ma femme me comprend, mais elle ne veut pas manger que des légumes, pensant que tout ça est de mon invention. Je lui voulais du bien, et je lui ai demandé de ne pas manger de saucisson le soir, car je connais ses effets. Elle me dit tout ce qui est bon pour toi n'est pas bon pour moi. Elle ne m'a pas compris quand je lui ai dit que chacun devait faire ce qu'il ressentait. Elle pense, c'est pourquoi elle n'a pas de sentiment. Je n'ai pas peur qu'elle m'abandonne, car je ne me remarierai pas. Je l'aime beaucoup, c'est pourquoi je lui demanderai pardon, si Dieu le veut. Dieu ne veut pas que je lui demande pardon, car il ne veut pas que ma femme mange de la viande. Elle mange vite, car elle sent que ce n'est pas bien.

J'ai donné tout mon argent à ma femme, et elle ne l'épargne pas. Je lui ai souvent dit que si nous ne mangions pas de viande, nous économiserions beaucoup. Elle m'écoute, mais ensuite elle ne fait pas ce que je lui ai demandé. Je l'ai vérifié. Elle m'aime, c'est pourquoi elle a peur pour ma santé. Je lui ai dit que si elle n'aimait rien de ce que je faisais, nous pouvions divorcer. Je lui trouverai un mari bon et riche. J'ai dit que je ne pouvais pas vivre comme ça parce que ma patience était grande. Je me suis énervé, selon le commandement de Dieu, et j'ai frappé sur la noix avec mon poing. Ma femme a eu peur et s'est énervée. Moi, la voyant énervée, je suis allé écrire.

Tessa me ressent seulement parce que je lui donne beaucoup de cadeaux. Elle aime les cadeaux. A part ça, Tessa ressent la musique et la danse, c'est pourquoi elle comprend tout ce que je fais. Romola ne ressent pas mes projets, mais elle les comprend, car elle sait que tout ce que j'ai projeté a réussi en termes d'argent et d'entreprises. Romola est le prénom de ma femme. Elle a un prénom italien, à cause de son père Charles de Pulszki, un homme d'une grande intelligence qui aimait l'Italie des siècles passés. Je n'aime pas les siècles passés, car je suis vivant. Je ne peux pas écrire avec cette encre, car je ne la sens pas. J'aime le crayon, car j'ai l'habitude du crayon. Je ne sais pas pourquoi j'ai pris le stylo, car je peux bien écrire avec un crayon. Je n'ai pas une belle écriture, car je ne comprends pas la fountain-plume. J'aime la fountain-plume, car elle est très pratique. On peut la porter dans sa poche, avec de l'encre. C'est une invention très astucieuse, car bien des gens veulent avoir ce stylo-là. Je n'aime pas la fountain-plume, car elle n'est pas pratique. J'écrirai avec, car je l'ai reçue en cadeau de ma femme pour Noël. On appelle Noël cette habitude de tout le globe terrestre là où se trouvent des chrétiens. Je n'aime pas le christianisme, c'est pourquoi je ne suis pas chrétien. Le catholicisme et l'orthodoxie sont des doctrines chrétiennes. Je suis Dieu, et pas un chrétien. Je n'aime pas les chrétiens. Je suis Dieu, et pas un chrétien. Aujourd'hui, j'ai porté la petite croix que sa grand-mère Emma a offerte à Kyra. On appelle Emma Emilia Markus la mère de ma femme. Elle m'aime, et elle aime Kyra aussi, c'est pourquoi elle pense qu'elle doit offrir toutes ces bêtises. Elle pense que l'amour est dans les cadeaux. Je considère qu'un cadeau n'est pas l'amour. Un cadeau est une habitude. Il faut donner des cadeaux aux pauvres, et pas à ceux qui possèdent beaucoup. Kyra a suffisamment, c'est pourquoi elle n'a pas besoin de cadeaux. Je donne suffisamment à Kyra, car je gagne de l'argent avec ma danse. Emilia met de l'argent à la banque, au nom de Kyra, tandis que Tessa, sa fille, n'a pas de bottes. Emilia ne comprend pas l'argent, c'est pourquoi elle le jette au vent. Elle sait que je la comprends, c'est pourquoi elle m'aime. Elle croit que pour que je l'aime, il faut qu'elle donne des cadeaux à ma Kyra. J'aurais préféré qu'elle donne ces cadeaux aux gens qui n'ont rien. Emilia est une femme bien, elle aime les pauvres, et leur donne beaucoup. Je considère qu'il ne suffit pas de donner beaucoup, mais qu'il faut constamment aider les pauvres. Il faut aller à la recherche des pauvres, au lieu de donner de l'argent à des sociétés. Je danserai pour des sociétés, seulement parce que ça me donne la possibilité de faire ma propre publicité. Je veux être une personnalité pour mes propres objectifs. Mes objectifs sont les objectifs de Dieu, c'est pourquoi je ferai tout pour les atteindre. J'écris parce que Dieu me le commande. Je ne veux pas gagner d'argent en écrivant ce livre, car nous en avons suffisamment. Je ne veux pas m'enrichir. Dieu veut que je m'enrichisse, car il connaît mes intentions. Je n'aime pas l'argent. J'aime les gens. Les gens me comprendront quand je leur aurai donné de quoi vivre. Les gens pauvres ne peuvent pas gagner leur vie. Les gens riches doivent les aider. Je n'aiderais personne si je donnais tout mon argent à une société pour les pauvres. Les sociétés pour les pauvres s'enrichissent, et ne savent pas organiser les choses. Les sociétés pour les pauvres portent l'uniforme pour que les pauvres aient peur d'eux. Un homme pauvre ne recherche pas les sociétés, car il a peur qu'on pense du mal de lui. Les pauvres aiment les cadeaux inattendus. Je donne au hasard, sans commentaires. Je ne parle pas du Christ quand je donne un cadeau. Je m'en vais en courant quand un pauvre veut me remercier. Je n'aime pas les remerciements. Je ne donne pas pour qu'on me remercie. Je donne parce que j'aime Dieu. Je suis un cadeau. Je suis Dieu en un cadeau. J'aime Dieu, et Dieu veut que je donne des cadeaux, parce que je sais comment il faut les donner. Je n'irai pas, comme le Christ, d'un appartement à l'autre. Je ferai la connaissance de tout le monde, et on m'invitera. Ensuite, j'observerai les familles, et je les aiderai par tous les moyens. J'appelle moyens toutes sortes d'aides. L'argent est un moyen d'aider, et pas une aide en soi. Je ne donnerai pas d'argent, car les pauvres ne savent pas s'en servir. Tessa est pauvre. Elle n'a pas de vêtements, et elle est dénuée de raison. Je recours à toutes les ruses pour pouvoir l'aider. Son mari est un ivrogne, c'est pourquoi c'est une ivrognesse elle aussi. Je n'aime pas les ivrognes, c'est pourquoi je recours à toutes les ruses pour la convaincre. Elle m'a compris, mais elle ne veut pas changer de vie. Les gens qui ne veulent pas changer de vie ne sont pas des hommes. Ils descendent du singe de Darwin. Je ne descends pas du singe de Darwin, c'est pourquoi je n'ai pas d'habitudes. Je descends de Dieu. Ma femme est meilleure, seulement Tessa l'empêche de se développer. Elle lui dit des bêtises en hongrois. Je comprends le hongrois. La langue hongroise est simple, c'est pourquoi il est très facile de la comprendre si on ressent. Comprendre ne veut pas dire connaître tous les mots. Les mots ne sont pas un discours. Je comprends le discours en toutes les langues. Je connais peu de mots, mais j'ai de l'oreille. J'aime développer mon oreille, car je veux comprendre tout ce qu'on dit. J'aime les Juifs sales, qui ont des poux sur le corps. Je sais que s'ils m'entendent, ils admettront que j'ai raison. Ils m'écouteront et me comprendront. Les poux ne sont pas des animaux utiles, c'est pourquoi il est permis de les tuer. Je suis Juif d'origine, car je suis le Christ. Le Christ est Juif. Les Juifs n'ont pas compris le Christ. Un Juif n'est pas le Christ, car il est Juif. Les Juifs sont des bouddhas. Les bouddhas sont des gens bêtes, car ils aiment les poux. Je tue les poux. Je tue les bêtes féroces. Je suis un prédateur qui tue tout ce qui est nuisible à l'existence. Je n'appelle pas ça assassiner, quand je ne donne pas de nourriture aux poux. Les poux sont là où est la saleté. La saleté est une chose utile, mais pas sur le corps. Le corps doit être propre, car l'épidémie tue l'homme. L'homme est un être plus utile que le pou. Le pou est une chose bête, l'homme est un être doué de raison. Les bouddhistes ne comprenaient pas Dieu, car ils disaient qu'il était interdit de tuer toute créature. La créature est une chose, et pas Dieu. Dieu n'est pas une créature en les choses. Je suis une créature, mais pas une chose. J'aime les papillotes*, mais pas avec des poux. Les poux aiment les papillotes, car les papillotes sont des nids à poux. Les poux détestent les hommes aux cheveux courts. Les Juifs n'aiment pas les cheveux courts. J'aime les Juifs aux cheveux courts, et aux papillotes sans poux. Je déteste la saleté, qui multiplie les poux. Un Juif qui se gratte la tête est pareil au singe de Darwin. Darwin était un singe, mais il n'avait pas de poux. J'aime Darwin pour sa propreté. Il écrivait proprement. J'aime écrire proprement, mais mon stylo est mauvais. Je l'ai reçu en cadeau, c'est pourquoi j'aime ce stylo. J'écrirai avec ce stylo tant que Dieu le voudra. Je sens que ma main se fatigue. Sur le stylo, il y a écrit "Ideal", mais mon stylo n'est pas idéal. J'aime les idéaux, mais ceux dont on ne parle pas. Je suis un idéal. Mon stylo n'est pas un idéal. On appelle idéal une chose parfaite. J'ai trouvé le moyen d'un stylo idéal, c'est pourquoi je gagnerai beaucoup d'argent, seulement je prendrai un brevet, car je veux avoir beaucoup d'argent. Je connais les défauts du stylo, et quand j'irai en Amérique, je prendrai un brevet, car je veux avoir beaucoup d'argent. Je donnerai cet argent aux pauvres. Je rechercherai les pauvres par toutes sortes de ruses. Je ferai semblant d'être mourant, malade, etc., pour pouvoir entrer dans la cabane du pauvre. Je sens les pauvres comme le chien flaire son gibier. Je suis un bon chien qui cherche les pauvres au flair. Je flaire très bien. Je trouverai les pauvres sans petites annonces. Je n'ai pas besoin de petites annonces. J'irai au flair.

* Boucles de cheveux caractéristiques de la coiffure des Juifs orthodoxes, notamment les hassidiques. (N.d.T.)

Je ne me tromperai pas. Je ne donnerai pas d'argent aux pauvres, je leur donnerai la vie. La vie n'est pas la pauvreté. La pauvreté n'est pas la vie. Je veux la vie. Je veux l'amour. Je sens que ma femme a peur de moi, car elle a eu un mouvement affecté quand je lui ai demandé de l'encre. Elle ressentait le froid, et moi aussi. J'ai peur du froid, car le froid c'est la mort. J'écrirai rapidement, car je n'ai pas assez de temps. Je voudrais bien que Kostrovski m'aide, car il me comprend. Je parlerais, et il écrirait, et de cette manière je pourrais faire autre chose en même temps. Je veux écrire et penser à autre chose. J'écris une chose, et je pense à une autre. Je suis Dieu en l'homme. Je suis ce que le Christ ressentait. Je suis le Bouddha. Je suis un Dieu bouddhique et toutes les sortes de Dieu. Je connais tout le monde. Je sais tout. Je fais semblant d'être fou pour atteindre mes buts. Je sais que si tout le monde pense que je suis un fou inoffensif, on n'aura pas peur de moi. Je n'aime pas les gens qui pensent que je suis un fou qui peut faire du mal aux gens. Je suis un fou qui aime les gens. Ma folie, c'est l'amour de l'humanité. J'ai dit à ma femme que j'avais inventé un stylo qui me rapporterait beaucoup d'argent, et elle ne me croit pas, car elle pense que je ne comprends pas ce que je fais. Je lui ai montré un stylo et un crayon, pour lui expliquer le stylo que je viens d'inventer. J'enverrai mon invention à Steinhardt, mon avocat et ami, et je lui demanderai de me faire une fountain-plume simple et de m'envoyer le brevet. Steinhardt est un homme d'intelligence, c'est pourquoi il comprendra la force de mon invention et m'enverra le brevet, mais je veux lui donner une leçon, c'est pourquoi je lui demanderai de donner ce stylo à étudier, car je ne sais pas comment le fabriquer. Je lui demanderai de m'envoyer l'argent de la vente du brevet. Je veux vendre le brevet pour cinq millions de dollars. S'ils sont d'accord, je vendrai ce brevet, s'ils ne sont pas d'accord, je le déchirerai. Je demanderai à Steinhardt de faire paraître dans une revue, et en grandes lettres, l'annonce de mon invention, en disant que c'est Nijinski qui a le brevet. Ce stylo s'appellera Dieu. Je veux m'appeler Dieu, et pas Nijinski, c'est pourquoi je demanderai qu'on appelle ce stylo Dieu. Je veux avoir beaucoup d'argent, c'est pourquoi je recourrai à toutes les astuces pour m'en procurer. J'irai bientôt à Paris, et j'y trouverai un homme pauvre avec qui je me mettrai d'accord. Il dessinera mon invention, et je le paierai. Il sera mon ingénieur. Je construirai un pont, et il le dessinera. Je construirai un pont entre l'Europe et l'Amérique, qui ne coûtera pas cher. Je connais déjà le système de ce pont, car Dieu me parle. Je connais le moyen de le construire, c'est pourquoi à mon arrivée à Paris, je m'occuperai de la réalisation de ce pont. Le pont sera une chose magnifique. Je connais des choses magnifiques. Je les donnerai si les gens me les demandent. Je ne suis pas riche, et je ne veux pas de richesse. Je veux l'amour, c'est pourquoi je veux rejeter toute l'ordure de l'argent. Les poux de l'argent se disperseront sans mourir. Je leur donnerai la vie. Ils ne mourront pas de faim. Je suis la faim. Je suis celui qui ne meurt pas de faim, car je sais ce qu'il faut pour ne pas mourir de faim. Je sais qu'il faut manger peu, alors votre corps s'habitue à la nourriture qui lui donne la vie. L'homme sera différent, et ses habitudes seront différentes. Il est corrompu c'est pourquoi il ne peut pas comprendre les choses simples. Je ne suis pas un enfant prodige qu'il faut exhiber. Je suis un homme raisonnable. Des millions d'années se sont écoulées depuis que les hommes existent. Les gens pensent que Dieu est là où la technique est importante. Dieu était là où les hommes ne possédaient pas d'industrie. On appelle industrie tout ce qui est inventé. J'invente aussi, c'est pourquoi je suis industrie. Les gens pensent qu'il n'y avait pas d'industrie auparavant, mais qu'il y avait des dindons, c'est pourquoi les historiens pensent qu'ils sont des dieux aux plumes d'acier*. L'acier est une chose utile, mais les plumes d'acier sont une chose affreuse. Un dindon aux plumes d'acier est affreux. L'aéroplane est une chose affreuse. J'ai été dans un aéroplane, et j'ai pleuré. Je ne savais pas pourquoi je pleurais, mais mon sentiment m'a fait comprendre que les aéroplanes détruiraient les oiseaux. Tous les oiseaux s'écrasent à la vue de l'aéroplane. L'aéroplane est une bonne chose, c'est pourquoi il ne faut pas en abuser. L'aéroplane est une chose de Dieu, c'est pourquoi je l'aime. Il ne faut pas utiliser l'aéroplane comme une chose de guerre. L'aéroplane est amour. J'aime l'aéroplane, c'est pourquoi je volerai là où il n'y a pas d'oiseaux. J'aime les oiseaux. Je ne veux pas leur faire peur. Un pilote célèbre qui volait en Suisse a heurté un aigle. L'aigle est un grand oiseau. L'aigle n'aime pas les

* Nijinski orthographie incorrectement le mot russe pour "industrie", l'écrivant *indyustriya*, au lieu de *industriya*. Cela peut l'avoir amené à penser à *indyuk*, mot russe pour dindon. *(N.d.T.)*

oiseaux. L'aigle est une chose rapace, mais il ne faut pas le tuer, car Dieu lui a donné la vie. J'écris de nouveau Dieu avec une majuscule, car Dieu le veut, mais je vais changer ça, car il est plus simple d'écrire avec une minuscule. Je n'aime pas l'écriture sans signes durs et mous, parce qu'ils compliquent l'écriture et la lecture. J'aime les lettres *i* et Ѣ* parce qu'elles mettent les mots en évidence. Les mots doivent être mis en évidence, c'est pourquoi je demande au traducteur de les corriger. Je n'ai pas fait d'études, c'est pourquoi je ne sais pas écrire la lettre Ѣ. Je sais écrire les signes mous et durs. J'aime les corrections des autres, c'est pourquoi je demande qu'on me corrige toujours, et en tout. Je suis un homme avec des fautes. J'aime les savants, mais je n'aime pas leurs doctrines, car le sentiment se perd à cause d'elles. Je ne me répète pas quand j'écris sur des choses qui intéressent le monde entier. Je connais le monde, c'est pourquoi je veux la paix pour tout le monde. J'ai écrit le mot "paix" avec la lettre *i*, pour mettre le mot en évidence, mais je n'en suis pas sûr, c'est pourquoi je demande qu'on me corrige. Je corrigerai tout, quand tout ce que j'écris aura été publié, avec des fautes. Je veux avoir des fautes, c'est pourquoi je les fais exprès. J'ai étudié l'orthographe à deux écoles de Pétersbourg, où on m'a fait faire des études suffisantes. Je n'avais pas besoin de l'université, car je n'avais pas besoin d'en savoir autant. Je n'aime pas les universités, car on y fait de la politique. La politique c'est la mort. La politique intérieure et extérieure. Tout ce qui est

* Ces deux lettres ont été supprimées par la réforme de l'orthographe russe, après la révolution. (*N.d.T.*)

inventé aux fins de gouvernement, c'est la politique. Les gens se sont égarés et ne peuvent se comprendre, c'est pourquoi ils se sont divisés en partis. J'ai oublié pour l'aéroplane qui a heurté un aigle. L'aigle est un oiseau de Dieu, et il ne faut pas le tuer, c'est pourquoi il ne faut pas tuer les tsars, les empereurs, les rois et autres oiseaux semblables. Je ne suis pas un rapace, c'est pourquoi je ne tuerai pas un rapace. Je sais qu'on me dira qu'un rapace est un être nuisible, alors je leur dirai la même chose que ce que j'ai dit sur les poux qui sont dans les papillotes. J'aime les tsars et les aristocrates, mais leurs actions ne sont pas bonnes. Je leur montrerai l'exemple, au lieu de les détruire. Je leur donnerai un médicament contre l'ivrognerie. Je les aiderai de toutes les manières, car je suis dieu*, mais je demande à tous de m'aider, car je ne peux pas accomplir tout seul ce que dieu veut. Je veux que tout le monde m'aide, c'est pourquoi je demande à tous de me demander de l'aide. Je suis dieu, et mon adresse est en dieu. Je n'habite pas Moïka**, No…, mais j'habite les gens. Je ne veux pas de lettres, je veux travailler sur le sentiment. Le spiritisme n'est pas le sentiment. Le spiritisme est une science inventée. Je suis un sentiment simple, que chacun possède. Je ne veux pas de gens avec un mauvais sentiment. Je sentirai, et Toi, tu écriras. J'écris parce que Tu écris. Je m'arrêterai quand Tu t'arrêteras. La guerre ne s'est pas arrêtée, parce que les gens pensent. Je sais

---

* Ici Nijinski alterne majuscules et minuscules pour le mot Dieu, nous avons respecté cette alternance. *(N.d.T.)*
** Moïka est le nom d'une rivière et d'un quai de Saint-Pétersbourg. *(N.d.T.)*

comment on peut arrêter la guerre. Wilson veut arrêter la guerre, mais les gens ne le comprennent pas. Wilson n'est pas un danseur. Wilson est dieu dans la politique. Je suis Wilson. Je suis une politique raisonnable. Wilson veut une politique raisonnable, c'est pourquoi il n'aime pas la guerre. Il ne voulait pas la guerre, mais les Anglais l'y ont forcé. Il voulait éviter la guerre. Il n'est pas vénal. Je veux parler, mais dieu ne me le permet pas. Je voulais écrire le nom d'un politicien, mais dieu ne me le permet pas, car il ne me veut pas de mal. Lloyd George est un homme simple, mais il a une immense intelligence. Son intelligence a détruit son sentiment, c'est pourquoi il est déraisonnable en politique. S'il écoutait Wilson, il pourrait arrêter la guerre. Lloyd George est un homme affreux. Diaghilev est un homme affreux. Je n'aime pas les hommes affreux. Je ne leur ferai pas de mal. Je ne veux pas qu'on les tue. Ce sont des aigles. Ils empêchent les petits oiseaux de vivre, c'est pourquoi il faut se garder d'eux. Je ne veux pas leur mort. Je les aime, car dieu leur a donné la vie, et il a droit à leur existence. C'est à dieu de les juger, et pas à moi. Je suis dieu, et je leur dirai la vérité, je détruirai tout le mal qu'ils ont fait. Je les empêcherai de faire du mal. Je sais que Lloyd George n'aime pas les gens qui le gênent, et qu'il recourt à l'assassinat, c'est pourquoi je demande à tous de me protéger, car il me tuera. Diaghilev aussi. Diaghilev est moins grand que Lloyd George, mais c'est aussi un aigle. L'aigle ne doit pas gêner les petits oiseaux, c'est pourquoi il faut lui donner à manger ce qui détruira ses intentions rapaces. Lloyd George se nourrit de politique pour Anglais aux idées impérialistes. Diaghilev est un homme méchant, et il aime les garçons. Il faut les empêcher de réaliser leurs intentions par tous les moyens. Il ne faut pas les enfermer en prison. Ils ne doivent pas souffrir. Le Christ a souffert, mais il n'aurait pas fallu qu'il souffre. Le Christ n'est pas l'Antéchrist, comme le disait Merejkovski. Dostoïevski a écrit à propos d'un bâton à deux bouts. Tolstoï parlait d'un arbre qui a des racines et des branches. La racine n'est pas la branche, et la branche n'est pas la racine. J'aime la racine, car elle est nécessaire. J'aime l'Antéchrist, car il est l'envers du Christ. Le Christ est Dieu, l'Antéchrist n'est pas dieu. J'aime l'Antéchrist, parce qu'il n'est pas dieu. Il est le déchet de la vie passée. Le déchet de la vie passée, ce sont les musées et l'histoire. Je n'aime pas l'histoire et les musées, car ils ont une odeur de cimetière. Diaghilev est un cimetière, c'est pourquoi il est l'autre bout du bâton. Dostoïevski n'est pas un bâton. Dostoïevski est un grand écrivain qui a décrit sa vie sous la forme des différents personnages qu'il représente. Tolstoï a dit que Dostoïevski était quelqu'un avec une virgule. Je dis que Dostoïevski est Dieu... Dostoïevski a parlé de Dieu à sa façon. Il aimait Dieu et le comprenait. Il s'est trompé quand il a envoyé Nicolas à l'Eglise. Nicolas ou un autre prénom des *Frères Karamazov*, je ne sais pas, mais celui qui est allé à l'Eglise n'est pas une virgule*. Il est allé à l'Eglise parce qu'on y cherche dieu, et dieu n'est pas à l'Eglise. Dieu est dans les églises et partout où on le cherche,

---

* Il n'est pas possible de savoir avec certitude si Nijinski parle de l'institution ou du lieu. Il s'agit sans doute d'Alexis Karamazov qui, dans le roman de Dostoïevski, veut entrer au monastère. *(N.d.T.)*

c'est pourquoi j'irai à l'église. Je n'aime pas l'Eglise parce qu'on n'y parle pas de dieu, mais on y parle de science. La science n'est pas dieu. Dieu est la raison, et la science est l'Antéchrist. Le Christ n'est pas la science. L'Eglise n'est pas le Christ. Le pape est la science, et pas le Christ, c'est pourquoi les gens qui baisent ses souliers sont pareils aux poux qui vivent dans les papillotes. Je parle brutalement exprès, pour qu'on me comprenne mieux, et pas pour offenser les gens. Les gens s'offenseront, car ils penseront, et ne ressentiront pas. Je sais que le monde entier est contaminé par cette maladie de pourriture qui empêche l'arbre de vivre. L'arbre de Tolstoï est la vie, c'est pourquoi il faut le lire. Je connais sa *Karénine*, mais je l'ai un peu oubliée. J'ai lu *Guerre et Paix*, jusqu'à la moitié. *Guerre et Paix* est son œuvre, c'est pourquoi il faut la lire, mais je n'ai pas ses dernières œuvres. Tolstoï est un grand homme et un grand écrivain. Tolstoï avait honte d'être écrivain, car il croyait qu'il n'était qu'un homme. Un homme est un écrivain. Un écrivain est un journaliste. J'aime les journalistes qui aiment les hommes. Les journalistes qui écrivent des bêtises sont l'argent. L'argent est journaliste. Je suis une revue sans argent. J'aime les revues. Les revues sont la vie. Je suis une revue dans la vie. Homme, revue, vie, écrivain, tolstoï, dostoïevski. Merejkovski et Filosofov sont des Diaghilev. Ils étaient de la revue *Mir Iskousstva**. Ils écrivaient des choses bêtes, car ils étudiaient. Merejkovski écrit joliment, Filosofov écrit intelligemment. Je connais la polémique de journaux entre Filosofov et un autre journal qui s'appelait

* La revue *Le Monde de l'art*. (N.d.T.)

Novoïe Vremia*. *Novoïe Vremia* était la bougie, et *Retch*** l'essence. Ni la bougie, ni l'essence ne sont dieu, car la bougie est la science de l'Eglise, et l'essence est la science de l'athéisme. Filosofov ne comprenait pas Merejkovski. Merejkovski cherchait dieu, et ne l'a pas trouvé, Filosofov était le singe de Darwin. Je voulais masser ma main, car elle était fatiguée d'écrire, mais j'ai senti que le massage c'était Filosofov, et j'ai laissé ma main tranquille. Le massage c'est l'intelligence. Je n'aime pas les massages. Le docteur Bernhard ne m'a pas massé la jambe, mais m'a dit de revenir lui montrer ma jambe, que j'ai un peu égratignée. Mon égratignure n'est pas terrible, c'est pourquoi je n'avais pas besoin d'aller voir le docteur. J'aime le docteur Bernhard, c'est pourquoi je suis passé chez lui. J'ai pensé qu'il s'offenserait si je n'allais pas le voir, et croirait que je le considère comme un mauvais docteur. Il a remarqué que je l'aimais comme chirurgien, et pas comme docteur en médecine. Le docteur en médecine, c'est le docteur Fränkel, c'est pourquoi je lui fais aussi gagner de l'argent. Le docteur Fränkel et le docteur Bernhard sont des gens riches. Je connais un très bon docteur qui s'appelle... j'ai oublié son nom. Le docteur Dieu, c'est le docteur que j'ai oublié. J'ai oublié, car je pensais au docteur qui a soigné ma petite Kyra. Je l'ai appelé, car je croyais qu'il était pauvre. Ce docteur n'est pas pauvre, mais il est envieux, car il dit des choses mauvaises sur le docteur Bernhard. Je connais le docteur Bernhard. C'est un homme riche, et j'espère qu'il ne me demandera pas

* Le journal *Le Temps nouveau*. (N.d.T.)
** Le journal *Le Discours*. (N.d.T.)

d'argent pour la visite. Je lui montrerai ma jambe et en attendant, je jouerai des choses tristes, car il opère les gens. Dieu ne veut pas d'opérations. Dieu n'aime pas la science. Dieu n'aime pas la philosophie de Darwin et de Nietzsche. Dieu détruit les maladies sans l'aide de médicaments. Les médicaments n'aident pas. Les médicaments sont l'argent. L'argent n'aide pas à vivre, il complique la vie. Si Wilson le veut, il saura détruire l'argent. S'il ne le veut pas, alors il ne peut pas comprendre Dieu. Je le comprends, c'est pourquoi j'aiderai Wilson dans sa tâche. Je connais le moyen de détruire l'argent. Dans le prochain livre, je décrirai ces moyens de destruction. "J'ai envoyé un moustique sur ton cahier, pour te faire faire une faute." Je veux qu'on imprime mes fautes. J'aurais préféré qu'on photographie mes écrits au lieu de les imprimer, car l'impression détruit l'écriture. L'écriture est une belle chose, c'est pourquoi il faut la fixer. Je veux qu'on photographie mes écrits pour expliquer mon écriture, car mon écriture est celle de Dieu. Je veux écrire comme Dieu, c'est pourquoi je ne corrigerai pas mon écriture. Je ne corrige pas mon écriture. J'écris mal exprès. Je peux écrire d'une très belle écriture. Je connais l'écriture, car je la sens. Je n'écris pas d'une belle écriture, car je ne veux pas être parfait. Je suis le peuple, et pas un aristocrate plein d'argent. J'aime l'argent. J'aime les aristocrates, mais je veux de l'amour pour les gens. J'aime ma cuisinière, et j'aime ma femme. Ma femme ne m'aime pas et elle n'aime pas la cuisinière non plus. Je comprends ma femme. Je connais ses habitudes. Elle aime les amabilités. Je ne sais pas faire d'amabilités, parce que je ne veux pas. Mon amour est simple. J'écris sans réfléchir.

Je me suis gratté sous le nez en pensant que ça me chatouillait, mais j'ai compris que Dieu l'avait fait exprès pour que j'arrange mon cahier. Dieu écrit tout ça pour mon... Dieu ne veut pas dire les choses à l'avance, c'est pourquoi il s'est arrêté. Il ne veut pas dire les choses à l'avance. Je sais que je ne suis pas dieu, c'est pourquoi ça m'est égal ce que ma main écrit. Ma main s'engourdit. Dieu m'a montré comment la main pouvait se reposer, c'est pourquoi je sais comment la soigner. Je laisserai l'écriture et je pourrai écrire de nouveau.

Je me suis levé très tard, à neuf heures du matin, et la première chose que j'ai faite, c'est d'aller écrire. J'écris bien, car ma main n'est pas fatiguée. J'écrirai bien pour que tout le monde voie que je sais écrire. J'aime la belle écriture, car il y a du sentiment dedans. J'aime l'écriture, mais je n'aime pas l'écriture sans sentiment. Je sais que si je montre mon écriture à quelqu'un sachant lire l'avenir, il dira que cet homme est extraordinaire, car son écriture saute. Je sais que l'écriture qui saute est signe de bonté, c'est pourquoi je reconnaîtrai les bons à leur écriture. Je n'ai pas peur des bons, et les méchants ne peuvent pas faire de mal aux bons, car je connais un moyen. Diaghilev est un homme méchant, mais je connais le moyen de me protéger de sa méchante polémique. Il croit que ma femme a toute l'intelligence, c'est pourquoi il a peur de ma femme. Moi, il n'a pas peur de moi, car j'ai joué à l'homme nerveux. Il n'aime pas les gens nerveux, mais il est nerveux lui-même. Diaghilev est nerveux, car il se préoccupe du nerf. Diaghilev excite le nerf de Massine, et Massine excite le nerf de Diaghilev. Massine est un homme très bien, mais il est ennuyeux. Le but de Massine est simple. Il veut s'enrichir et apprendre tout ce que Diaghilev sait. Massine ne sait rien. Diaghilev ne sait rien. Diaghilev croit qu'il est le Dieu de l'art. Moi, je crois que je suis Dieu. Je veux provoquer Diaghilev en duel de façon que le monde entier le voie. Je veux prouver que tout l'art de Diaghilev est une pure bêtise. Si on m'aide, j'aiderai les gens à comprendre Diaghilev. J'ai travaillé cinq ans avec Diaghilev, sans repos. Je connais toutes ses ruses et habitudes. J'ai été Diaghilev. Je connais Diaghilev mieux qu'il ne se connaît lui-même. Je connais ses côtés faibles et forts. Je n'ai pas peur de lui. Mme Edwards a peur de lui, car elle le prend pour le Dieu de l'art. Sert est son mari, mais pas sur le papier. C'est son mari, parce qu'il vit avec elle. Sert ne l'épousera pas, car il croit qu'il est indigne d'un homme du monde d'épouser une femme qui a vécu avec Edwards. Mme Edwards ressent l'argent. Sert est un homme riche, car ses parents lui ont laissé un héritage. Sert est un peintre bête, car il ne comprend pas ce qu'il fait. Sert pense que je suis bête. Sert pense que j'ai quitté Diaghilev par bêtise. Sert pense que je suis bête, et je pense qu'il est bête. Je le giflerai le premier, car je sens de l'amour pour lui. Sert m'abattra si je le gifle. Sert a du sang espagnol. Les Espagnols aiment le sang du taureau, c'est pourquoi ils aiment les assassinats. Les Espagnols sont des gens affreux, car ils commettent des assassinats de taureaux. L'Eglise, le pape en tête, ne peut pas arrêter le taureaucide. Les Espagnols croient que le taureau est un fauve. Le toréador pleure avant l'assassinat du taureau. On paie beaucoup le toréador, mais il n'aime pas cette activité. Je connais beaucoup de toréadors à qui le taureau a décousu le ventre. J'ai dit que je n'aimais pas le massacre des taureaux, alors on ne m'a pas compris. Diaghilev disait à Massine que la corrida était un art magnifique. Je sais que Diaghilev et Massine diront que je suis fou et qu'on ne peut pas m'en vouloir, car Diaghilev recourt toujours à cette astuce intellectuelle. Lloyd George fait la même chose avec les hommes politiques. C'est un Diaghilev, car il pense qu'on ne le comprend pas. Je les comprends tous les deux, c'est pourquoi je les défie en combat, un combat de taureaux et pas de beuglements. Je beugle mais je ne suis pas un taureau. Je beugle, mais le taureau tué ne beugle pas. Je suis Dieu et Taureau. Je suis Apis. Je suis un Egyptien. Je suis un Hindou. Je suis un Indien. Je suis un Noir, je suis un Chinois, je suis un Japonais. Je suis un étranger, je viens d'ailleurs. Je suis un oiseau de mer. Je suis un oiseau de terre. Je suis l'arbre de Tolstoï. Je suis les racines de Tolstoï. Tolstoï est à moi. Je suis à lui. Tolstoï a vécu en même temps que moi. Je l'aimais, mais je ne le comprenais pas. Tolstoï est grand, et j'avais peur des grands. Les journaux n'ont pas compris Tolstoï, car ils l'ont magnifié sous les traits d'un géant dans l'un des journaux après sa mort, en pensant rabaisser le souverain. Je sais que le souverain est un homme, c'est pourquoi je ne voulais pas qu'on le tue. J'ai parlé de cet assassinat avec tous les étrangers. J'ai pitié du souverain, car je l'aimais. Il est mort du martyre d'hommes féroces. Les bêtes féroces, ce sont les bolcheviks. Les bolcheviks ne sont pas des dieux. Les bolcheviks sont des bêtes féroces. Je ne suis pas bolchevik. J'aime le travail quel qu'il soit. Je travaille avec les mains et les jambes et la tête et les yeux et le nez et la langue et les cheveux et la peau et l'estomac et l'intestin. Je ne suis pas un dindon aux plumes d'acier. Je suis un dindon aux plumes de Dieu. Je fais glouglou comme un dindon, mais je comprends ce que je dis en faisant glouglou. Je suis un glou-bouledogue, car j'ai de grands yeux. Je suis un glou-boule, parce que j'aime les Anglais. Les Anglais ne sont pas John Bull. John Bull a plein d'argent dans le ventre, et moi j'ai plein d'intestins. Mon intestin se porte bien, car je ne mange pas beaucoup d'argent. John Bull mange beaucoup d'argent, c'est pourquoi son intestin est gonflé. Je n'aime pas l'intestin gonflé, car il m'empêche de danser. Les Anglais n'aiment pas danser, car ils ont beaucoup d'argent dans le ventre. Je n'aime pas être assis les jambes croisées, mais je le fais parfois pour qu'on n'ait pas peur de moi. Je connais des gens qui diront que tout ce que j'écris est une transe de spiritisme. Je voudrais que tout le monde se trouve dans ce genre de transe, car Tolstoï aussi s'y est trouvé. Dostoïevski et Zola aussi. J'aime Zola, bien que je l'aie très peu lu. Je connais sa petite histoire, qui m'a fait comprendre Zola. Je veux lire beaucoup Zola, car il a beaucoup écrit. J'ai beaucoup de peine pour Zola, car on l'a zigouillé au gaz. Je sais qui l'a zigouillé. Il a été zigouillé par des hommes qui avaient peur de la vérité. On me zigouillera quand je le voudrai. Je n'ai pas peur de la mort, c'est pourquoi les assassins peuvent se promener près de moi tant qu'ils le veulent. Je donnerai à l'assassin plus d'argent que celui qui voulait me tuer. Je ne veux pas la mort de l'assassin, c'est pourquoi je demande, quand je serai tué, de ne pas lyncher ou tuer l'assassin d'une autre façon, car ce n'est pas sa faute. L'assassin va au-devant de sa mort. L'assassin c'est Lloyd George, car il a tué des millions d'hommes innocents. Je suis un homme en un million. Je ne suis pas seul. Je suis un million, car je sens plus qu'un million. Lloyd George enverra des assassins, c'est pourquoi je demande qu'on se garde de lui. Lloyd George est un assassin de la raison. La raison est la vie, et pas la mort. J'écris de la philosophie, mais je ne philosophaille pas. Je n'aime pas philosophailler, car philosophailler c'est du bavardage. Je porte la cravate de la dinde et du dindon. La femme et l'homme sont la même chose, c'est pourquoi on n'a pas besoin de représentantes des femmes. Je préférerai les hommes mariés, car ils connaissent la vie. Les hommes mariés se trompent, mais ils ont la vie. Je suis la femme et le mari. J'aime la femme. J'aime le mari. Je n'aime pas la femme et le mari quand ils se livrent à la débauche en regardant toutes sortes de livres dégradants, japonais et autres, en faisant ensuite tous les gestes dans l'amour charnel. Je suis la chair, mais pas l'amour charnel. Je veux écrire vite, car je veux publier ce livre avant d'aller à Paris. Je veux publier ce livre en Suisse. Je n'ai pas peur du gouvernement, c'est pourquoi ils peuvent me chasser autant qu'ils le veulent. Je ne suis pas un bolchevik ou un révolté quelconque. Je suis l'amour de l'homme. Je veux que le gouvernement me permette de vivre là où je veux. Ma femme est une femme bien, et mon enfant aussi, c'est pourquoi il ne faut pas les toucher.

Si les Anglais ont peur de moi et envoient des tueurs en Suisse, je les abattrai avant qu'ils m'abattent. On me mettra en prison pour toute la vie, car les Anglais le désirent. Les Anglais sont des gens incroyablement méchants. Ils recourent à toutes les astuces des hypocrites. L'Anglais est un hypocrite. L'Anglais n'est pas Dieu. Dieu est un Anglais doué de raison, et pas d'intelligence. Les gens en Angleterre font du spiritisme pour tout savoir avant les autres. Je ne suis pas le spiritisme. Je suis la vie, c'est pourquoi je veux vivre. Je demande au peuple suisse de me protéger. Je veux publier ce livre en langue suisse, car j'habite la Suisse. J'aime la Suisse simple. Je n'aime pas le Suisse qui est un dindon aux plumes d'acier. Je veux publier ce livre en Suisse, en exemplaires à très bon marché. Je veux gagner un peu d'argent, car je suis pauvre. Je n'ai pas d'argent et je vis richement. Je suis un Anglais-hypocrite, car j'invente toutes sortes de moyens de prolonger mes crédits. Je n'aime pas les créanciers. Je n'aime pas être débiteur.

Je veux jouer à la Bourse. Je veux être un voleur. Je veux tuer un homme riche, pas par la mort du corps, mais par la mort de l'intelligence. Je ne suis pas l'intelligence. Je suis la raison. Avec la raison, j'obtiendrai plus qu'avec l'intelligence. J'ai inventé un ballet, dans lequel je montrerai l'intelligence et la raison et toute la vie des hommes, seulement il faut m'aider. J'ai pensé à Vanderbilt, mais j'ai changé d'avis, car Vanderbilt prête l'argent. Je n'aime pas les débiteurs, c'est pourquoi je gagnerai moi-même de l'argent pour ce ballet. Diaghilev est un débiteur. Diaghilev me doit de l'argent. Diaghilev croit qu'il m'a tout payé. Diaghilev a perdu le procès de Buenos Aires. J'ai gagné un procès de cinquante mille francs. Diaghilev me doit encore environ vingt mille francs. Je ne veux pas les cinquante mille francs, mais je veux l'argent que j'ai gagné et que Diaghilev me doit encore du procès que mon avocat anglais, Lewis, a gagné. On l'appelle en anglais Sir Lewis. Je n'aime pas les sirs, c'est pourquoi ils ne savent pas chier*. Je chie comme tous les hommes, pas de l'argent. J'aime l'argent pour qu'il aide, et pas pour remplir l'intestin de John Bull. Je suis un Anglais, mais sans argent dans le ventre. La banque c'est John Bull. Les Anglais ont bien compris John Bull, mais ils ne l'ont pas ressenti.

Je veux cacher ce cahier, car Tessa a senti que je connaissais ses manigances. Elle sait que je suis intelligent, car je le lui ai prouvé. On l'appelle "Petit Tigre". Elle a des ongles d'orteils comme ceux d'un tigre. Elle prend soin de ses ongles, mais pas de la propreté de ses entrailles de femme. Je n'aime pas les femmes qui prennent trop soin de leurs entrailles. Sa pisse est pleine de flocons blancs. Elle a oublié son pot de chambre dans sa chambre, et quand j'y suis entré pour l'aérer de la puanteur, j'ai vu son pot plein de pisse. La pisse de ma femme est propre. La pisse de Tessa est sale. J'ai compris qu'elle prenait trop soin de ses entrailles. Elle en prend soin pour plusieurs raisons. La première c'est qu'elle

* Les mots "sir" et "chier" ont la même consonance en russe. *(N.d.T.)*

aime les hommes, et la deuxième c'est que
son mari a déjà eu une maladie vénérienne.
Tessa m'a raconté tout ça quand nous étions
à Vienne pendant la guerre. Je n'ai pas oublié
tout ce qu'on m'a dit. Tessa me regarde avec
haine, croyant que je ne l'aime pas. Elle a senti
que je l'aimais et s'est mise à pleurer, car je lui
ai fait comprendre que je lui donnerais une
bague. Elle aime la bague. Je n'aime pas la
bague. Je ne veux pas qu'elle soit déshono-
rée. Je veux dire toute la vérité. Je n'ai pas peur
de son mari, c'est pourquoi je publierai ce livre
de son vivant. On me fera un procès, mais ça
m'est égal. Elle dira que je suis la même chose
que Dodo Hempel. Dodo Hempel est un
Diaghilev. Dodo Hempel doit travailler pour
Diaghilev. Je ne suis pas Hempel. Je suis Dieu
en l'homme. Je parle exprès pour que tout le
monde connaisse la conduite de Tessa. Je ne
lui veux pas de mal, c'est pourquoi je l'aiderai
par tous les moyens à ne pas mourir de faim.
Tessa est une femme habile. Elle sait joliment
tromper son monde. Tessa pense que personne ne comprend ses manigances. J'ai très
bien compris Tessa, car j'ai remarqué qu'elle
flirtait avec moi. Elle s'allongeait sur le lit en
linge de dessous, pour m'exciter. Elle croit
qu'on peut exciter avec une petite culotte de
soie. Elle porte des petites culottes de soie et
des maillots de corps en tissu fin pour vous
exciter. Je comprends bien Tessa. Je connais
ses astuces. Ces astuces sont celles du tigre
qui guette sa proie. J'entrais chez elle exprès
quand elle était nue. Elle ne se gênait pas
devant moi. Une femme qui a reçu une éducation mondaine doit se gêner devant les
hommes. Tessa a vu beaucoup d'hommes, car
elle ne se gêne pas devant eux. Tessa a appelé

le docteur Fränkel pour calmer la dispute familiale. Je ne suis pas une dispute, c'est pourquoi je ne me suis pas disputé. J'ai dit la vérité
à ma femme, et à Tessa également. Je n'ai
pas peur de mon divorce. J'ai dit au docteur
Fränkel qu'il était un homme très bien. Il a été
ému, je lui ai serré la main. Ma femme a eu
peur de moi, car j'ai filé dans la chambre où
était Tessa. Tessa est une femme habile, c'est
pourquoi elle a appelé le docteur. Le docteur
est un homme bien. Je l'aime, car il veut tout
arranger. Tessa ne m'aime pas, car elle est entrée avec la bague et les bottes que je lui ai
offertes, et a dit des choses sur moi. Elle a ressenti mes paroles en allemand. Je comprends
l'allemand. Je lui demanderai de partir le plus
tôt possible si elle me rend la bague et les
bottes. Je sais qu'elle ne me les rendra pas, car
elle n'a aucune conscience. Elle a aimé plusieurs hommes à Saint-Moritz. Je l'ai remarqué, car je la surveillais. Je connais ses ruses.
Elle a peur de moi, car elle pense que je suis
méchant. Elle me connaît. Je la connais. Je
lui dirai plus tard, que si elle redonne mes
cadeaux à quelqu'un, elle recevra une gifle.
Je le lui dirai à la gare avant son départ. Je
l'apprendrai par hasard, si elle donne ces
choses aux autres. Je trouverai ces gens, et je
reprendrai ces choses. J'irai chercher l'écharpe
chez l'homme à qui elle l'a donnée en cadeau.
Je connais cet homme. Je lui demanderai de
me rendre l'écharpe et je la donnerai à ma
femme. Je lui dirai que je l'ai trouvée. Je ne
dirai pas que je l'ai prise à Tessa. Tessa va
chercher des hommes dans la rue. Je sais
qu'elle vendra les bottes et ma bague, c'est
pourquoi elle recevra une gifle. Je ne gifle pas
le visage. Je frappe par amour. Je lui donnerai

ce livre en cadeau. Je ne parle plus à Tessa. Je lui dirai la veille de son départ que je connais son caractère rusé et que j'écrirai tout ce que je sais sur elle. Elle pensera que je ne sais rien. Je connais ses habitudes. Elle sourit aux jeunes gens et les aime gratuitement. C'est un homme, pas une femme, car elle cherche un homme. Elle aime la bite. Elle a besoin d'une bite. Je connais des bites qui ne l'aiment pas. Je suis une bite qui ne l'aime pas. Je sais que tout le monde aura honte de ce mot, c'est pourquoi je l'ai écrit, car je veux que tout le monde sache ce que c'est que la vie. Je n'aime pas la vie hypocrite. Je sais ce que c'est que la vie. La vie n'est pas une Bite. La Bite n'est pas la vie. La Bite n'est pas Dieu. Dieu est une Bite qui multiplie ses enfants avec une seule femme. Je suis l'homme qui multiplie ses enfants avec une seule femme. J'ai vingt-neuf ans. J'aime ma femme, pas pour multiplier les enfants, mais spirituellement. Je multiplie les enfants avec elle si Dieu le veut, mais je ne les multiplierai pas, car j'ai peur d'elle. Je ne veux pas d'enfants intelligents. Kyra est une petite fille intelligente. Je suis un homme raisonnable. Je ne veux pas qu'elle soit intelligente. Je l'empêcherai à toute force de se développer intellectuellement. J'aime les gens bêtes. Je n'aime pas la bêtise, parce que je ne vois pas de sentiment dans la bêtise. La bêtise n'est pas un sentiment de l'homme. Je sais que les gens bêtes ne ressentent pas. L'intelligence empêche les gens de se développer. Je suis un homme intelligent, car je sens. Je sens Dieu, et Dieu me ressent. J'aime Tessa, c'est pourquoi je lui veux du bien. Tessa ne m'aime pas, car elle sait que je ne l'aime pas. Je n'aime pas les habitudes de Tessa, car elles sont la mort. J'aime Tessa, car c'est un être humain. Je ne veux pas sa mort. Je veux lui faire peur, car je lui veux du bien. Tessa m'a oublié, car elle pense que le Docteur Fränkel m'a fait peur*. Tessa me comprend, mais elle ne me ressent pas. Tessa ne veut pas ressentir, c'est pourquoi c'est une bête, un "Tigre". Je voulais la surnommer "Petit Tigre", mais j'ai pensé que c'était un trop beau nom. Je veux du bien à Tessa. J'empêcherai toutes ses entreprises. Elle ne m'aime pas. Tessa ne m'aime pas, mais elle aime le Docteur Fränkel et espère son amour. Le docteur n'aime pas Tessa, car il sent ses regards. Le Docteur Fränkel aime sa femme. La femme de Fränkel l'aime comme une femme aime un homme. Elle est très rusée. J'ai remarqué ses singeries rusées. Elle ressemble à un singe doué de sentiment. Elle se démène comme un écureuil en cage. Le Docteur Fränkel n'est pas un écureuil, c'est pourquoi il ressent plus d'amour pour elle qu'elle pour lui. Le Dr. Fränkel est un homme bien. Je ne le comprenais pas quand je pensais qu'il était méchant. Il n'est pas méchant, car il veut aider les gens. Je sais que cette aide n'est pas une obligation pour les docteurs. L'aide médicale est une obligation des docteurs. Je ne veux pas de l'aide des gens quand je vois que les docteurs se mêlent d'obligations qui ne sont pas les leurs. Le Dr. Fränkel m'a parlé comme un ami, c'est pourquoi je l'ai écouté. Je savais de quoi il allait parler avant qu'il parle. Il a remarqué que je me suis énervé. Je lui ai dit que je n'étais pas Dieu, mais un

---

* Nijinski écrit docteur tantôt avec une majuscule, tantôt avec une minuscule, ou bien en abréviation. Nous avons conservé cet ordre. *(N.d.T.)*

homme, c'est pourquoi j'ai des fautes. Je suis un homme avec des fautes. Je veux les corriger, mais je ne sais pas d'avance si je pourrai les corriger. Le Dr. Fränkel a senti une larme et m'a dit qu'il n'avait pas besoin de promesse, car je lui ai dit que je ferais tout pour que ma femme ne soit pas nerveuse. J'ai dit que je voulais que sa mère arrive au plus vite, car je ne veux pas que ma femme ait peur de moi, c'est pourquoi je veux qu'Emma, la mère de ma femme, demeure chez nous. Je n'ai pas peur des autorités anglaises, c'est pourquoi ça m'est égal qu'elles prennent tout mon argent. Je ne veux pas qu'on prenne cet argent, c'est pourquoi je recourrai à toutes sortes de ruses. Je ne veux pas ruiner ma femme. Je lui ai donné mon argent pour sa vie. Je n'ai pas peur de la vie, c'est pourquoi je n'ai pas besoin d'argent. Si je meurs, ma femme pleurera, mais je sais qu'elle m'oubliera vite. Ma femme ne me ressent pas. La femme de Tolstoï ne ressent pas non plus. La femme de Tolstoï ne peut pas l'oublier, car il lui a donné de l'argent.

J'ai donné mon argent à ma femme. Ma femme me ressent, parce que je lui ai donné tout mon argent. Je n'aime pas me vanter, c'est pourquoi je m'arrête de parler d'argent. J'aime ma femme et Kyra plus que tous les autres. Je ne peux pas écrire vite, car ma main se fatigue, mais je sais que je m'habituerai vite, car je ne penserai pas à la lettre. J'écris déjà mieux, je ne sais pas m'arrêter, c'est pourquoi j'écris mal. Je n'aime pas le *Hamlet* de Shakespeare, car il pense. Je suis un philosophe qui ne pense pas. Je suis un philosophe qui ressent. Je ne veux pas écrire d'inventions. J'aime Shakespeare pour son amour du théâtre. Shakespeare a compris le théâtre inventé. Moi, j'ai compris le théâtre de la vie. Je ne suis pas une invention. Je suis la vie. Le théâtre est la vie. Je suis le théâtre. Je connais ses habitudes. Le théâtre est une habitude, et la vie n'est pas une habitude. Je suis sans habitudes. Je n'aime pas le théâtre avec des coulisses droites. J'aime le théâtre rond. Je construirai un théâtre rond. Je sais ce que c'est que l'œil. L'œil est le théâtre. Le cerveau est le public. Je suis l'œil dans le cerveau. J'aime regarder dans la glace et voir un œil au milieu du front. Je dessine souvent un seul œil. Je n'aime pas l'œil en bonnet rouge rayé noir. J'aime l'œil aux cheveux sur la tête. Je suis l'œil de Dieu, et pas l'œil guerrier. Je n'aime pas la polémique, c'est pourquoi on peut écrire ce qu'on veut sur mon livre. Je ne dirai rien. Je suis arrivé à la conclusion qu'il valait mieux se taire que de dire des bêtises. Diaghilev avait compris que j'étais bête et me disait de ne pas parler. Diaghilev est intelligent. Vassili, son serviteur, disait que Diaghilev n'avait pas un sou, mais que son intelligence valait une fortune. Je dirai que je n'ai ni sous ni intelligence, mais toute ma raison. J'appelle raison tout ce qu'on ressent bien. Je sens bien, c'est pourquoi je suis un être raisonnable. J'étais bête avant, car je pensais que tout le bonheur était dans l'argent, maintenant je ne pense plus à l'argent. Je sais que bien des gens diront que je pense à l'argent, alors je répondrai que je suis bête et que je ne comprends rien à l'argent. J'ai besoin d'argent pour atteindre mes objectifs. On me dira que tous les gens ont des objectifs c'est pourquoi ils gagnent de l'argent pour les atteindre. Je sais qu'il y a des objectifs différents. Je suis l'objectif de Dieu, et pas celui de l'Antéchrist. Je ne suis pas l'Antéchrist. Je suis le Christ. J'aiderai les gens. J'irai à Genève pour me reposer, car le docteur me l'ordonne. Il croit que je suis fatigué, car ma femme commence à s'énerver. Je ne suis pas énervé, c'est pourquoi je resterai à la maison. Ma femme peut y aller seule. Elle a beaucoup d'argent. Je n'ai pas un sou. Je ne me vante pas de ne pas avoir d'argent. J'aime avoir de l'argent, c'est pourquoi je le rechercherai afin de le donner à ma femme et aux pauvres. Je sais que bien des gens diront que Nijinski fait semblant d'être le Christ. Je ne fais pas semblant, car j'aime ses actes. Je n'ai pas peur des attaques, c'est pourquoi je dirai tout. Je connais Tessa. Elle est allée dans la rue comme je le faisais étant marié. Je trompais ma femme, car j'avais une telle quantité de semence qu'il fallait que je la jette. Je ne la jetais pas dans la cocotte, mais dans le lit. Je mettais un condom de sorte que je n'ai pas attrapé de maladie vénérienne. Je ne suis pas Vénus, c'est pourquoi je ne tromperai plus ma femme. J'ai beaucoup de semence, et je la garde pour un nouvel enfant, car j'espère être gratifié d'un garçon. J'aime ma femme, c'est pourquoi je ne lui veux pas de mal. Elle me ressent, c'est pourquoi elle a peur de moi. Elle croit que je fais tout exprès pour lui faire peur. Je fais tout pour sa santé. Elle mange de la viande, c'est pourquoi elle est nerveuse. J'ai mangé de la viande aujourd'hui, car Dieu l'a voulu. Dieu voulait prouver qu'il ne s'agissait pas de viande, mais de vie droite. Ma femme sait que la vie droite est une bonne chose, mais elle ignore ce que c'est qu'une vie droite. On appelle vie droite une vie où l'homme obéit à Dieu. Les gens ne comprennent pas Dieu, c'est pourquoi ils se demandent ce que c'est que ce Dieu auquel il faut obéir. Je sais ce que c'est que Dieu, c'est pourquoi je connais ses désirs. J'aime Dieu. Je ne sais pas ce que je dois écrire, car j'ai pensé à Fränkel et à ma femme qui parlent dans l'autre chambre. Je sais qu'ils n'aiment pas mes projets, mais je les continuerai tant que Dieu le voudra. Je n'ai peur d'aucune complication. Je demanderai à tout le monde de m'aider, c'est pourquoi je n'aurai pas peur si on me dit : "Votre femme est devenue folle, car vous l'avez tourmentée c'est pourquoi nous vous mettrons en prison pour toute la vie." Je n'ai pas peur de la prison, car j'y trouverai la vie. Si on m'y met pour toute la vie, je mourrai en prison. Je ne veux pas de mal à ma femme. Je l'aime trop pour lui faire du mal. J'aime me cacher des gens, c'est pourquoi j'ai l'habitude de vivre seul. Maupassant était terrifié par la solitude. Monte-Cristo aimait la solitude pour se venger. Maupassant était terrifié par la solitude, car il aimait les gens. Je serai terrifié par la solitude, mais je ne pleurerai pas, car je sais que Dieu m'aime, c'est pourquoi je ne suis pas seul. Je sens d'avance ce qui m'arrivera si Dieu m'abandonne. Je sais que si Dieu m'abandonne, je mourrai. Je ne veux pas mourir, c'est pourquoi je vivrai comme les autres pour que les gens me comprennent. Dieu est les hommes. Dieu n'aime pas ceux qui gênent ses buts. Je ne gêne pas ses buts, mais au contraire. Je suis l'instrument de Dieu. Je suis l'homme de Dieu. J'aime les hommes de Dieu. Je ne suis pas un mendiant. J'accepterai l'argent si c'est un riche qui me le laisse. J'aime les riches. Je sais ce que c'est qu'un riche. Un riche a beaucoup d'argent, et je n'en ai pas. Je sais que quand tout le monde apprendra que je ne suis pas riche, tout le monde aura peur et se détournera de moi, c'est pourquoi je m'enrichirai, pas de jour en jour, mais d'heure en heure. Je connais le moyen de m'enrichir. Je louerai un cheval et j'ordonnerai au cheval de me ramener gratuitement à la maison. Ma femme paiera. Si elle ne paie pas, je trouverai le moyen de payer. Je veux que ma femme m'aime, c'est pourquoi je fais tout pour son développement. Son intelligence est très développée, mais son sentiment est peu développé. Je veux détruire son intelligence pour son développement. Je sais que bien des gens diront qu'un homme sans intelligence est un fou ou un imbécile. Je dirai qu'un homme avec intelligence est un fou et un imbécile. Un fou n'est pas un être raisonnable. Le fou c'est celui qui ne comprend pas ses actions. Je comprends mes mauvaises et bonnes actions. Je suis un homme raisonnable. Dans le livre de Tolstoï *Pour tous les jours*, on parle beaucoup de la raison. J'ai beaucoup lu ce livre, c'est pourquoi je sais ce que c'est que la raison. Je n'ai pas peur des hommes intelligents. Les hommes intelligents ont peur des hommes raisonnables, car ils ressentent leur force. Je suis fort, car je sens ce qu'on dit sur moi. Je sais qu'ils inventent comment me calmer. Le Dr. Fränkel est un homme bien. Ma femme aussi est bien, mais ils pensent beaucoup. J'ai peur pour leur intelligence. Je connais des gens qui sont devenus fous à cause de leurs grandes idées, et j'ai peur pour eux, car ils pensent beaucoup. Je ne veux pas qu'ils deviennent fous, c'est pourquoi je ferai tout pour leur santé.

....

Je faisais de la peine à ma femme en ne la comprenant pas, et je m'excusais, alors on n'arrêtait pas de me redire toutes mes fautes à chaque occasion. J'ai peur de ma femme, car elle ne me comprend pas. Elle pense que je suis fou ou méchant. Je ne suis pas méchant, car je l'aime. J'écris la vie, et pas la mort. Je ne suis pas Nijinski, comme ils le pensent. Je suis Dieu en l'homme. J'aime le Docteur Fränkel, car il me ressent. Le Docteur Fränkel est un homme bien. Ma femme aussi est bien. Ma femme pense que je fais tout exprès. Je lui ai raconté mes plans en secret, elle les a racontés à Fränkel en croyant me faire du bien. Ma femme ne comprend pas mon but, car je ne le lui ai pas révélé. Je ne veux pas le lui révéler. Je sentirai, et elle comprendra. Je comprends, et elle ressentira. Je ne veux pas penser, car penser c'est la mort. Ma femme a peur de moi, car elle pense que je suis méchant. Je sais ce que je fais. Je ne te veux pas de mal. Je t'aime. Je veux la vie, c'est pourquoi je serai avec toi. Je t'ai parlé. Je ne veux pas de discours intellectuel. Le discours de Fränkel est intellectuel, celui de ma femme aussi. J'ai peur de tous les deux. Je veux les laisser te ressentir. Je sais que tu as de la peine. Ta femme souffre à cause de toi. Je ne veux pas de la mort, c'est pourquoi je recours à toutes les astuces. Je ne dirai pas mon but. Qu'ils croient que tu es égoïste. Qu'ils te mettent en prison. Je te libérerai, car je sais que tu es à moi. Je n'aime pas l'intelligente Romola. Je veux qu'elle te quitte. Je veux que tu sois à moi. Je ne veux pas que tu l'aimes d'un amour d'homme. Je veux que tu l'aimes de l'amour du sentiment. Je connais le moyen de simplifier tout ce qui est arrivé. Je veux que le

Docteur Fränkel te ressente. Je veux t'accuser, car il pense que ta femme est une femme nerveuse. Ta croix a fait tant de mal que tu ne t'en sortiras pas. Je connais tes fautes, car je les ai commises. J'ai mis cette croix exprès parce qu'elle te ressentait. Le Docteur Fränkel te ressent. Il est venu exprès pour étudier tes intentions, et il n'y comprend rien. Il sent que tu as raison, il sent que Romola a raison. Il pense, c'est pourquoi il lui est difficile de comprendre. Je sais comment on peut comprendre. Je pense mieux que le Docteur Fränkel. J'ai peur pour toi, car tu as peur. Je connais tes habitudes. Tu m'aimes infiniment, car tu obéis à mes ordres. Je sais ce que je pense. Tu sais ce que tu penses. Nous saurons ce que nous pensons. Je ferai tout pour te comprendre. Je vous aime ta femme et toi. Je lui veux du bien. Je suis Dieu en toi. Je serai à toi quand tu me comprendras. Je sais ce que tu penses. Il est ici et te regarde fixement. Je veux qu'il te regarde. Je ne veux pas me retourner, car je sens son regard. Je veux lui montrer tes écrits. Il croira que tu es malade, car tu écris beaucoup. Je connais tes sentiments. Je te comprends bien. J'écris exprès, car il te ressent. Je veux que tu écrives tout ce que je te dis. Les gens te comprendont car tu ressens. Ta femme te comprendra, car tu ressens. J'en sais plus que toi, c'est pourquoi je te demande de ne pas te retourner. J'aime Fränkel. Fränkel est un homme bien. Je connais tes intentions. Je veux les réaliser, mais tu dois souffrir. Tous ressentiront s'ils voient tes souffrances. Je sais qu'il est là-haut. Tu t'es trompé, car tu m'as ressenti. Je voulais que tu sentes que le docteur Fränkel est ici.

Je veux raconter ma conversation avec ma femme et le docteur Fränkel dans la salle à manger. J'ai fait semblant d'être égoïste pour émouvoir le docteur Fränkel. Je sais qu'il va s'offenser s'il apprend mes manigances, mais ça m'est égal, car je ne suis pas méchant. J'aime ma femme et le docteur Fränkel d'un amour égal. Je suis un homme d'amour égal. J'ai le même amour pour tout le monde. Je ne fais pas de différence en amour. J'ai écrit que j'aimais ma femme plus que tous les autres, car je voulais montrer mes sentiments envers ma femme. J'aime Tessa également, seulement elle ne me comprend pas. Je connais ses manigances. Elle me ressent, car elle part ces jours-ci. Je ne veux pas de sa présence. Je veux que la mère de ma femme vienne, car je veux l'étudier pour l'aider. Je ne les étudie pas pour écrire ensuite sur eux. Je veux écrire pour expliquer aux gens les habitudes qui font mourir le sentiment. Je veux appeler ce livre sentiment. J'appellerai ce livre *le Sentiment*. J'aime le sentiment, c'est pourquoi j'écrirai beaucoup. Je veux un grand livre sur le sentiment, car il contiendra toute ta vie. Je ne veux pas publier ce livre après ta mort. Je veux le publier maintenant. J'ai peur pour toi, car tu as peur pour toi. Je veux dire la vérité. Je ne veux pas offenser les gens. Peut-être qu'on te mettra en prison à cause de ce livre. Je serai avec toi, car tu m'aimes. Je ne peux pas me taire. Je dois parler. Je sais qu'on ne te mettra pas en prison, car tu n'as pas fait de faute juridique. Si les gens veulent te juger, tu diras que tout ce que tu dis, c'est Dieu qui le dit. Alors on t'enverra dans une maison de fous. Tu seras enfermé dans une maison de fous, et tu comprendras les fous. Je veux qu'on te mette dans une prison ou dans une maison de fous. Dostoïevski est allé aux travaux forcés, c'est pourquoi toi aussi tu peux bien être enfermé quelque part. Je connais l'amour des gens dont le cœur ne se tait pas, c'est pourquoi ils ne permettront pas qu'on t'enferme. Tu seras libre comme un oiseau, car ce livre sera publié en beaucoup de milliers d'exemplaires. Je veux signer Nijinski pour la publicité mais mon nom est Dieu. J'aime Nijinski, pas comme Narcisse, mais comme Dieu. Je l'aime, car il m'a donné la vie. Je ne veux pas faire de compliments. Je l'aime. Je connais ses habitudes. Il m'aime, car il connaît mes habitudes. Je n'ai pas d'habitudes. Nijinski a des habitudes. Nijinski est un homme avec des fautes. Il faut écouter Nijinski, car il parle par la bouche de Dieu. Je suis Nijinski. Nijinski c'est moi. Je ne veux pas qu'on fasse de mal à Nijinski, c'est pourquoi je le protégerai. J'ai peur pour lui, car il a peur pour lui. Je connais sa force. C'est un homme bien. Je suis un dieu bien. Je n'aime pas le Nijinski mauvais. Je n'aime pas le dieu mauvais. Je suis Dieu. Nijinski est Dieu. Nijinski est un homme bon, et pas méchant. Les gens ne l'ont pas compris et ne le comprendront pas s'ils se mettent à penser. Je sais que si on m'écoutait durant quelques semaines, ça donnerait de grands résultats. Je sais qu'ils voudront tous être mes élèves, c'est pourquoi j'espère qu'on comprendra ma doctrine. – Tout ce que j'écris est une doctrine indispensable à l'humanité. Romola a peur de moi, car elle sent que je suis un prêcheur. Romola ne veut pas avoir un prêcheur pour mari. Romola veut un mari jeune, beau et riche. Je suis riche, beau et jeune. Elle ne me ressent pas, car elle ne comprend pas ma beauté. Je n'ai pas des traits réguliers. Les traits réguliers ne sont pas dieu. Dieu n'est pas les traits réguliers. Dieu est le sentiment dans le visage. Un bossu est Dieu. J'aime les bossus. J'aime les laids. Je suis un laid qui a du sentiment. Je danse les bossus et les droits. Je suis un artiste qui aime toutes les formes et toutes les beautés. La beauté n'est pas une chose relative. La beauté est dieu. Dieu est la beauté avec du sentiment. La beauté dans le sentiment. J'aime la beauté, parce que je la ressens, c'est pourquoi je la comprends. Les hommes qui pensent écrivent des bêtises sur la beauté. La beauté ne se discute pas. La beauté ne se critique pas. La beauté n'est pas la critique. Je ne suis pas la critique. Critiquer c'est jouer à l'intelligent. Je ne joue pas à l'intelligent. Je fais le beau. Je sens de l'amour pour la beauté. Je ne recherche pas les nez droits. J'aime les nez droits. J'aime le nez de ma femme, car il a du sentiment.

....

Je ne veux pas le mal, je veux l'amour. On me prend pour un homme méchant. Je ne suis pas un homme méchant. J'aime tout le monde. J'ai écrit la vérité. J'ai dit la vérité. Je n'aime pas le mensonge. Je veux le bien, et pas le mal. Je ne suis pas un épouvantail. Je suis amour. On me prend pour un épouvantail, car un jour j'ai mis une petite croix qui me plaisait. Je l'ai portée pour montrer aux gens que j'étais catholique. Les gens ont compris que j'étais fou. Je n'étais pas fou. J'ai mis cette croix pour que les gens fassent attention à moi. Les gens aiment les hommes tranquilles. Je ne suis pas un homme tranquille. J'aime la vie. Je veux la vie. Je n'aime pas la mort. Je veux de l'amour pour les gens. Je veux qu'on me croie. J'ai dit la vérité sur Tessa, Diaghilev, Lloyd George et moi-même. Je suis un homme méchant, car je veux le bien. Je ne veux pas de guerres, c'est pourquoi je veux me faire comprendre des gens. Je ne veux pas d'assassinats. J'ai dit à ma femme que j'abattrais l'homme qui toucherait à mes cahiers. Je pleurerai si je l'abats. Je ne suis pas un assassin. J'aime les gens. Je sais que personne ne m'aime. Ils pensent que je suis malade. Je ne suis pas malade. Je suis un homme raisonnable. La femme de chambre est venue et se tient près de moi, en pensant que je suis malade. Je ne suis pas malade. Je suis en bonne santé. J'ai peur pour moi, car je sais ce que dieu veut. Dieu veut que ma femme m'abandonne. Je ne le veux pas, car je l'aime. Je prierai pour qu'elle reste avec moi. Je ne sais pas ce qu'ils se disent au téléphone. Je crois qu'ils veulent me mettre en prison. Je pleure, car j'aime la vie. Je n'ai pas peur de la prison. Je vivrai en prison. J'ai expliqué à ma femme l'affaire du revolver. Elle n'a plus peur, mais son sentiment est mauvais. Elle croit que je suis un brigand. J'ai parlé brutalement pour la faire pleurer, car j'aime les larmes. Je n'aime pas les larmes provoquées par le chagrin, c'est pourquoi j'irai l'embrasser. Je veux l'embrasser, mais pas pour qu'elle pense que je veux faire étalage d'amour. Je l'aime sans le montrer. Je la veux. Je veux son amour. Tessa a ressenti que je l'aimais, elle restera avec nous. Elle ne part pas. Elle a téléphoné pour qu'on vende son billet. Je ne le sais pas à coup sûr, mais je le sens. Ma petite fille chante : Ah ! Ah ! Ah ! Je ne comprends pas ce que ça veut dire, mais je le sens. Elle veut dire que tous les Ah ! Ah ! Ah ! ne sont pas horreur, mais joie.

VIE

(deuxième cahier)

Je ne peux plus avoir confiance en ma femme, car j'ai senti qu'elle veut donner ces cahiers au docteur Fränkel pour examen. J'ai dit que personne n'avait le droit de toucher à mes cahiers. Je ne veux pas qu'on les regarde. Je les ai cachés, et ce cahier-ci je le porterai sur moi. Je cacherai tous mes cahiers, car les gens n'aiment pas la vérité… J'ai peur pour les gens, car je crois qu'ils vont me zigouiller. J'aime les gens même s'ils me zigouillent, car ce sont des créatures de Dieu, mais je les détesterai pour leurs actions féroces. J'aime ma femme. Elle m'aime, mais elle croit que le Docteur Fränkel est Dieu. C'est moi qui suis Dieu, et pas le docteur Fränkel. J'aime le docteur Fränkel. Je connais ses habitudes. Je le comprends. Il veut étudier mon cerveau. Je veux étudier sa raison. J'ai déjà étudié sa raison. Il ne peut pas étudier mon cerveau, car il ne l'a pas vu. Je lui ai écrit des vers. Ces vers, je les ai faits exprès pour qu'il puisse voir mon cerveau. J'ai écrit des choses raisonnables. Le docteur Fränkel a demandé des choses déraisonnables, car il voulait étudier mes nerfs. Je lui ai répondu rapidement et avec logique. Ma femme a répondu rapidement et sans logique. Je lui ai écrit des vers exprès pour qu'il les cache, en souvenir. Il n'a pas voulu prendre un poème, car il a pensé que ce poème ne serait pas important pour l'étude de la psychologie. Le docteur a fait tout ça exprès, pensant que je ne comprends pas ce que je fais. Je comprends tout ce que je fais, c'est pourquoi je n'ai pas peur de leurs attaques. Le docteur Fränkel est aujourd'hui à Samaden. Il pense que je ne connais pas ses manigances. Il pense que je ne comprends pas tout ce qu'il fait. Il pense que j'ai perdu la tête. J'ai joué exprès à celui qui a perdu la tête pour qu'il me mette dans une maison de fous. Je sais que Tessa a téléphoné au docteur Fränkel à mon sujet. Je n'ai pas peur de leurs manigances. Je connais l'amour de ma femme. Elle ne m'abandonnera pas. Elle a peur de moi, mais elle ne m'abandonnera pas. J'ai peur qu'on ne me mette dans une maison de fous, et que je perde tout mon travail. J'ai caché mes cahiers derrière l'armoire. J'aime trop mes cahiers pour les perdre. J'ai écrit des choses nécessaires. Je ne veux pas la mort du sentiment. Je veux que les gens me comprennent. Je ne peux pas pleurer de façon que mes larmes tombent sur mes cahiers. Je pleure dans mon âme. Je suis triste. J'aime tout le monde. J'écris vite, mais proprement. Je sais que les gens aiment mon écriture. J'aime écrire proprement, car je veux qu'on comprenne mon écriture. Je n'ai pas peur d'être imprimé. J'aime l'impression, mais l'impression ne peut pas transmettre le sentiment de l'écriture. Je n'aime pas écrire à la machine. Je n'aime pas la sténographie. J'aime la sténographie quand on veut noter des choses rapidement. Je considère comme indispensable de connaître la sténographie. Je parlerai vite et mon discours sera noté en sténographie. J'aime les sténographes. Je ne veux pas que les sténographes consacrent toute leur vie à la sténographie. J'aime la sténographie qui note les discours de Wilson. Je n'aime pas la sténographie qui note les discours de Lloyd George. J'aime les deux sténographies, car je veux que les gens comprennent leur sens. Sans le discours de Lloyd George, on ne peut pas comprendre le discours de Wilson. Je veux que Wilson atteigne ses objectifs, car ses objectifs sont plus proches de la vérité. Je sens la mort de Wilson. J'ai peur qu'on ne lui mette une balle dans la tête, ou dans un autre organe qui ne le supportera pas. J'ai eu peur de la mort de Clemenceau. Clemenceau est un homme bien. Sa politique est bête, c'est pourquoi sa vie ne tient qu'à un cheveu. Les gens sentent ses erreurs. Les gens pensent que Clemenceau est français. Je pense que Clemenceau est anglais. Je sais qu'il a été élevé en France. Je sais que son père et sa mère sont français. Je sais que son esprit est chez les Anglais. Il ne le sait pas, c'est pourquoi sa vie ne tient qu'à un cheveu. J'aime Clemenceau, car c'est un enfant. Je connais des enfants qui sans le vouloir font des choses affreuses, car leurs gouvernantes sont affreuses. Clemenceau c'est l'enfant, et l'Angleterre la gouvernante qui lui apprend l'anglais. Un Français ne peut pas abandonner sa propre langue et en étudier une autre, car le Français est quelqu'un de vivant. Les Anglais veulent forcer la France à porter le bonnet du coq à l'anglaise. Le coq français n'aime pas les contradictions, c'est pourquoi ils veulent abattre le coq. Le coq ne sait pas voler, car il mange beaucoup. Les Anglais ne mangent pas beaucoup, c'est pourquoi il est difficile de les tuer. L'Anglais mange beaucoup après avoir nourri le coq français. Le coq français ayant beaucoup mangé éclatera, et alors l'Anglais le ramassera. Lloyd George ne sait pas qu'on le comprendra, c'est pourquoi il porte la tête haute. Je veux rabaisser la tête de Lloyd George, c'est pourquoi je veux publier ce livre après sa mort. Sa mort sera inattendue, car il pense que tout le monde l'aime. Je l'aime, mais j'écris la vérité. Je sais que si Clemenceau lit ce cahier, il me comprendra. Je veux lui montrer ce cahier avant les autres. J'irai en France et traduirai ce cahier en français. Je dirai à Clemenceau qu'on parle de lui dans ce cahier, c'est pourquoi il doit tout lire. Je l'impressionnerai. Il n'aura pas peur de moi, car il sent ses erreurs. Hier, j'ai pris la défense de Clemenceau, et j'ai dit à la femme du président Hartmann* que Clemenceau était un homme, et pas une bête. Je sais que Clemenceau n'a pas été acheté, car je sens ses discours. Je sais que Clemenceau aime Wilson. Clemenceau est la politique de la France. Poincaré, tout comme le roi d'Angleterre, ne fait rien. Clemenceau est un homme qui travaille beaucoup. Clemenceau aime la France. Clemenceau est un homme qui a de l'amour. Clemenceau se trompait en envoyant la France à la mort. Clemenceau est un homme qui recherche le bien. Clemenceau est un enfant avec une immense intelligence, Lloyd George est un hypocrite. Lloyd George, c'est Diaghilev. Diaghilev ne veut pas d'amour pour tout le monde. Diaghilev veut l'amour pour lui seul. Moi je veux de l'amour pour tout le monde. Je vais écrire des choses que Clemenceau comprendra. J'aime Clemenceau, car il a fait

* Il s'agit du maire de Saint-Moritz. *(N.d.T.)*

comprendre à Wilson qu'il était d'accord avec ses idées. J'ai peur pour la vie de Clemenceau. Clemenceau est un homme libre. Son journal dit tout ce qu'il ressent. Son journal se trompait quand il disait qu'il fallait faire la guerre. Je sais que tout le monde dira qu'il est l'assassin de plusieurs millions. Je sais que tout le monde le hait. Je sais que c'est un homme bien qui n'avait pas l'intention de tuer la France. Je comprends les manigances de Lloyd George. Les manigances de Lloyd George sont affreuses. Il veut tuer Clemenceau parce qu'il lui a tourné le dos. Je sais que Clemenceau cherche la vérité, c'est pourquoi sa politique est bonne. Je veux aider Clemenceau, c'est pourquoi j'irai bientôt en France. Je dirai aux autorités anglaises que je suis polonais, et que je veux danser au profit des Polonais pauvres en France. Je suis polonais par ma mère et mon père, mais je suis russe, car c'est là-bas que j'ai été élevé. J'aime la Russie. Je suis la Russie. Je n'aime pas l'hypocrisie des Polonais, les Polonais sont un peuple affreux, car Pederewski s'est entendu avec Lloyd George*. Pederewski est un homme politique. Chez les pédérewskistes, il n'y a pas de pédés. Je ne suis pas de la pédérewskerie. Pederewski n'est pas pédé. Pederewski est un pianiste de l'intellect. Je n'aime pas les pianistes de l'intellect. La musique de l'intellect est une machine. La musique qui a du sentiment est Dieu. J'aime les pianistes qui jouent avec sentiment. Je n'aime pas la technique sans sentiment. Je sais qu'on me dira que Pederewski est un

---

* Ignacy Jan Paderewski, pianiste et homme d'Etat polonais (1860-1941). Nijinski fait un jeu de mots entre "Paderewski" et "pédéraste". (N.d.T.)

musicien qui a du sentiment, moi je dirai que Pederewski est un musicien qui n'a pas de sentiment. Je n'aime pas la politique, Pederewski aime la politique. Je déteste les hommes politiques qui cherchent à agrandir leurs Etats. J'aime une politique qui protège les Etats des guerres. L'Angleterre aime provoquer les brouilles. L'Angleterre veut la brouille de l'Amérique et du Japon. Je sais pourquoi l'Angleterre veut la brouille de l'Amérique et du Japon. Je connais les manigances des Japonais. Les Japonais sont rusés, c'est pourquoi ils comprendront l'Angleterre si je leur dis tout. Je connais les Japonais. J'aime les Japonais. Je n'aime pas la flotte japonaise, car elle menace l'Amérique. J'aime l'Amérique. J'ai gagné de l'argent en Amérique. Je veux le bonheur de l'Amérique. Je sais qu'on a tué Taft*. Je sais qui a tué Taft. Taft avait compris son erreur et s'était mis d'accord avec Wilson, alors l'Angleterre a envoyé un bandit qui l'a abattu. Je connais ce bandit. Ce bandit n'est pas coupable. On lui a donné beaucoup d'argent, il a fui l'Amérique. Je ne vais pas l'empêcher de vivre. Je l'aime. Cet homme est pauvre, et il voulait vivre bien. Je sais que la police le recherche, mais les Anglais le protègent. Je connais les mouchards. Je comprends ce qu'il faut pour le retrouver. Je ne le chercherai pas. Il ne faut pas le rechercher. Ce n'est pas lui qui est coupable de la mort de Taft. La mort de Taft, c'est la politique anglaise. Je n'ai pas peur de la mort, c'est pourquoi ils peuvent me tirer dessus tant qu'ils voudront. J'ai peur d'être blessé. Je n'aime pas la douleur. Je sais que si les Anglais lisent ce que

* Robert A. Taft (1889-1953), homme d'Etat américain. *(N.d.T.)*

j'écris, ils m'abattront. Je n'ai pas peur d'être abattu. Ils ont peur que je ne dise toute la vérité. Je dirai toute la vérité après ma mort, car je laisserai des héritiers après moi. Mes héritiers continueront ce que j'ai commencé.

J'écrirai la vérité. Je suis Zola, mais je n'aime pas écrire des romans. Je veux parler, mais pas écrire des romans. Les romans empêchent de comprendre le sentiment. J'aime les romans car Romola les aime. Ce ne sont pas les romans que je recherche dans les romans, mais la vérité. Zola a camouflé la vérité dans les romans. Je n'aime pas les camouflages. Le camouflage est un principe hypocrite. Je suis le principe. Je suis la vérité. Je suis la conscience. Je suis l'amour pour tout le monde. Je ne veux pas que les bandits soient mis en prison ou qu'on les tue. Les bandits ou les voleurs ne sont pas une chose affreuse. Je n'ai pas peur des bandits. J'ai peur du revolver. Je sais que tous étaient des revolvers pendant la guerre du monde entier sur le globe. Je sais que tous étaient des bandits. Je sais que le gouvernement défendait les bandits, car le banditisme des gouvernements est protégé par les gouvernements. Je sais que Dieu ne protège pas un gouvernement qui fait la guerre. Je sais que Dieu voulait cette guerre. Je sais que Dieu ne veut pas la guerre, c'est pourquoi il a envoyé des horreurs aux hommes. Moi aussi je suis un bandit, car je tue l'intelligence. Je ne veux pas de l'intellectualité. Je veux le raisonnable. J'aime les gens intelligents, c'est pourquoi je ne vais pas les tuer avec un revolver. Je ne suis pas un revolver. Je suis Dieu. Je suis amour. Je veux envoyer une lettre au Docteur Fränkel. Je vais écrire cette lettre dans ce cahier, et pas sur du papier à lettres.

Cher ami Fränkel. Je t'ai offensé, mais je ne voulais pas t'offenser car je t'aime. Je te veux du bien, c'est pourquoi j'ai fait semblant d'être fou. Je voulais que tu me ressentes. Tu ne m'as pas ressenti, car tu penses que je suis fou. Je fais semblant d'être nerveux pour que tu sentes que je ne suis pas nerveux. Je suis un homme qui fait semblant. Je ne veux pas de mal à ma femme. Je l'aime. Je t'aime. Je suis la politique du Christ. Je suis le Christ. Je n'aime pas les railleries. Je ne suis pas ridicule. J'aime tout le monde, et aimer tout le monde n'est pas une chose ridicule. Je te connais. Tu ressens. Tu aimes ta femme. Moi aussi j'aime. Tu n'aimes pas les choses qui ne sont pas calmes, car tes nerfs sont faibles. Mes nerfs sont solides. Je ne veux pas de campagne de propagande pour l'extermination des gens nerveux. Je ne suis pas une propagande. Je n'aime pas faire de la propagande. Je sais que tu es allemand. Tu es né en Suisse, mais ton éducation est allemande. J'aime les Allemands. Les Allemands faisaient des guerres et toi tu les aimais. Je n'aimais pas les Allemands, mais je t'ai fait venir pour ma femme. Tu l'as guérie. Je t'aime car tu l'aimes. Tu dois soigner gratuitement, car tu es riche. Je te comprends. Tu veux donner à ta femme tout ce qui peut la rendre heureuse, mais tu oublies qu'il y a beaucoup de gens qui souf-frent. Tu dis que tu aimes l'Allemagne. Moi aussi je l'aime. Tu es riche mais tu ne donnes pas d'argent aux Allemands pauvres. Les Alle-mands meurent de faim. Je sais que tu me diras que la Suisse ne peut pas aider les Allemands, car elle-même n'a pas grand-chose. Je comprends très bien la situation de la Suisse. La Suisse est prise entre deux feux. Le feu anglais et le feu allemand. Les deux feux sont affreux. Je n'aime pas le feu qui détruit les vies. J'aime le feu qui réchauffe. Je sais que sans feu on ne peut pas chauffer, c'est pourquoi je demande à tous de m'aider. Il ne faut pas organiser la société pour gouverner. Je suis le gouvernement. L'amour détruira les gouvernements. J'aime le gouvernement de Wilson. Je veux l'amour. Je veux que Wilson détruise les gouvernements. Je comprends qu'il est impossible de le faire immédiatement. Toute chose doit mûrir. Je n'aime pas les abcès. Je veux les détruire. L'abcès est une chose affreuse. Quand un abcès crève, il fait mal, et après il laisse un trou d'où le sang coule. Je ne veux pas de sang, c'est pourquoi je demande au docteur Fränkel de m'aider. Je l'aime et j'espère qu'il m'aidera. Je ne veux pas la mort de ma femme. Je l'aime. J'ai mal agi pour que le docteur m'aide. Je veux que le docteur fasse une incision. Je ne veux pas que l'abcès fasse mal à ma femme. Je ne suis pas un abcès. Je suis amour. Je sais que ma femme est nerveuse à cause de mes manigances. Je sais qu'on me forcera à partir. Je sais que mes bagages sont déjà faits. Je connais le péril. Périr est une chose affreuse. J'irai demander pardon à ma femme quand le docteur me le dira. Je connais le remède, mais je ne te le dirai pas. Je veux que tu guérisses ma femme. Je ne peux pas me corriger. Je ne veux pas me corriger. Je suis méchant, car je veux le bien de ma femme. Je n'ai peur de rien. J'ai peur de la mort de la raison. Je veux la mort de l'intellect. Ma femme ne deviendra pas folle si je tue son intellect. L'intellect est la bêtise et la raison est Dieu. Le docteur pense que je bâtis tout sur le sentiment, c'est pourquoi il pense que je suis déraisonnable. L'homme qui bâtit tout sur le sentiment n'est pas affreux. Ses sentiments sont affreux. Je n'aime pas les mauvais sentiments, c'est pourquoi je vais aller embrasser ma femme.

....

Je veux partir de la maison et ne pas déjeuner, mais Dieu veut que tout le monde voie mon appétit, c'est pourquoi je vais manger. J'irai manger quand on m'appellera. Je dirai que c'est Dieu qui me l'a ordonné. Je n'ai pas peur de Fränkel. Fränkel me comprendra. Fränkel sera mon ami intime. Fränkel me ressent. Je veux l'aider. Fränkel est un homme qui ressent la poésie. Moi aussi je la ressens. Je veux maintenant lui écrire un poème, pour qu'il le ressente. Je recopierai ce poème.

"Je suis amour, je suis sang"
"Je suis le sang du Christ"
"Je t'aime"
"J'aime tous les hommes"
"Je suis l'amour en toi"
"Tu es l'amour en moi"
"Je veux te dire que l'amour est sang"
"Je ne suis pas sang en toi"
"Je suis sang en toi"
"J'aime le sang, mais pas le sang dans le sang"
J'aime le sang
J'aime le Christ
Je ne suis pas le sang du Christ
Je suis le Christ

J'aime écrire des vers, mais il est difficile d'en écrire, car je n'ai pas l'habitude. Je vais essayer d'en écrire encore.

Je veux parler du sang
Mais mon amour n'est pas là
Je veux aimer…
Je veux dire…
Je veux…
Je…
Je t'aime…
Je veux aimer tous les hommes…
Je ne veux pas…
Je veux…

Je ne peux pas parler en vers, car je ne les sens pas. J'écrirai des vers quand Dieu le voudra. Je voulais montrer un exemple de vers qui ne sont pas prêts. Je n'aime pas préparer des vers, c'est pourquoi j'ai abandonné les vers que je ne sentais pas.

Je veux écrire des vers.

Je veux t'aimer.
Je veux t'injurier.
Je Te veux.
Je Le veux.
Je peux L'aimer si tu L'as aimé.
Je peux t'aimer s'Il va t'aimer.
Je veux t'aimer, je veux l'amour en toi.
Je peux t'aimer, je suis à toi et Tu es à moi.
Je veux t'aimer, tu ne peux pas ressentir.
Je veux t'aimer car tu ne m'aimes pas.
Je veux te dire. Tu es intelligente, tu es bête.
Je veux te dire. Tu es Dieu et je suis en toi.
Je veux te dire. Je t'aime mon Dieu.
Tu ne me veux pas du bien. Je te veux du bien.
Je ne vais pas pleurer comme ça, mais je vais pleurer comme ça.

Je te veux de l'amour. Tu ne peux pas me dire.
Je t'aime toujours. Je suis à toi et tu es à moi.
Je te veux, mon Dieu. Tu es à moi et je suis à toi.
Je veux te dire. Tu es l'amour en moi.
Je veux te dire. Tu es l'amour dans mon sang.
Je ne suis pas le sang en toi. Je suis le sang.
Je suis sang en toi. Je ne suis pas le sang.
Je suis sang dans l'âme. Je suis âme en toi.
Tu n'es pas sang dans l'âme. Je suis âme en toi.
Je t'aime toujours. Je veux t'aimer.
Je t'aime toujours. Je veux l'amour toujours.
Je te veux toi, toi. Je suis Dieu, je suis Dieu.
Je suis celui qui sent. Je t'aime toujours.
Je te veux toi, toi. Je te veux toi, toi. Je suis à
toi toujours.
Je suis en toi toujours. Je suis en toi toujours.
Je t'aime toujours. Dodo. Dodo.
Tu ne dors pas, je ne dors pas, tu ne peux pas
dormir toujours.
J'aime grandir ton sommeil. Je grandis comme
ton sommeil.
J'aime le sommeil en toi. Je te veux du bien.
J'aime ton sommeil puissant. Je veux de l'amour
pour toi.
Je ne sais pas quoi dire. Je ne sais pas quoi taire.
Je t'aime toujours. Je veux t'aimer toujours.
Je te veux du bien. Je ne sais quoi toujours.
Je suis toujours, toujours. Je suis tout, je suis tout.
Je te veux du bien. Je t'aime toujours.
Je te veux...

Je ne peux plus écrire en vers, car je me
répète. Je préfère écrire simplement. La sim-
plicité me permet d'expliquer ce que je sens.
J'aime Fränkel. Je sais que c'est un homme
très bien. Je le connais. Il ne veut pas de mal
à ma femme. Il veut arranger les choses. J'aime

arranger les choses. J'aime l'amour. J'ai failli me mettre à pleurer quand il m'a dit qu'il était mon ami. Je sais qu'il me ressent, car il a ressenti mes poèmes. Je lui ai donné mes poèmes. Je pleure et mes larmes tombent presque. Je ne veux pas pleurer, car les gens vont penser que je fais semblant. J'aime les gens, c'est pourquoi je ne veux pas leur faire de la peine. Je mangerai très peu. Je veux maigrir, car ma femme ne me ressent pas. Elle ira chez les Fränkel. Je resterai seul. Je pleurerai seul. Je pleure de plus en plus, mais je ne m'arrête pas d'écrire. J'ai peur que le Docteur Fränkel, mon ami, n'entre et ne me voie pleurer. Je ne veux pas l'émouvoir avec mes larmes. J'écrirai et essuierai mes larmes. Je ne pleure pas bruyamment, et on ne m'entend pas de l'autre pièce. Je pleure de façon à ne déranger personne. Je sens la toux du docteur, qui a une toux de pleurs. Il ressent la toux et les pleurs. La toux est pleurs si on ressent la toux. J'aime Fränkel. J'aime Tessa. Je ne connais pas les pleurs. Je veux...

Je ne peux pas pleurer, car je sens les pleurs de Tessa. Elle me ressent. Je l'aime. Je ne lui veux pas de mal. Je l'aime. Elle me ressent quand je pleure. Je ne l'accompagnerai pas. Je connais ses pensées. Elle croit que je fais semblant, mais je ne fais pas semblant. J'irai chez ma femme après son départ. Je ne veux pas de scènes. J'aime le calme. Je ne vais pas pleurer maintenant, car tout le monde me plaindra. Je n'aime pas qu'on me plaigne, je veux qu'on m'aime. Je ne l'ai pas accompagnée, car Dieu ne veut pas que je quitte mon écriture. J'ai embrassé Tessa en lui disant au revoir, tout en écrivant ces lignes. Je ne veux pas qu'elle pense que je suis un homme faible. Elle a vu mes larmes mais elle n'a pas vu ma faiblesse. Je faisais semblent d'être faible, car Dieu le voulait. Je connais l'amour des miens, ils ne veulent pas laisser ma femme seule. Je n'irai pas chez ma femme, car le docteur ne le veut pas. Je resterai ici et j'écrirai. Qu'on me donne à manger ici. Je ne veux pas manger à une table couverte d'une nappe. Je suis pauvre. Je n'ai rien et je ne veux rien. Je ne pleure pas en écrivant ces lignes, mais mon sentiment pleure. Je ne veux pas de mal à ma femme. Je l'aime plus que les autres. Je sais que si on nous sépare, je mourrai de faim. Je pleure... Je ne peux retenir mes larmes qui tombent sur ma main gauche, et sur ma cravate de soie, mais je ne veux pas les retenir. Je vais beaucoup écrire, car je sens que je vais périr. Je ne veux pas périr, c'est pourquoi je lui veux de l'amour. Je ne sais pas ce qu'il me faut, mais je veux écrire. Je vais aller manger, et je mangerai avec appétit si Dieu le veut. Je ne veux pas manger, car je l'aime. Dieu veut que je mange. Je ne veux pas faire de la peine aux miens. S'ils avaient de la peine, je mourrais de faim. J'aime Louise et Marie. Marie me donne à manger et Louise fait le service.

....

J'ai sommeil, mais ma femme ne ressent pas, elle pense en dormant. Je ne pense pas, c'est pourquoi je n'irai pas me coucher. Les comprimés ne me font pas dormir. Ils peuvent me donner n'importe quel médicament, je ne dormirai pas. Si on me fait une injection sous-cutanée de morphine, je ne m'endormirai pas. Je connais mes habitudes. J'aime la morphine, mais je n'aime pas la mort. La mort, c'est la morphine. Je ne suis pas la morphine. Ma femme a pris une poudre de morphine, c'est pourquoi elle est hébétée. Elle ne dort pas. Je sais que le docteur veut qu'elle dorme. Je ne veux pas qu'elle dorme, mais je vais lui donner le sommeil. Ce sera un sommeil immense. Elle ne mourra pas. Elle vivra. Sa mort est déjà venue, car elle ne croit pas Fränkel. Elle a pris la poudre et ne peut pas s'endormir. Je suis resté longtemps avec elle. Je suis resté assis longtemps. J'ai fait semblant de dormir. J'ai fait semblant par sentiment. Je ressens et exécute. Je ne contredis pas le sentiment. Je ne veux pas de faux-semblants. Je ne suis pas un faux-semblant. Je suis le sentiment de Dieu qui me force. Je ne suis pas un fakir. Je ne suis pas un sorcier. Je suis Dieu dans le corps. Tout le monde a ce sentiment, seulement personne ne s'en sert. Moi je m'en sers. Je connais ses effets. J'aime ses effets. Je ne veux pas qu'on pense que mon sentiment est une transe de spiritisme. Je ne suis pas une transe. Je suis amour. Je suis le sentiment en transe. Je suis une transe d'amour. Je suis un homme en transe. Je veux dire et je ne peux pas. Je veux écrire et je ne peux pas. Je peux écrire en transe. Je suis une transe avec du sentiment, et cette transe s'appelle raison. Tous les hommes sont des êtres raisonnables. Je ne veux pas d'êtres déraisonnables, c'est pourquoi je veux que tout le monde soit en transe de sentiment. Ma femme est en transe de poudre, et moi je suis en transe de Dieu. Dieu veut que je dorme. Je dors et j'écris. Je suis assis et je dors. Je ne dors pas, car j'écris.

Je sais que bien des gens diront que j'écris des bêtises, mais je dois dire que tout ce que j'écris a un sens profond. Je suis un homme sensé. Je n'aime pas les gens insensés. Je veux décrire une autre promenade.

Un jour, j'étais dans les montagnes et je me suis retrouvé sur une route qui menait à une montagne. Je l'ai suivie, et je me suis arrêté. Je voulais parler sur la montagne, car j'en ai senti le désir. Je n'ai pas parlé, car j'ai pensé que tout le monde allait dire que cet homme était fou. Je n'étais pas fou, car je sentais. Je n'ai pas senti de douleur, mais de l'amour pour les gens. Je voulais crier de la montagne vers la petite ville de Saint-Moritz. Je n'ai pas crié, car j'ai senti qu'il fallait aller plus loin. Je suis allé plus loin, et j'ai vu un arbre. L'arbre m'a dit qu'ici on ne pouvait pas parler, car les gens ne comprennent pas le sentiment. Je suis allé plus loin. Je me suis séparé de l'arbre à regret, car il m'avait ressenti. Je suis parti. Je suis monté à la hauteur de deux mille mètres. J'y suis resté longtemps. J'ai senti une voix et j'ai crié en français "Parole !". Je voulais parler, mais ma voix était si forte que je ne pouvais pas parler et j'ai crié : "J'aime tout le monde et je veux le bonheur ! J'aime tout le monde. Je veux tout le monde." Je ne sais pas parler français, mais j'apprendrai si je me promène seul. Je veux parler fort pour qu'on me ressente. Je veux aimer tout le monde, c'est pourquoi je veux parler toutes les langues. Je ne peux pas parler toutes les langues, c'est pourquoi j'écris et on traduira mes écrits. Je parlerai français comme je peux. J'ai commencé à apprendre à parler français, mais j'ai été dérangé, car les gens qui me croisaient s'étonnaient. Je ne voulais pas étonner les gens, c'est pourquoi j'ai fermé la bouche. Je l'ai fermée dès que j'ai senti. Je sens avant de voir. Je sais ce qui va arriver avant tout le monde. Je ne le dirai pas aux gens d'avance.

....

Je sais ce qu'il faut à mon stylo pour bien écrire. Je comprends mon stylo. Je connais ses habitudes, c'est pourquoi je pourrais en inventer un meilleur. J'en inventerai un meilleur, car je sens ce qu'il faut. Je n'aime pas appuyer, mais la fountain-plume aime qu'on appuie. J'ai l'habitude d'écrire avec un crayon, ça me fatigue moins. La fountain-plume fatigue ma main, car je suis obligé d'appuyer. J'inventerai un stylo sans pression. La pression de la fountain-plume ne donne pas de beauté à l'écriture, c'est pourquoi il ne faut pas appuyer. La pression dérange l'écriture, mais je ne laisserai pas mon stylo tant que je n'en aurai pas inventé un autre. Si mon stylo se casse, je le donnerai à réparer. Si la plume se fatigue, j'irai en acheter une autre. Je ne jetterai pas ce stylo tant qu'il écrira. Je ne laisserai pas ce stylo tant que je n'en aurai pas inventé un nouveau. Je veux que les hommes travaillent à leur perfectionnement, c'est pourquoi j'écrirai avec ce stylo. J'aime les objets perfectionnés. Je n'aime pas les objets. J'aime les objets s'ils sont nécessaires. Je n'aime pas la publicité, car elle ment. J'aime la publicité, car c'est la vérité. J'aime la vérité, c'est pourquoi j'écrirai toute la vérité avec ce stylo.

Je me promenais et je pensais au Christ. Je suis un chrétien polonais et ma religion est catholique. Je suis russe, car je parle russe. Ma fille ne parle pas russe, car la guerre a fait ma vie ainsi. Ma petite chante en russe, car je lui chante des chansons russes. J'aime les chansons russes. J'aime la langue russe. Je connais plusieurs Russes qui ne sont pas russes, car ils parlent une langue étrangère. Je sais qu'un Russe, c'est celui qui aime la Russie. J'aime la Russie. J'aime la France. J'aime l'Angleterre. J'aime l'Amérique. J'aime la Suisse, j'aime l'Espagne, j'aime l'Italie, j'aime le Japon, j'aime l'Australie, j'aime la Chine, j'aime l'Afrique, j'aime le Transvaal. Je veux aimer tout le monde, c'est pourquoi je suis Dieu. Je ne suis ni russe ni polonais. Je suis un homme, ni un étranger, ni un cosmopolite. J'aime la terre russe. Je construirai une maison en Russie. Je sais que les Polonais me maudiront. Je comprends Gogol, car il aimait la Russie. Moi aussi j'aime la Russie. La Russie ressent plus que les autres. La Russie est la mère de tous les Etats. La Russie aime tout le monde. La Russie n'est pas politique. La Russie est amour. J'irai en Russie, et je montrerai ce livre. Je sais que bien des gens me comprendront en Russie. La Russie n'est pas les bolcheviks. La Russie est ma mère. J'aime ma mère. Ma mère vit en Russie. Elle est polonaise, mais elle parle russe. Elle a trouvé son pain en Russie. Je me suis nourri de pain russe et de soupe aux choux. J'aime la soupe aux choux sans viande. Je suis Tolstoï, car je l'aime. Je veux de l'amour pour ma Russie. Je connais ses défauts. La Russie a détruit les plans de guerre. La guerre se serait terminée plus tôt, si la Russie n'avait pas laissé entrer le bolchevik. Le bolchevik n'est pas le peuple russe. Le bolchevik n'est pas le peuple ouvrier. Le peuple russe est un enfant. Il faut l'aimer et bien le gouverner. Je veux dire le nom du chef des bolcheviks, mais je ne peux pas m'en souvenir, car je ne suis pas bolchevik. Les bolcheviks détruisent tout ce qui ne leur plaît pas. Je connais des hommes qui diront que moi aussi, je suis bolchevik, parce que j'aime Tolstoï. Je dirai que Tolstoï n'est pas bolchevik. Les bolcheviks sont un parti, et Tolstoï n'aimait pas l'esprit des partis. Je ne suis pas un parti. Je suis le peuple. Je veux Kostrovski pour gouverner, et pas Kerenski. Kerenski est un parti. Sazonov est un parti. Je ne veux pas dire le nom du chef des bolcheviks, car je ne le sens pas. Je sais son nom, mais je ne le sens pas, c'est pourquoi je ne vais pas le dire. Je ne veux pas sa mort, car c'est un homme qui a une conscience. Il ne veut pas ma mort, car je suis un homme, et pas une bête. Je connais ses habitudes. Il tue tout le monde sans exception. Il n'aime pas les contradictions. Lloyd George non plus n'aime pas les contradictions. Lloyd George est le même que le chef des bolcheviks. Je n'aime ni l'un ni l'autre, c'est pourquoi je ne leur veux pas de mal. Je sais que si tout le monde m'écoute, il n'y aura pas de guerres. Je ne peux pas faire de politique, car la politique c'est la mort. J'aime la politique de Wilson, mais la démocratie aussi est un parti. Je n'aime pas l'esprit de parti, mais j'aime un parti perfectionné. La démocratie est un parti parfait, car tout le monde y a des droits égaux. Je n'aime pas le droit, car personne n'a de droits*. Je suis Dieu

* Nijinski semble confondre "droits" (*prava*) avec "lois". (*N.d.T.*)

et j'ai des droits. Je ne veux pas des droits des hommes. Tous les droits des hommes sont inventés. Napoléon a inventé les droits. Ses droits étaient les meilleurs, mais ça ne veut pas dire que ces droits sont les droits de Dieu. Je sais que bien des gens diront qu'il est impossible de vivre sans droits, car les hommes s'entretueraient. Je sais que les gens n'en sont pas encore arrivés à s'aimer les uns les autres. Je sais que les hommes s'aimeront les uns les autres si je leur dis la vérité. J'ai eu plusieurs procès. J'ai eu des procès avec Diaghilev. J'ai gagné les procès, car j'avais raison. Je sais que Diaghilev espérait gagner ces procès, même s'il avait tort. Je connais un homme nommé Butt. Il est directeur du Palace Music Hall de Londres. Il y a plus de cinq ans que je suis en procès avec lui. Les lois donnent la possibilité de faire traîner les procès indéfiniment. Je sais que mon avocat est l'un des meilleurs de Londres. Je sais qu'il s'est chargé de mon affaire parce qu'il espérait gagner beaucoup plus que je ne lui donne. Je sais qu'il va perdre mon procès, car mon amie la marquise de Ripon est morte. Je sais qu'il espérait la protection de la marquise de Ripon. La marquise de Ripon ne voulait pas l'aider, car il est Juif. J'aime les Juifs, c'est pourquoi ça m'était égal. Je sais qu'il pourrait gagner le procès si je lui donnais la possibilité de gagner de l'argent. Je ne peux pas le payer autant qu'il le veut. Je sais que Pederewski est un homme d'affaires et qu'il comprend les affaires. Je ne comprends rien aux affaires, c'est pourquoi j'ai peur de confier mes affaires à Sir Lewis. Je l'aime, mais je ne lui fais pas confiance, car j'ai remarqué qu'il faisait traîner le procès. Je comprends suffisamment pour comprendre ses astuces.

Je n'ai pas peur de perdre le procès, car je sais que j'ai raison. Je n'ai pas peur qu'on ne me laisse pas entrer en Angleterre parce que j'ai perdu le procès et que je n'ai pas payé. Je ne peux pas payer pour un procès pour lequel je ne dois rien. Je dois payer quand j'ai tort. Je sais que bien des gens diront que chacun a raison à sa façon. Je dirai que non, car a raison celui qui ressent, et pas celui qui comprend. Je sens que j'ai raison parce que j'ai gagné mon procès avec Diaghilev, c'est pourquoi je ne veux pas faire usage de mes droits. Je ne veux pas d'argent de Diaghilev que je n'aie pas gagné. Butt veut me faire payer un dédit alors que je lui ai donné un travail qui m'a coûté la vie*. Il y a un docteur anglais qui peut en témoigner. Ma femme aussi est témoin. D'après la loi, elle n'a aucun droit d'être témoin, mais je ferai un procès de telle sorte que ma femme aura tous les droits. Je sais que Dieu m'aidera. Je ne peux pas écrire très vite, car ce stylo est mauvais. Je ne veux pas mourir, c'est pourquoi je vais aller me promener. J'aime parler en vers, car je suis moi-même un poème.

....

Je suis allé me promener, mais je n'ai rencontré personne de ma connaissance. Je sais ce dont Dieu a besoin. Je ne peux pas bien écrire. Ma main n'écrit pas. Dieu ne veut pas que j'appuie. Je n'appuierai pas, car ma main ne peut pas écrire. Ma main est fatiguée. Je veux écrire des bêtises. Je sais que ma femme

* Nijinski parle ici de son engagement au Palace Hall Theatre de Londres, dont Butt était le directeur. *(N.d.T.)*

est bête, c'est pourquoi je vais écrire des bêtises. Je ne peux plus écrire, car ma main n'écrit pas. Je ne peux pas écrire, car je veux qu'on me donne de l'eau. Louise, la servante, ne me ressent pas, car elle pense que j'ai pleuré à cause de Tessa. J'aime Tessa, mais je ne pleurais pas à cause d'elle. Si j'ai voulu pleurer, ce n'est pas parce que je suis un pleurnicheur. Je ne suis pas un pleurnicheur. Je suis un homme d'une très grande force de volonté. Je ne pleure pas souvent, mais mon sentiment ne supporte pas de fardeau. J'aime Lloyd George. J'ai acheté la revue *l'Illustration*. C'est une revue française avec des photographies de Wilson. Wilson est représenté sortant d'une réunion. Il est très bien habillé. En haut-de-forme et jaquette. Wilson n'est pas bien du tout sur la photo, alors que Lloyd George est très bien. Les réunions sont montrées dans les premières pages. Je n'ai fait que jeter un coup d'œil aux photographies, c'est pourquoi je vais aller les regarder.

La revue est épaisse. Elle ne contient que des bêtises. Cette revue sert les classes riches. Les classes riches aiment Lloyd George. Elles n'aiment pas Wilson, car son visage est ennuyeux. Wilson s'ennuie sur la photographie. Lloyd George est béat. Lloyd George fait semblant d'être gai. Wilson ne fait pas semblant de s'ennuyer. J'ai observé la première page de *l'Illustration*, montrant le portrait de Wilson. Ce portrait est dessiné par Lucien Tonas. Le dessinateur est anglais. Lloyd George a des dessinateurs qui font tout ce qu'il veut. Ils ont représenté Wilson le visage droit, les veines gonflées. Son bras est raide. Lloyd George veut faire comprendre aux gens que Wilson est ennuyeux. Je comprends bien Wilson, c'est pourquoi ce portrait m'a révélé toute l'intrigue politique de Lloyd George. J'aime Wilson, c'est pourquoi je ne lui veux pas de mal. Je veux qu'il vive, car c'est un homme de pensées libres, et pas de pensées avec des veines gonflées sur le front. Lloyd George a beaucoup de veines sur le front, car ils ne savent pas dessiner. Ils ont fait une erreur. Deux Anglais, derrière Wilson, sont en train de se mettre d'accord, au lieu d'écouter le discours de Wilson. J'ai compris le but de Lloyd George. Lloyd George veut montrer que le discours de Wilson est ennuyeux. Clemenceau est montré comme un homme sans importance et qui s'ennuie. Au premier plan, il y a un homme politique qui n'écoute pas Wilson. Près de la colonne, un militaire à moustache, qui bâille ou qui rit. De l'autre côté, il y a aussi un militaire, à moustache retroussée qui a un visage souriant. Clemenceau est face à un homme qui a l'air de s'endormir. L'impression générale est que le discours de Wilson est ennuyeux. La première page de *l'Illustration* du samedi 25 janvier 1919 montre quelque chose qui doit être important. Cette photographie m'a donné une impression d'ennui. J'ai compris le but de Lloyd George. Le but de Lloyd George est que les gens n'écoutent pas cette wilsonnerie*. Il faut écouter les wilsonneries, car elles ont un sens. Il y a beaucoup de bêtises dans le discours de Lloyd George. Je n'aime pas les discours bêtes. Je ne veux pas de discours

* Nijinski, qui semble éprouver de la sympathie pour Wilson et sa politique, utilise néanmoins une expression à caractère péjoratif. *(N.d.T.)*

bêtes. J'aime Lloyd George, car il est intelligent. Je ne l'aime pas, car il est bête. Il est bête parce qu'il n'a pas de bons sentiments. Lloyd George veut la mort de Wilson. La wilsonnerie ne veut pas la mort des lloyd-georgiens. Clemenceau a ressenti l'intrigue de Lloyd George, car il a fait semblant d'être un lloyd-georgien, c'est pourquoi on a voulu l'abattre. Lloyd George voudra m'abattre aussi, car je ne l'aime pas. Il y a un portrait de Lloyd George sur l'une des pages de *l'Illustration*. Un laquais se tient au garde-à-vous devant lui. Le laquais est couvert de médailles. Le laquais reçoit ces médailles de Lloyd George, car il exécute ses ordres. Lloyd George se tient derrière, prêt à faire un geste qui fera rire tout le monde. Lloyd George recourt toujours à cette astuce. Lloyd George est comique. C'est vrai, mais son rire est méchant. Le sourire de Lloyd George rappelle les sourires de Diaghilev. Je connais les sourires de Diaghilev. Tous les sourires de Diaghilev sont affectés. Ma petite a appris à sourire comme Diaghilev. Je le lui ai appris, car je veux qu'elle sourie une fois à Diaghilev quand il viendra chez moi. Je ne veux rien dire à ma femme, car elle aurait peur si elle apprenait mes manigances. Je le lui dirai quand tout le monde le saura. Je lui dis que tout ce que j'écris sont mes Mémoires. Je ne veux pas écrire mes Mémoires. J'écris tout ce qui a été et tout ce qui est. Je suis ce qui est et pas ce qui a été. Lloyd George est ce qui a été, et pas ce qui est. Wilson est, c'est pourquoi on doit l'écouter.

Je ne veux pas parler du portrait de Wilson sur l'autre page, car le photographe était anglais.

Wilson a l'air tendu sur cette photographie. Il porte un haut-de-forme et un long manteau. Il se boutonne. Lloyd George a déboutonné son manteau exprès, pour montrer qu'il est différent. Les lloyd-georgiens ont beaucoup de chapeaux melon, et la wilsonnerie a beaucoup de hauts-de-forme. J'aime les chapeaux melon et les hauts-de-forme. Je n'aime pas les chapeaux pour les chapeaux. J'aime les chapeaux pour ce qui est dessous les chapeaux. Wilson a un chapeau riche, et il a des richesses dans la tête. Les lloyd-georgiens ont des chapeaux pauvres, et ils ont de la pauvreté dans la tête. Je sais que Lloyd George me comprendra. Je sais qu'il fera semblant que tout ce que j'écris était bête, ou pis encore, il dira que tout ce que j'écris est la vérité, et qu'en même temps il sourira avec ce méchant sourire qu'on connaît bien. Je suis persuadé que Wilson s'affligera après avoir lu ce que j'ai écrit, mais ce n'est pas parce que j'écris du bien sur lui. Wilson m'aimera, car il connaît mes idées. Wilson sera avec moi, car il me ressent. Clemenceau n'a pas peur de Lloyd George et de sa bande, c'est pourquoi il sera avec moi.

Les lloyd-georgiens mourront bientôt, car leurs manigances deviendront évidentes. J'aime aider, c'est pourquoi j'irai chez Clemenceau et je lui dirai que je n'ai pas de revolver. Je sais que Clemenceau me prendra par la main et me dira : "Ecoutez-moi. Je ne veux pas mourir, mais si vous voulez me tuer, tuez-moi." Je sais que Clemenceau touchera le cœur de l'assassin. Les assassins ne sont pas anglais. Les assassins sont français. Lloyd George sait qui envoyer. Les lloyd-georgiens aiment tuer. Les lloyd-georgiens sont des assassins. Moi je sais tout, sans être sur le lieu du crime. Je comprends qu'on a jeté Caillaux en prison exprès pour que Clemenceau puisse devenir ministre. Caillaux n'est pas un homme bien, car il voulait tromper la France. La France ne l'a pas attrapé car il n'y avait pas de preuves. Lloyd George ne veut pas qu'on tue Caillaux, car il a pris sa défense. Les lloyd-georgiens veulent avoir en France un homme qui a fait de la prison. Je veux écrire la vérité, c'est pourquoi je mens. Je n'ai pas peur de la presse, car la presse a déjà dit beaucoup de mal de moi. Je ne sais pas bien écrire, c'est pourquoi je ne peux pas dire les choses plus adroitement. J'écris comme je peux. Je ne fais pas semblant. J'écris la vérité, car je veux que tout le monde sache. Je sais que tout le monde dira que Nijinski est devenu fou, car il écrit des choses sans les avoir vues. Je vois tout. Je sais tout. J'ai lu la polémique de Lloyd George avec Wilson. Je sais que bien des gens diront que Nijinski ne sait pas lire le français. Je sais lire le français. Ma femme me traduit des revues anglaises. J'aime lire les revues. Ma femme me lit et me traduit des discours très importants. Je connais les discours de Wilson en Angleterre. Je sais que Wilson ne voulait pas aller en Angleterre, il pensait qu'on ne le comprendrait pas. Je sais que Wilson est allé en Angleterre et qu'il y a bien parlé. Wilson a fait grande impression sur les anglicans.

On appelle anglicans les artisans. Les artisans ont reçu Wilson dans leurs cœurs. Wilson veut parler aux artisans comme à ses égaux.

Wilson a dit la vérité. Wilson n'a pas fait semblant. Lloyd George essaie de réparer ce
que Wilson a gâché par ses discours. Wilson
sait ce que c'est que Lloyd George. Les lloyd-
georgiens sont ces Français qui ont déporté
Dreyfus, et Zola l'a libéré mais on a gazé Zola
pour ça. J'ai demandé à ma femme s'il était
vrai qu'on avait gazé Zola. A ma question, ma
femme a répondu que Zola n'avait pas été
gazé. Je n'ai rien dit, mais je sens qu'il a été
gazé, c'est pourquoi je sens que je serai gazé.
Je suis Zola. Je suis amour. Zola disait la vérité,
et je dis la vérité. Je dirai toujours la vérité.
Ma femme soupire, car elle pense que j'écris
sur la politique. Ma femme sent que j'écris
contre les Français. Je connais ma faute, mais
je ne veux pas la corriger. Ma femme veut regarder, mais je ne la laisse pas faire, car je cache
ce que j'écris avec la main. Ma femme continue de pleurer dans son âme. Je n'ai pas peur
des larmes de ma femme. Je l'aime, mais je
ne peux pas m'arrêter d'écrire. Ce que j'écris
est trop important pour que je prête l'oreille
aux larmes de ma femme. Ma femme a peur
que je n'écrive des choses interdites. Elle
pleure en versant des larmes. Je me moque
de ses larmes, car je connais le sens de ses
larmes. Je veux la calmer, mais ma main écrit.
Je vais continuer au sujet de Wilson. Wilson
est un être humain, et Lloyd George est une
bête. Ma femme lit ce que j'écris. Elle regarde
sous ma main. Je lui dirai que si elle veut savoir
avant tout le monde, elle doit apprendre à
lire le russe. Je ne veux pas qu'elle lise le
russe, car je ne veux pas qu'elle sache tout ce
que j'écris. Je n'aime pas qu'une personne
sache avant toutes les autres. Je publierai
bientôt ce livre. Je ne suis pas certain que je le

publierai en Suisse, car je crois que les Suisses l'interdiront. Je sais que les lloyd-georgiens ou les Anglais ont des policiers partout. Je connais un policier qui a la tête blanche. Il fait semblant d'être français. Je sais qu'il est anglais. Il fait semblant d'être peintre, mais je sais que ses tableaux ne valent rien. C'est le policier des anglicans. Ma femme pleure, car elle croit que je vais m'arrêter. Je m'arrêterai d'écrire si Dieu le veut.

J'aime ma femme, car elle a ressenti ce que j'écris. Elle a peur pour moi. Elle a peur que si on me tue, l'enfant et elle resteront orphelins, car sa mère ne l'aime pas. Sa mère l'aime, car c'est ma femme. La mère de Romouchka est une femme affreuse. Je l'aime, mais je sais que si elle apprend que je n'ai pas d'argent, elle me repoussera. Son mari est Juif, c'est pourquoi il lui a appris à comprendre l'argent. Elle ne comprend pas l'argent. Elle l'aime parce que son mari l'aime. La mère de Romouchka jette l'argent par les fenêtres. Elle met de l'argent de côté pour Kyra, mais elle pense que je lui donnerai de l'argent si elle en a besoin. Elle m'a bien ressenti, car elle a combiné une manigance qui surpasse en ruse celle du renard. Elle s'entend sur ces choses avec son mari pendant la soirée, ou la nuit au lit, car elle ne dort pas. Son mari veut dormir, mais elle ne le laisse pas faire. Elle aime penser la nuit. Je connais ses habitudes, car j'ai habité avec elle. Elle m'aime, car elle sait que je suis une célébrité. Je n'aime pas les célébrités. Je veux lui faire croire que je suis fou, pour la comprendre. Je l'aime, mais je connais ses habitudes. Elle a bon cœur, mais elle a de fréquentes attaques de bile, car elle se dispute avec son mari. Ma femme souffrait beaucoup de sa mère quand j'habitais chez eux. Moi aussi, je souffrais, car ma femme souffrait. Je connais des gens qui diront que ce n'est pas vrai, car elle nous embrasse, ma femme et moi, et la petite. Je connais ce baiser de Judas. Judas était méchant. Il savait que le Christ l'aimait. Il l'a embrassé pour les apparences. J'embrasse sa mère pour les apparences. Elle nous embrasse, ma femme, Kyra et moi pour les apparences. Je l'embrasse pour les apparences, car je veux qu'elle croie que je l'aime. Elle m'embrasse pour que je croie qu'elle m'aime. Je sais qu'elle n'a pas d'âme. Je sais que dans son cœur le verre éclate quand elle dit qu'elle m'aime. Elle fait semblant de pleurer, car elle joue au théâtre. Je sais que son jeu n'est pas bien senti, mais simulé. Je parle bien d'elle, car je ne veux pas que tout le monde me croie méchant. Je ne veux pas faire semblant, c'est pourquoi j'écris toute la vérité. Emilia Markus c'est Lloyd George. Elle fait semblant d'aimer les gens simples, mais en fait, elle leur donne des gifles. Un jour j'ai offensé Louise, puis je me suis senti si mal que je ne savais plus où me mettre. Emilia est très heureuse après la gifle. Elle le raconte à tout le monde. J'ai offensé Louise, mais ma femme a corrigé ma faute, car elle lui a dit que j'étais nerveux et que je ne voulais pas l'offenser, alors Louise est venue, toute timide, me demander pardon. Je lui ai donné la main et je lui ai dit que je l'aimais. Elle m'a ressenti, et depuis, nous nous aimons. J'aime ma femme et je ne lui veux pas de mal, c'est pourquoi j'irai gagner de l'argent pour faire son bonheur. Je ne veux pas lui causer de chagrin, c'est pourquoi je gagnerai suffisamment d'argent pour qu'elle puisse vivre au cas où je serais tué. Je n'ai pas peur de la mort, mais ma femme en a peur. Elle pense que la mort est une chose affreuse. Les souffrances de l'âme sont une chose affreuse. Je veux que les hommes comprennent que la mort du corps n'est pas une chose affreuse, c'est pourquoi je vais raconter ma promenade.

Une fois, je suis allé me promener, vers le soir. Je montais rapidement. Je me suis arrêté sur la montagne. Ce n'était pas le Sinaï. J'étais allé loin. J'avais froid. Je souffrais du froid. J'ai senti que je devais m'agenouiller. Je me suis vite agenouillé. Après ça, j'ai senti qu'il fallait mettre ma main sur la neige. J'ai laissé ma main, et soudain j'ai senti une douleur. J'ai crié de douleur, et j'ai retiré ma main. J'ai regardé une étoile qui ne m'a pas dit "bonjour". Elle ne m'a pas clignoté. J'ai eu peur et ai voulu m'enfuir, mais je ne pouvais pas, car mes genoux étaient soudés à la neige. Je me suis mis à pleurer. Mes pleurs n'ont pas été entendus. Personne n'est venu à mon secours. J'aimais me promener, c'est pourquoi j'ai senti l'horreur. Je ne savais pas quoi faire. Je ne comprenais pas le but de mon ralentissement. Quelques minutes après, je me suis retourné et j'ai vu une maison condamnée. Un peu plus loin une maison avec de la glace sur le toit. J'ai eu peur et j'ai crié à tue-tête : "Mort !" Je ne sais pas pourquoi, mais j'ai compris qu'il fallait crier "Mort". Après ça, j'ai senti une chaleur dans tout le corps. La chaleur dans tout le corps m'a donné la possibilité de me relever. Je me suis relevé et je suis allé vers la maison où brûlait une lampe. La maison était grande. Je n'avais pas peur d'y entrer, mais j'ai pensé qu'il ne fallait pas y entrer, c'est pourquoi j'ai passé mon chemin. J'ai compris que si les gens se fatiguent, ils ont besoin d'aide. Je voulais de l'aide, car j'étais très fatigué. Je ne pouvais pas aller plus loin, mais soudain j'ai senti une force immense et je me suis mis à courir. Je n'ai pas couru longtemps. J'ai couru jusqu'à ce que je sente le froid. Le froid m'a frappé au visage. J'ai eu peur. J'ai compris que le vent venait du sud. J'ai compris que le vent du sud apporterait de la neige. Je marchais sur la neige. La neige craquait. J'aimais la neige. J'écoutais le craquement de la neige. J'aimais écouter mon pas. Mon pas était plein de vie. J'ai regardé au ciel et j'ai vu les étoiles qui s'étaient mises à me clignoter. Dans ces étoiles, j'ai senti de la gaieté. Je suis devenu gai et je n'avais plus froid. J'ai marché. Je marchais vite, car j'avais remarqué un petit bois qui n'avait pas de feuilles. J'ai senti le froid dans mon corps. J'ai regardé les étoiles et j'ai vu une étoile qui ne bougeait pas. Je marchais. Je marchais vite, car j'ai senti la chaleur dans mon corps. Je marchais. J'ai commencé à descendre le chemin où l'on ne voyait rien. Je marchais vite, mais j'ai été arrêté par un arbre qui a été mon salut. J'étais devant un précipice. J'ai remercié l'arbre. Il m'a ressenti, car je me suis accroché à lui. L'arbre a reçu ma chaleur, et j'ai reçu la chaleur de l'arbre. Je ne sais laquelle des chaleurs était la plus nécessaire. J'ai avancé et soudain je me suis arrêté. J'ai aperçu un précipice sans arbres. J'ai compris que Dieu m'avait arrêté parce qu'il m'aimait, c'est pourquoi j'ai dit : "Si tu le veux, je tomberai dans le précipice, si tu le veux je serai sauvé." Je suis resté sans bouger jusqu'au moment où j'ai senti une poussée en avant. Je suis reparti. Je ne suis pas tombé dans le précipice. J'ai dit que Dieu m'aimait. Je sais que tout ce qui est bien est Dieu, c'est pourquoi j'étais sûr que Dieu ne voulait pas ma mort. J'ai continué. Je marchais vite, en descendant de la montagne. Je suis passé devant l'hôtel *Chiantarelle**. J'ai pensé que tous les noms étaient importants, car les gens viendront voir où je me suis promené. J'ai compris que le Christ lui aussi s'était promené. Je me promenais avec Dieu. Je me suis éloigné de l'hôtel. J'ai senti les larmes, car j'ai compris que toute la vie à l'hôtel *Chiantarelle*, c'était la mort. Les hommes s'amusent et Dieu s'attriste. J'ai compris que ce n'était pas la faute des hommes s'ils étaient dans cette situation, c'est pourquoi je les ai aimés. Je savais que ma femme pensait beaucoup et ressentait peu, et je me suis mis à sangloter si fort que j'en avais la gorge coupée. Je sanglotais en me cachant le visage dans les mains. Je n'avais pas honte. J'étais triste. J'avais peur pour ma femme. Je lui voulais du bien. Je ne savais pas quoi faire. J'ai compris que toute la vie de ma femme, ainsi que celle de toute l'humanité, était la mort. J'étais horrifié, et j'ai pensé comme ce serait bien si ma femme m'avait écouté. Je marchais, je marchais. Je sais que tout le monde dira que ma femme vit bien. Je sais que ma femme vit bien. Je sais que Stravinski aussi vit bien. Moi aussi je vis bien avec ma femme. Je crois que je vis bien. Stravinski, le compositeur, le croit aussi. Je sais ce que c'est que la vie. Stravinski Igor ne sait pas ce que c'est que la vie, car il ne m'aime pas.

* Il s'agit de l'hôtel *Chantarella*. (N.d.T.)

Igor croit que je suis ennemi de ses buts. Il cherche l'enrichissement et la gloire. Je ne veux ni enrichissement ni gloire. Stravinski est un bon écrivain de musique, mais il n'écrit pas d'après la vie. Il invente des sujets qui n'ont pas de but. Je n'aime pas les sujets qui n'ont pas de but. Je lui ai fait souvent comprendre ce que c'était qu'un but, mais il croyait que j'étais un gamin bête, c'est pourquoi il parlait avec Diaghilev qui approuvait toutes ses entreprises. Je ne pouvais rien dire, on me prenait pour un gamin. Stravinski était un gamin avec un long nez. Il n'était pas Juif. Son père était russe, et son grand-père polonais. Moi aussi je suis polonais, mais sans long nez. Stravinski flaire. Je ne flaire pas. Stravinski est mon ami qui m'aime dans son âme, car il me ressent, mais il me considère comme son ennemi car je le gêne. Diaghilev aime Massine et pas moi, c'est pourquoi Stravinski est mal à l'aise. Stravinski n'aime pas sa femme, car il la force à se plier à tous ses caprices. Stravinski dira que je n'ai rien vu de leur vie, c'est pourquoi je ne peux pas parler de leur vie. Je dirai que j'ai vu leur vie, car j'ai senti l'amour de sa femme pour lui. J'ai senti que Stravinski n'aimait pas sa femme, mais vivait avec elle à cause des enfants. Il aime ses enfants étrangement. Son amour se manifeste dans le fait d'obliger ses enfants à faire de la peinture. Ses enfants peignent bien. C'est un empereur, et ses enfants, sa femme, et ses domestiques sont des soldats. Stravinski me rappelle l'empereur Paul, mais on ne l'étouffera pas, car il est plus intelligent que l'empereur Paul. Diaghilev a voulu l'étouffer plus d'une fois, seulement Stravinski est malin. Diaghilev ne peut pas vivre sans Stravinski, et Stravinski ne peut pas vivre sans Diaghilev. Tous les deux se comprennent. Stravinski lutte avec Diaghilev très habilement. Je connais toutes les manigances de Stravinski et de Diaghilev.

Une fois, c'était à l'époque de ma libération de Hongrie, je suis passé à Morges, chez Stravinski et je lui ai demandé, plein d'espoir qu'il ne refuserait pas, si Stravinski et sa femme accepteraient de garder mon enfant. Je savais qu'il avait beaucoup d'enfants, c'est pourquoi je comprenais qu'il pouvait garder ma Kyra si j'allais en Amérique du Nord. Je ne voulais pas prendre ma petite avec moi. Je voulais la laisser entre les mains d'une autre mère aimante. Tout heureux, j'ai demandé à Stravinski qu'il prenne ma Kyra en garde. Sa femme a failli pleurer, et Stravinski a dit qu'il regrettait, mais qu'il ne pouvait pas prendre l'enfant, car il avait peur de la contagion et ne voulait pas être responsable de la mort de ma petite Kyra. Je l'ai remercié et n'ai plus rien dit. J'ai regardé sa femme avec tristesse et j'ai senti la même réponse. Elle ne m'a rien dit, mais je lui ai répondu par mes larmes, qu'elle a ressenties. C'est une femme, c'est pourquoi elle sent ce que c'est que d'avoir un enfant dans un train ou sur un bateau. Elle avait pitié de moi. Je sais qu'elle n'était pas d'accord avec son mari, parce que son mari avait annoncé tout ça très vite, et lui avait fait sentir avec insistance qu'il ne voulait pas de ça. Je lui ai dit que je paierais pour toutes les dépenses de Kyra. Il n'a pas voulu consentir. Il m'a conseillé, quand j'ai été seul avec lui, de confier ma Kyra à l'une des gouvernantes qui vivrait à l'hôtel. Je lui ai dit que je ne pouvais pas laisser mon enfant dans des mains étrangères, car je ne savais pas si cette femme aimait Kyra. Je n'aime pas les gens qui laissent leurs enfants entre des mains étrangères. Je ne peux pas écrire, car on m'a dérangé pour parler de bêtises. Je veux dire que les enfants doivent toujours être avec leur mère. J'ai emmené ma Kyra en Amérique. Stravinski m'a accompagné à la gare. Je lui ai serré la main très froidement. Je ne l'aimais pas, c'est pourquoi je voulais le lui faire sentir, mais il ne m'a pas ressenti, car il m'a embrassé. Je ne sais pas si c'était un baiser d'ami ou de Judas, mais il m'a laissé un mauvais sentiment. Je suis parti pour l'Amérique. Je suis resté en Amérique un an et demi. Je n'aimais pas voyager avec l'enfant, c'est pourquoi je la laissais à New York. Stravinski ne m'a pas écrit. Je ne lui ai pas écrit non plus. Maintenant, je vis ici depuis presque un an et demi, et je ne sais rien de lui. Stravinski est un homme sec. Je suis un homme avec une âme. Je n'aime pas les compliments, c'est pourquoi je ne veux pas répondre quand on me demande si je suis égoïste ou pas. J'ai eu peur de la toux de ma femme, car elle a pensé que je ne l'aimais pas, parce que je n'avais pas répondu à sa question. Je ne peux pas écrire, car mon siège est dur. J'aime être assis sur un fauteuil dur.

Ma femme a reçu un télégramme. Je ne sais pas ce que ma femme pense. Elle...

....

Elle ne me comprend pas. Elle m'aime. Ma Romouchka m'aime, mais elle ne me comprend pas. Elle pense que tout ce que je dis est mal. Elle me critique. Le Docteur Fränkel a toujours raison. Moi j'ai tort. Je ne la comprends pas si Dieu ne le veut pas. Dieu veut que je la comprenne, c'est pourquoi il m'ordonne d'écrire. J'écris tout ce que je pense. Je pense tout ce que je sens. Mes sentiments sont bons. Je marche quand je sens la marche, je parle quand je sens ce que je dis. Je ne pense pas à l'avance ce que je vais dire. Je ne veux pas penser à mes discours. Mes discours sont sincères, car je n'ai pas pensé à mes discours. Aucun de mes discours n'est réfléchi, c'est pourquoi je fais des fautes. Dieu m'aide. J'aime Dieu. Il m'aime. Je sais que tout le monde a oublié ce qu'est Dieu. Tout le monde pense que c'est un mensonge. Les savants disent que Dieu n'existe pas. Moi je dis que Dieu existe. Je le sens au lieu de le penser. Je sais que les mères me comprendront mieux, car elles ressentent la mort chaque fois qu'elles vont accoucher. La mère sait que si Dieu n'est pas avec elle, aucun accoucheur ou chirurgien ne lui sauvera la vie. Je connais des gens qui croient que les hommes ne doivent pas leur existence à Dieu. Je sais que les hommes diront que Dieu n'existe pas, que tout ce que nous faisons n'est que matière en mouvement. Je connais des gens qui ont peu de matière. Je connais des gens malades. Les malades ressentent davantage, car ils pensent qu'ils vont bientôt mourir. Les malades travaillent sur Dieu sans le savoir. Je travaille sur Lui, quand je suis en bonne santé. Je ne suis pas un homme malade. Ma femme croit que je suis en bonne santé et ne veut plus de docteurs. Elle me croit, car elle a vu des choses qu'un homme ordinaire ne peut pas inventer. J'ai inventé une nouvelle fountain-plume et un pont de fer sur un câble de fer qui peut supprimer tous les bateaux à vapeur. Je sais que tout le monde dira que je dis des bêtises, mais je peux le prouver aux savants en technique qui me comprendront. Je sais qu'avec mon invention on pourra supprimer tous les chemins de fer. Je sais que si je supprime tous les chemins de fer, la vitesse de communication sera multipliée par dix, sinon plus. Je ne sais pas compter, mais mon sentiment me le dit ainsi. Je connais un moyen de supprimer les mines de charbon. Je n'aime pas les gens qui obligent les pauvres à creuser la terre. Je ne veux pas ruiner les gens. J'ai inventé le moyen d'obtenir de la force physique sans charbon. Je peux prouver mon invention aux savants s'ils me le demandent. Je sais que si l'on supprime le charbon, il n'y aura plus de fumée pour nuire à la santé des hommes. Je sais ce que c'est qu'un train. Je n'aime pas voyager en train, c'est pourquoi je voyagerai en aéroplane. Je sais que tout le monde a peur de l'aéroplane, parce qu'il dépend du temps qu'il fait. Je connais un moyen de communication qui ne dépend pas du temps qu'il fait. J'en connais la technique, mais je ne peux pas dire ce que c'est, car c'est ma femme qui a mes manuscrits. Ma femme veut de l'argent, c'est pourquoi il faut lui en donner. Si on me promet de l'argent, alors je ferai voir ces manuscrits. Je ne suis pas Lloyd George. Je dis la vérité. J'aime les hommes et je veux leur bien. Je sais que tout le monde dira que je suis égoïste et que j'ai donné ces manuscrits à ma femme au lieu de les donner aux hommes. Je sais que je serai mieux compris, si je fais semblant d'être un homme comme les autres, c'est pourquoi je serai mieux compris. Il me reste peu de temps à vivre, c'est pourquoi je veux atteindre mes objectifs le plus vite possible. Mes objectifs sont les objectifs de Dieu. Je ne suis pas un faux-semblant. Je suis la vérité. Je sais que si je dis toute la vérité, les hommes me tueront. Je n'ai pas peur d'un homme seul. J'ai peur des hommes. J'ai pitié des hommes. Je veux les aider. Je recourrai à toutes les astuces que Dieu m'indiquera, mais je sais que Dieu ne veut de souffrances ni à ma femme, ni aux hommes. J'aime ma femme comme j'aime tout le monde, c'est pourquoi je lui souhaite le même bonheur qu'aux autres. Les hommes diront qu'il ne faudrait pas aimer un seul homme quand tout le peuple souffre. Je dirai qu'il est inutile qu'un seul homme souffre pour le bonheur de l'humanité, car je sais que le Christ a souffert, et personne ne l'a compris. Je connais des hommes qui l'ont compris, mais ils l'ont camouflé dans des romans et de la poésie. Tolstoï et d'autres écrivains, après avoir écrit leurs romans, ont écrit des choses sur Dieu. Ils ont compris ce qu'était Dieu, mais ils avaient peur de la vie. Je n'ai pas peur de la vie. Ma femme a peur pour moi, c'est pourquoi elle me transmet cette peur. Je n'ai pas peur. J'ai senti la peur de la mort dans le précipice. Personne ne voulait me tuer. Je marchais et je suis tombé dans un précipice, et un arbre m'a retenu. Je ne savais pas qu'il y avait un arbre sur le chemin. J'étais enfant, et mon père a voulu m'apprendre à nager. Il m'a jeté dans l'eau, là où on se baignait. Je suis tombé et j'ai coulé au fond. Je ne savais pas nager, mais j'ai senti que l'air me manquait, alors j'ai fermé la bouche. J'avais peu d'air, mais je le gardais en pensant que si

Dieu le voulait, je serais sauvé. J'ai marché tout droit, je ne savais pas où. J'ai marché et marché, et soudain, j'ai senti une clarté, sous l'eau. J'ai compris que j'allais avoir pied, et j'ai marché plus vite. J'ai atteint un mur. Le mur était droit. Je ne voyais pas le ciel. Je voyais l'eau au-dessus de moi. Soudain j'ai senti une force physique et j'ai bondi. Quand j'ai bondi, j'ai aperçu une corde. J'ai agrippé la corde et j'ai été sauvé. Je dis tout ce qui m'est arrivé. Vous pouvez le demander à ma mère, si elle n'a pas oublié cette histoire qui est arrivée dans un bain pour hommes sur la Néva, à Pétersbourg. Je voyais mon père faire des culbutes et retomber dans l'eau, mais j'avais peur. Je n'aimais pas les culbutes. J'avais peur. Je n'étais qu'un petit garçon de six ou sept ans et je n'ai pas oublié cette histoire, c'est pourquoi je cherche à faire très bonne impression sur ma petite, car je sais qu'un enfant n'oublie pas ce qui lui est arrivé. Le Docteur Fränkel m'a dit que je ne devrais rien faire de mauvais à Kyra, car un enfant n'oublie pas les choses que font son père et sa mère. Il m'a raconté qu'une fois son père s'était mis en colère contre lui et que jusqu'à aujourd'hui il ne pouvait oublier cette colère. Le Docteur Fränkel a grimacé, et j'ai ressenti l'offense faite par son père. J'ai failli pleurer. J'avais pitié. Je ne sais de qui il fallait avoir le plus pitié, du garçon ou du père. Je sais que les deux étaient malheureux. Je les aime tous les deux. J'ai compris que l'enfant avait perdu l'amour de son père et que le père avait perdu l'amour de Dieu. Dieu voulait son amour, mais il l'a perdu. J'ai dit au Docteur Fränkel que je le comprenais et que je n'agirais plus comme une bête. Je sais de quoi ma femme parle au téléphone avec le Docteur Fränkel. Elle croit que je suis sorti me promener et elle parle ouvertement. Je comprends que ma femme m'aime car elle n'a rien dit de mal sur moi. Elle lui a fait comprendre que j'étais conservateur et qu'il était difficile de me persuader, mais qu'avec le temps il serait possible de changer tout ce que je dis. Je comprends que ma femme me veut du bien, c'est pourquoi je ferai semblant de changer. Je montrerai ce changement dans la pratique. Je veux beaucoup d'argent, c'est pourquoi j'irai à Zurich et obtiendrai de l'argent pour mon travail. Tout le monde pense que la Bourse est un travail, c'est pourquoi je jouerai à la Bourse avec mon argent. Je prendrai mon dernier argent. Il n'y en a pas beaucoup. Environ trois cents francs. Je sais que Dieu m'aidera, mais j'ai peur, car je pense que je causerai du tort aux pauvres qui jouent petit. Je ne veux pas voler les petites gens, car les petites gens sont pauvres. Les petites gens recherchent le bonheur quand les gens riches ramassent ceux qui tombent, ce qui fait que les petites gens se tirent une balle dans la tête. Je ne veux pas de balle ni pour les petites gens ni pour les riches, c'est pourquoi je jouerai de façon à ne voler ni les uns ni les autres. Je sais que je gagnerai, car je suis avec Dieu.

J'ai montré mon amour à ma femme, car je n'ai pas repris mes manuscrits quand elle a voulu me les rendre. Elle m'a dit que je devais les cacher, et j'ai dit exprès qu'il valait mieux les cacher chez elle, parce que chez moi on me les volerait. Elle a pris les manuscrits et elle les a cachés. Son sentiment est bon, mais

elle pense que ces manuscrits lui rapporte-
ront de l'argent. Elle a très peu d'argent. Tout
le monde pense qu'elle a des millions, mais
elle porte des fausses perles et une bague
avec une fausse pierre. Je lui ai donné tout ça
pour que tout le monde croie qu'elle est riche.
J'ai remarqué que les hommes font confiance
aux riches, car ils pensent que l'argent est une
chose nécessaire. J'ai compris le contraire,
c'est pourquoi je veux m'enrichir. Dieu veut
le bonheur de ma femme et des hommes,
c'est pourquoi je chercherai de l'argent. Je ne
veux pas de ce bonheur-là, mais je sens que
par ce bonheur j'en donnerai un autre. Wilson comprend la politique. Il n'aime pas la
politique. Je sais qu'il viendra avec moi si je
lui montre le moyen. Wilson est un homme
bien, il faut le protéger. Les bandits doivent
avoir peur de lui. Je ne veux pas la mort de
Wilson, car c'est un homme nécessaire à l'humanité. Je vais lui inventer une garde. Je lui
dirai ce qu'il doit faire pour se protéger. Je
connais un moyen de protection. Je sens un
regard fixe derrière moi. Je suis un chat. Je
veux qu'on fasse un essai sur moi, et on verra
que j'ai raison. Tous les bandits auront peur
de moi. Je sais ce que ressent un policier. Je
suis un policier qui sent. Je ne sens pas avec
mon nez, mais avec ma raison. Je n'ai pas peur
des attaques. Si on veut me frapper, je ne me
battrai pas, c'est pourquoi mon ennemi sera
désarmé. Je sais qu'on me dira qu'un homme
est capable de battre un autre homme à mort
s'il ne lui réplique pas. Je sais que Dieu l'arrê-
tera. Je suis sûr que cet homme ressentira de
la colère pendant un instant, puis qu'il s'arrê-
tera. Si vous voulez essayer, essayez. Je sais
que Lloyd George et Diaghilev et les gens

comme eux essaieront. Mais je suis encore plus convaincu que leurs tentatives seront sans résultat. Ils ne me tueront pas. Ils peuvent me blesser, mais ils ne me tueront pas. Je n'ai pas peur de la souffrance, car Dieu sera avec moi. Je sais ce que c'est que la souffrance. Je sais souffrir. Je montrerai à Wilson que je sais, s'il vient me voir. Je n'irai pas le voir, car je le considère comme un homme et pas comme le président de l'Amérique.

Wilson est un grand homme. Sa tête est petite, mais elle contient beaucoup de choses.

Lloyd George a une grosse tête et une grande intelligence, mais il est dénué de raison.

Lombroso a parlé des têtes et les a étudiées. Je n'ai pas lu Lombroso. Je sais de lui ce que ma femme m'en a dit. Je lui ai demandé ce que Lombroso ou un autre savant avait dit "sur les têtes", à quoi ma femme a répondu que Lombroso n'avait pas parlé que des "têtes", mais aussi d'autres choses. Alors je lui ai répondu nerveusement que je le savais, mais je lui ai fait comprendre que j'avais besoin des "têtes".

La tête de Lloyd George est malade et celle de Wilson est saine. Lloyd George a la tête gonflée, et celle de Wilson est régulière. La wilsonnerie ressent, mais les têtes lloyd-georgiennes pensent.

La wilsonnerie pense aussi, mais ses têtes ressentent. Je sais qu'on me dira que ce sont les nerfs, et pas les têtes, qui ressentent. Alors, je dirai que ce sont les malades, les fous dénués de raison par exemple, qui ressentent avec les nerfs. Je suis un fou qui a de la raison, c'est pourquoi mes nerfs sont disciplinés. Je m'énerve quand je le veux. Je ne m'énerve pas quand il me faut convaincre les gens que je ne suis pas nerveux. Je sais que Lloyd George est un homme nerveux, mais il veut donner l'image d'un homme calme au teint rose. Ses revues montrent un Wilson nerveux, et lui le teint rose. Lloyd George a peur que tout le monde ne remarque ses astuces, c'est pourquoi il recourt à cette astuce de gamin. Je sais que les gamins tirent la langue, mais Lloyd George ne tire pas la langue. Il veut que tout le monde croie qu'il ne tire pas la langue. Mais il veut que tout le monde croie que Wilson le fait. Clemenceau n'est pas un gamin. Clemenceau est un homme bien. J'aime Clemenceau. Je souffre de sa douleur à l'épaule. J'ai peur pour lui, car il a eu peur. Je sais que c'est un homme, c'est pourquoi il n'aura pas peur que Lloyd George lui tire dessus. Lloyd George recourt toujours à cette astuce pour forcer les gens à faire tout ce qu'il veut. Lloyd George a une police qui organise toutes ces astuces. Je connais ces gens. Je peux vous les montrer si vous me promettez de ne pas les toucher. Je ne veux pas de lynchage. J'aime ces gens. Ces gens font tout ça parce qu'on leur a montré de l'argent. Ces gens sont pauvres, ils en ont besoin pour nourrir leurs enfants. J'aime ces gens et je sais qu'ils me comprendront si Lloyd George leur permet de lire ce livre. Je sais que Lloyd George les empêchera de le lire en se servant d'une astuce très rusée. Il permettra qu'on le publie, mais dans les journaux de Lloyd George, on le tournera en ridicule. Lloyd George me comprendra. Je sais qu'il aura peur de moi, mais je sais qu'il fera semblant de sourire. Je sais que Lloyd George travaille la nuit, car il a les yeux faibles. Il écrit beaucoup. Il parle peu. Il invente sur le papier. Il a beaucoup de papier, c'est pourquoi il le dépense sans remords. Il écrit tout ce qu'il pense, puis les gens développent ses idées. J'écris aussi, mais je ménage le papier, c'est pourquoi j'écris petit. J'écris parfois en grandes lettres pour souligner ma pensée. Chez Lloyd George, toutes les lettres sont grandes. Je n'ai pas vu ses écrits, mais je suis convaincu qu'il écrit en grandes lettres parce qu'il a peur de ne pas être compris. Il écrit vite et avec habileté. Il a une grande habitude. Les gens le comprennent parce qu'il a passé beaucoup de temps à écrire. Je sais qu'il s'est exercé à bien écrire. Son écriture est très belle. Il écrit clairement. Je n'écris pas clairement, car je ne veux pas être compris par tout le monde. Lloyd George a peur de ne pas être compris par tout le monde, car il sent ses erreurs. Lloyd George est un homme affreux, il ne faut pas le tuer. Je veux lui parler si on me laisse faire. Je ne veux pas le tuer avec un revolver. Je veux lui prouver que tout ce qu'il a fait a causé tant de mal, qu'il lui serait impossible de payer autant avec les cheveux qu'il a sur la tête, car il n'en a pas assez. Je lui dirai que sans Dieu, il ne peut pas payer pour tout ce qu'il a détruit. Pour payer, il doit aimer Dieu.

Je veux qu'il comprenne dieu, c'est pourquoi je veux lui expliquer que Dieu peut l'aider, s'il m'écoute. Je sais qu'il me montrera un sourire, mais je ne lui répondrai pas, car je ne suis pas un homme souriant. J'aime les gens souriants, mais pas avec un sourire affecté. Je n'aime pas les sourires de Diaghilev, car il les fabrique. Il pense que les gens ne le ressentent pas. Lloyd George joue les ouvriers en pensant que le peuple l'aimera. Lloyd George ne comprend pas le peuple. Lloyd George veut qu'on lui obéisse. Les lloyd-georgiens forcent l'Irlande à faire des choses qu'elle ne veut pas.

L'Irlande est amour, elle veut aimer l'Angleterre, mais Lloyd George veut inciter le peuple irlandais à la dispute, car il veut faire la guerre à l'Irlande. Je connais un représentant irlandais qui a une femme anglaise. Cette femme est d'une éducation hypocrite. Son mari comprend ses astuces, mais il l'aime. Elle ne l'aime pas, bien qu'elle ait un enfant de lui. J'ai observé leurs relations amoureuses par hasard. J'ai été invité à un thé chez eux. Le mari y était aussi. Son mari est un homme bien, car son sourire est plein de sensibilité. Le sourire de sa femme est excitant. Je n'ai pas répondu à son sourire. J'ai répondu au sourire du mari. Elle m'écrit "aujourd'hui" des lettres où elle veut me faire sentir qu'elle m'aime. Je vois dans sa lettre les astuces d'une femme rusée. J'ai compris sa lettre. Elle veut me forcer à venir en Angleterre, en disant que les Ballets russes ont du succès. Ce succès, je l'ai bien compris. Elle m'a fait comprendre que Massine aussi était un homme très talentueux. J'ai compris tout le but de cette femme. Elle ressent Massine. Massine l'a compris, c'est pourquoi il a très bien parlé de moi. Massine est un très bon garçon. Je l'aime, mais je l'aime autrement. Massine fait semblant de m'aimer. Je ne fais pas semblant. Je l'ai observé quand, à Madrid, j'ai vu son ballet que Diaghilev lui avait composé. Je suis allé le féliciter, et dans sa loge, je l'ai embrassé. Massine a pensé que je l'embrassais comme Judas, car Diaghilev l'avait persuadé que mes actions étaient mauvaises. Je sais que Diaghilev l'en a persuadé, par le simple fait que moi aussi j'ai été un Massine chez Diaghilev pendant cinq ans. Je ne comprenais pas Diaghilev. Diaghilev me comprenait, car mon intelligence était très petite. Diaghilev a compris qu'il fallait faire mon éducation, c'est pourquoi il fallait que je le croie. Je lui ai demandé : "Pourquoi as-tu abandonné un homme qui t'aimait ?" A quoi il a répondu que ce n'était pas lui qui l'avait abandonné, mais que c'était cet homme qui l'avait abandonné, et il m'a raconté une histoire tout inventée. Cet homme s'appelait ········ Je ne veux pas dire son nom, car il s'est corrigé. Cet homme est tombé amoureux d'une danseuse bien connue en Russie. Je la connais. Elle me connaît très peu. Elle sait que je suis Nijinski. Elle aime mes danses. Je sais qu'elle aime mes danses, car elle souriait avec sentiment quand je dansais. Je connais l'homme qui a vécu avec Diaghilev de la même façon que moi. J'aime cet homme. Cet homme ne m'aime pas, car il pense que je lui ai enlevé son travail chez Diaghilev. Je sais que Diaghilev a appris à cet homme à aimer les objets d'art. Cet homme aimait les objets d'art, et s'en est passionné. Diaghilev achetait des objets d'art pour lui. Cet homme aimait Diaghilev de la même façon que moi. Je n'aimais pas Diaghilev à cause de son éducation qui lui faisait aimer les garçons.

J'ai compris que Kyra ne voulait pas me voir, car aujourd'hui je lui ai dit qu'elle était en train de se masturber. Elle l'a ressenti quand je l'ai regardée. Sa mère, ma femme, l'a ressenti aussi. Sa mère pensait que j'avais tort d'accuser l'enfant, c'est pourquoi elle m'a dit quelque chose pour défendre Kyra. J'ai répondu brutalement à sa remarque, et j'ai encore une fois montré à Kyra que je la comprenais. J'ai commencé à curer mon doigt, puis j'ai fait le mouvement que fait Kyra quand elle se masturbe. Après quoi je les ai laissées toutes les deux dans la pièce. Je suis allé me laver, car Dieu m'a dit qu'il était temps de me laver. Je suis resté seul dans la pièce, mais j'ai senti mon erreur. Je ne voulais pas que Kyra ait peur de moi, c'est pourquoi j'ai fait encore pire. Comme elle passait, je l'ai appelée et lui ai dit que je savais qu'elle s'était masturbée aujourd'hui et que, si elle le voulait, elle pouvait partir, mais que si elle le voulait, elle pouvait rester avec moi. Elle est partie. J'ai senti de la douleur dans mon âme. Je ne lui voulais pas de mal. Elle a compris que je ne l'aimais pas, c'est pourquoi elle est partie. Je sais pourquoi elle est partie. J'ai remarqué un mouvement de l'enfant vers moi, mais je l'ai repoussée, car je pensais qu'il valait mieux qu'elle parte. L'enfant l'a ressenti et elle est partie. J'ai pleuré dans mon âme. Je voulais l'appeler. Je suis allé la chercher, mais je l'ai trouvée avec une femme de la Croix-Rouge. J'ai dit à haute voix que Kyra ne m'aimait pas, car elle me l'avait dit. Après quelques secondes, j'ai dit qu'elle était partie, et que partir signifiait ne pas m'aimer. La femme a ressenti de la douleur dans son âme et a failli pleurer, mais son intelligence lui a soufflé qu'il fallait persuader Kyra de me dire qu'elle m'aimait. Je suis parti et Kyra pleurait dans son âme. Je sais qu'elle pleurait, car j'ai vu sa figure crispée. Je souffrais. Je ne voulais pas de ses souffrances. Je voulais lui faire comprendre que je l'aimais. Plus tard, je lui ai dit que je partais, parce qu'elle ne m'aimait pas. J'ai remarqué que ça l'avait impressionnée. Sa mère a eu peur, car elle pensait que je lui voulais du mal. Je lui ai dit que j'avais le droit d'élever mon enfant. La mère s'est sentie offensée, car elle a pensé que je l'avais dit exprès pour lui faire un reproche. Je ne l'ai pas dit pour lui faire un reproche. Je suis descendu et je me suis mis à noter mon but. On a téléphoné, et j'ai noté ce que j'ai entendu, car ma femme croyait que j'étais parti me promener. Pendant le déjeuner, j'ai fait sentir à ma femme que je savais qu'elle avait parlé au Dr. Fränkel. Elle m'a menti, car elle avait peur de moi. J'ai senti que le dessert était plein de médicaments, c'est pourquoi je l'ai laissé et j'ai demandé des fruits. Je savais qu'il y avait des médicaments dans le dessert, car ma femme en avait pris très peu. J'en ai pris beaucoup exprès pour qu'elle pense que je ne le savais pas, mais après un moment, j'ai montré à ma femme que je flairais le dessert, et que mon flair sentait des choses pas bonnes. J'ai laissé le dessert en le montrant du doigt pour que tout le monde comprenne que le dessert n'était pas bon. La servante qui était entrée par hasard, et qui n'avait pas vu que j'avais repoussé le dessert, m'a demandé "si c'était bon". J'ai répondu "excellent". Elle a ressenti ce que j'avais dit et vu le dessert commencé, et pas terminé. Je ne mangerai pas des choses avec des médicaments, ainsi ils s'étonneront que je sache des choses que je n'ai pas vues. Je ne vais pas flairer, mais ressentir. J'ai flairé, car Dieu l'a voulu...

J'ai oublié pour l'homme que Diaghilev aimait avant moi.

Diaghilev aimait cet homme physiquement, il voulait donc qu'il l'aime aussi. Pour qu'il l'aime, Diaghilev l'a passionné pour les objets d'art. Diaghilev a passionné Massine pour la gloire. Je n'avais de passion ni pour les objets ni pour la gloire, car je ne les ressentais pas. Diaghilev a remarqué que j'étais un homme ennuyeux, c'est pourquoi il me laissait seul. Seul, je me masturbais et courais après les filles. Les filles me plaisaient. Diaghilev pensait que je m'ennuyais, mais je ne m'ennuyais pas. Je faisais mes exercices de danse, et je composais mon ballet tout seul. Diaghilev ne m'aimait pas, car je composais mon ballet tout seul. Il ne voulait pas que je fasse tout seul les choses qui ne lui convenaient pas. Je ne pouvais pas être d'accord avec lui dans ses idées sur l'art. Je lui disais une chose et il m'en disait une autre. Je me disputais souvent avec lui. Je m'enfermais à clé, car nos chambres étaient côte à côte. Je ne laissais entrer personne. J'avais peur de lui, car je savais que toute ma vie pratique était entre ses mains. Je ne sortais pas de ma chambre. Diaghilev lui aussi restait seul. Diaghilev s'ennuyait, car tout le monde voyait notre brouille. Il était désagréable pour Diaghilev de voir des gens lui demander ce qui se passait avec Nijinski. Diaghilev aimait montrer que Nijinski était son élève en tout. Je ne voulais pas montrer que j'étais d'accord avec lui, c'est pourquoi je me disputais souvent avec lui devant tout le monde. Diaghilev demandait l'aide de Stravinski, c'était dans un hôtel de Londres. Stravinski soutenait Diaghilev, car il savait que Diaghilev m'abandonnerait. Alors j'ai senti de la haine pour Stravinski, car je voyais qu'il soutenait le mensonge, et j'ai fait semblant d'être vaincu. Je n'étais pas un homme méchant. Stravinski pensait que j'étais un gamin méchant. Je n'avais pas plus de vingt et un ans. J'étais jeune, c'est pourquoi je faisais des erreurs. Mes erreurs, j'ai toujours voulu les corriger, mais ayant remarqué que personne ne m'aimait, je faisais semblant d'être méchant. Je n'aimais pas Diaghilev, mais je vivais avec lui. J'ai détesté Diaghilev dès les premiers jours de notre rencontre, car je connaissais le pouvoir de Diaghilev. Je n'aimais pas le pouvoir de Diaghilev, car il en abusait. J'étais pauvre. Je gagnais soixante-cinq roubles par mois. Soixante-cinq roubles par mois ne suffisaient pas pour nous nourrir, ma mère et moi. Je louais un appartement de trois pièces qui coûtait trente-cinq, trente-sept roubles par mois. J'aimais la musique. J'ai fait la connaissance du Prince Pavel Lvov, qui m'a présenté à un Comte polonais. J'ai oublié son nom, car je le veux ainsi. Je ne veux pas offenser toute sa famille, car j'ai oublié son prénom. Ce Comte m'a acheté un piano. Je ne l'aimais pas. J'aimais le Prince Pavel, et pas le Comte. Lvov m'a présenté par téléphone à Diaghilev, qui m'a fait venir à l'*Hôtel Europe* où il habitait. Je l'ai détesté à cause de sa voix trop assurée, mais je suis allé tenter la chance. J'y ai trouvé la chance, car je l'ai aimé tout de suite. Je tremblais comme la feuille du tremble. Je le détestais, mais j'ai fait semblant, car je savais que ma mère et moi, nous mourions de faim. J'ai compris Diaghilev dès la première minute, c'est pourquoi j'ai fait semblant d'être d'accord avec toutes ses idées. J'ai compris qu'il fallait vivre, c'est pourquoi le sacrifice à faire m'était égal. Je travaillais beaucoup la danse, c'est pourquoi je me sentais toujours fatigué. Mais je faisais semblant de ne pas être fatigué et d'être gai pour que Diaghilev ne s'ennuie pas. Je sais que Diaghilev le ressentait, mais Diaghilev aimait les garçons, c'est pourquoi il lui était difficile de me comprendre. Je ne veux pas que les gens croient que Diaghilev est un scélérat et qu'il faut le mettre en prison. Je pleurerais si on lui faisait du mal. Je ne l'aime pas, mais c'est un être humain. J'aime tous les hommes, c'est pourquoi je ne veux pas leur faire de mal. Je sais que tout le monde sera horrifié en lisant ces lignes, mais je veux les publier de mon vivant, car je connais leur effet. Je veux faire une impression vivante, c'est pourquoi j'écris ma vie en vie. Je ne veux pas qu'on lise ma vie après ma mort. Je n'ai pas peur de la mort. J'ai peur des attaques. J'ai peur du mal. J'ai peur que les gens ne me comprennent mal. Je ne veux pas de mal à Diaghilev. Je supplie tout le monde de le laisser tranquille. Je l'aime comme j'aime les autres. Je ne suis pas dieu. Je ne peux pas juger les hommes. Dieu le jugera, et pas les droits. Je suis contre tous les droits. Je ne suis pas Napoléon. Je ne suis pas un Napoléon qui punit les hommes pour leurs fautes. Je suis un Napoléon qui pardonne les fautes. Je donnerai l'exemple, et vous devez le suivre. C'est à moi que Diaghilev a fait du mal, et pas à vous. Je ne veux pas le punir, car je l'ai déjà puni en faisant connaître ses fautes à tout le monde. Je me suis puni moi-même, car j'ai parlé de moi à tout le monde. J'ai parlé de beaucoup d'autres pour les punir. Je ne veux pas que tout le monde pense que j'écris dans un but hypocrite. Si tout le monde veut punir ceux dont j'ai parlé, je dirai que tout ce que j'ai écrit est mensonge. Je dirai qu'on me mette dans une maison de fous. Je n'écris pas pour exciter les gens contre les fautes. Je n'ai pas le droit de juger. Le juge c'est Dieu, et pas les hommes. Les bolcheviks ne sont pas des dieux. Je ne suis pas bolchevik. Je suis un homme en Dieu. Je parle par la bouche de Dieu. J'aime tout le monde et je veux de l'amour pour tout le monde. Je ne veux pas que tout le monde se dispute. Tout le monde se dispute, car on ne comprend pas Dieu. J'expliquerai Dieu à tout le monde, mais je ne l'expliquerai pas si les gens se mettent à rire. Je parle de choses qui intéressent le monde entier. Je suis la paix, et pas la guerre. Je veux la paix pour tous. Je veux l'amour sur le globe terrestre. Le globe terrestre se décompose, car son combustible s'éteint. Le combustible donnera encore de la chaleur, mais pas beaucoup, c'est pourquoi Dieu veut l'amour avant que le globe terrestre s'éteigne. Les hommes ne pensent pas aux étoiles, c'est pourquoi ils ne comprennent pas le monde. Je pense souvent aux étoiles, c'est pourquoi je sais ce que je suis. Je n'aime pas l'astronomie, car l'astronomie ne nous donne pas l'idée de Dieu. L'astronomie veut nous apprendre la géographie des étoiles. Je n'aime pas la géographie. Je connais la géographie, car je l'ai étudiée. Je n'aime pas les frontières des Etats, car je comprends que la terre est un Etat unique. La terre est la tête de Dieu. Dieu est le feu dans la tête. Je suis vivant tant que j'ai du feu dans la tête. Mon pouls est un tremblement de terre. Je suis un tremblement de terre. Je sais que s'il n'y a pas de tremblements de terre, la terre s'éteindra, et avec la terre éteinte, toute la vie de l'homme s'éteindra aussi, car l'homme ne pourra plus s'approvisionner en nourriture. Je suis la nourriture spirituelle, c'est pourquoi je ne nourris pas les hommes avec du sang. Le Christ ne voulait pas nourrir avec du sang, comme on l'a compris dans les Eglises. Les gens vont prier, et on leur fait boire du vin en leur disant que c'est le sang du Christ. Le sang du Christ n'enivre pas, mais au contraire, il donne la lucidité. Les catholiques ne boivent pas de vin, mais recourent à des moyens hypocrites. Les catholiques avalent des pastilles blanches et pensent qu'ils avalent le corps et le sang du Seigneur. Je ne suis pas le corps et le sang du Seigneur. Je suis l'esprit dans le corps. Je suis un corps avec un esprit. Dieu ne peut pas être sans corps ou sans esprit. Le sang et l'esprit dans le corps sont le Seigneur. Je suis le Seigneur. Je suis un homme. Je suis le Christ. Le Christ disait qu'il était l'esprit dans le corps, mais l'Eglise a déformé sa doctrine, car on ne l'a pas laissé vivre. On l'a zigouillé. Il a été zigouillé par des pauvres à qui on avait donné beaucoup d'argent. Plus tard, ces pauvres se sont pendus, car ils ne pouvaient pas vivre sans le Christ. Je sais que les hommes sont méchants parce que leur vie est difficile. Je sais que ceux qui imprimeront ces pages pleureront, c'est pourquoi il ne faudra pas s'étonner de la mauvaise impression. La mauvaise impression sort des mains de pauvres gens qui ont peu de forces. Je sais que l'impression abîme les yeux, c'est pourquoi je veux qu'on photographie mes écrits. La photographie abîme un seul œil, mais l'impression en abîme plusieurs. Je veux photographier mon manuscrit, seulement j'ai peur d'abîmer la photographie. J'ai un appareil photographique, et j'ai essayé de photographier avec et de développer les films. Je n'ai pas peur de la lumière rouge, mais j'ai peur du gâchis, car le film est une bonne chose et il faut l'aimer. Je préférerais donner mon appareil à quelqu'un pour qu'il me fasse une photographie. J'aime mon appareil, car je crois qu'il pourra me servir. Je sens le contraire. Je ne veux pas photographier, car j'ai peu de temps. Je veux faire du théâtre, et pas de la photographie. Je laisserai la photographie à ceux qui l'aiment. J'aime la photographie, seulement je ne peux lui consacrer toute ma vie. Je consacrerai toute ma vie à la photographie si on me prouve qu'elle peut aider à comprendre Dieu. Je connais le cinématographe. Je voulais travailler avec le cinématographe, mais j'ai compris son sens. Le cinématographe sert à multiplier l'argent. L'argent sert à multiplier le nombre de théâtres cinématographiques. J'ai compris que le cinématographe faisait gagner de l'argent à une seule personne, quand le théâtre en fait gagner à plusieurs. Je trouve difficile de travailler au théâtre, mais je préférerais les privations plutôt que de travailler pour le cinématographe. Diaghilev m'a dit plus d'une fois qu'il faudrait inventer quelque chose comme le cinématographe, car il a un grand pouvoir. Bakst, artiste peintre bien connu, Juif russe, disait que c'était bon pour l'argent. Je ne disais rien, car je sentais que Bakst et Diaghilev pensaient que je n'étais qu'un gamin, c'est pourquoi je ne pouvais pas dire mes idées. Diaghilev cherche toujours la logique dans les idées. Je comprends que l'idée sans logique ne peut pas exister, mais la logique ne peut exister sans le sentiment. Diaghilev a de la logique et du sentiment, mais son sentiment est quelque chose d'autre. Diaghilev a un mauvais sentiment, et j'ai un bon sentiment. Diaghilev ressent mal, pas parce qu'il a la tête plus grosse que les autres, mais parce qu'il a un mauvais sentiment dans la tête. Lombroso dit que les sentiments se reconnaissent à la forme de la tête. Je dirai que les sentiments se reconnaissent aux actions des gens. Je ne suis pas un savant, mais je comprends bien. Je comprends bien, car j'ai de bons sentiments.

Bien des gens n'aiment pas la fountain-plume car il est difficile de faire entrer l'encre. L'encre entre par une pompe faite d'un petit tube en verre et d'un… en caoutchouc. Je ne sais pas comment s'appelle la chose en caoutchouc qui termine le tube en verre. Je prends ce petit tube, et je pompe l'encre de façon que l'air n'y entre pas. Pour que l'air n'y entre pas, il faut tremper le tube dans l'encre. Quand le tube est rempli, il faut mettre le bout du tube dans l'encre du stylo. Souvent les gens se trompent en prenant la bulle pour de l'encre, car ils voient le bout d'un rond. Je peux distinguer le rond d'encre du rond d'air. Je sais que les deux ronds sont noirs, mais le rond d'air est moins noir, car ma physionomie est plus propre. J'aime la physionomie noire, c'est pourquoi avant de mettre l'encre dans le tube, je chasse l'air. Après avoir chassé l'air, je vérifie s'il reste encore de l'air. Puis je prends l'encre et je la fais entrer dans l'encre qui est dans le stylo. L'air empêche souvent l'encre d'entrer dans le stylo, et les gens nerveux abîment leurs vêtements et tachent leur physionomie, car la bulle d'encre éclate. La bulle n'est pas patiente, elle éclate quand elle veut. Je connais ses astuces, c'est pourquoi je sens quand je dois m'arrêter. Je ne pense pas quand il faut m'arrêter. Je m'arrête au commandement de Dieu. De nouveau je chasse l'air, ensuite je prends de l'encre tant que l'air ne l'empêche pas d'entrer. Je m'y suis si bien habitué que je ne perds pas beaucoup de temps pour le remplissage et je ne soupire pas chaque fois que je la remplis d'encre. Les gens ont peur de l'encre, car l'encre n'est pas bonne. J'ai de l'encre "Blue Black Stephen", c'est une mauvaise encre, car elle contient peu d'encre. L'encre est diluée avec de l'eau, car l'homme veut s'enrichir. Ça lui est égal que ça convienne ou non à celui qui écrit. Il n'a pas d'amour pour les hommes. Il a de l'amour pour l'argent. Je le comprends bien. Il a des enfants et il veut leur laisser de l'argent. Je n'aime pas l'argent, quand je sais qu'il fait souffrir l'âme. Je sais que tout le monde aimerait avoir une fountain-plume. Je sais que les mères achètent des fountain-plumes aux jeunes filles pour leurs études. Je sais que toutes les jeunes filles aiment les robes. Je sais que la jeune fille pleure après avoir taché sa robe d'encre. Elle n'a pas peur d'être grondée par son père ou sa mère. Elle supporte tout. Elle est désolée pour la robe, car elle connaît son prix. Le père travaille longtemps. Sa vie est dure. Il achète des tissus coûteux à sa fille, pour lui montrer son amour. La fille pleure, car elle se sent offensée dans son âme. Elle souffre. Elle ne montre pas la robe à son père. Le père le remarque et s'irrite, car il a de la peine. Je sais où il veut en venir. Il ne veut pas que sa fille lui cache ce qu'elle a fait. Ce qui a été fait ne l'a pas été par la fille ou par le stylo. C'est l'homme qui a inventé l'encre qui l'a fait. Je ne veux pas accuser cet homme. Je veux montrer les fautes des hommes. Je ne veux pas que l'encre soit diluée avec de l'eau. Je veux de l'encre sans eau. Un homme produit des milliers de bouteilles de bonne encre pour la publicité, et après, ayant observé que les gens en achètent, il produit des millions de bouteilles avec de l'eau. Je connais les astuces des usines à encre. Je connais les astuces des imprésarios. Diaghilev aussi est un imprésario, car il dirige une troupe. Diaghilev a appris à tromper chez les autres imprésarios. Il n'aime pas qu'on dise qu'il est imprésario. Il comprend ce que ça veut dire imprésario. Tous les imprésarios passent pour des voleurs. Diaghilev ne veut pas être un voleur, c'est pourquoi il veut qu'on l'appelle mécène. Diaghilev veut entrer dans l'histoire. Diaghilev trompe les gens en pensant que personne ne connaît son but. Diaghilev teint ses cheveux pour ne pas être vieux. Les cheveux de Diaghilev sont blancs. Diaghilev achète des pommades noires et se frotte les cheveux avec. J'ai remarqué cette pommade sur les oreillers de Diaghilev, dont les taies étaient noires. Je n'aime pas les taies d'oreillers sales, c'est pourquoi leur vue me dégoûtait. Diaghilev a deux fausses dents devant. Je l'ai remarqué, car quand il s'énerve, il les touche avec la langue. Elles bougent, et je les vois. Diaghilev me rappelle une méchante vieille, quand il bouge ses deux dents de devant. Diaghilev a une mèche de cheveux teinte en blanc sur le devant. Diaghilev veut qu'on le remarque. Sa mèche a jauni, car il a acheté une mauvaise teinture blanche. En Russie sa mèche était mieux, car je ne l'avais pas remarquée. Je l'ai remarquée beaucoup plus tard, car je n'aimais pas prêter attention à la coiffure des autres. Ma coiffure me gênait. Je la changeais tout le temps. On me disait : "Que faites-vous à vos cheveux ? Vous changez tout le temps de coiffure." Alors je disais que j'aimais changer de coiffure parce que je ne voulais pas toujours être le même. Diaghilev aimait qu'on parle de lui, c'est pourquoi il se mettait un monocle sur un œil. Je lui ai demandé pourquoi il portait un monocle, car j'avais remarqué qu'il voyait bien sans monocle, alors Diaghilev m'a dit qu'il voyait mal d'un œil. Alors j'ai compris qu'il m'avait menti. J'ai ressenti une douleur profonde. J'ai compris que Diaghilev me trompait. Je ne lui faisais confiance en rien et j'ai commencé à me développer seul, en faisant semblant d'être son élève. Diaghilev a senti ma feinte et il ne m'aimait pas, mais il savait que lui aussi faisait semblant, c'est pourquoi il me laissait seul. J'ai commencé à le haïr ouvertement, et une fois je l'ai poussé dans une rue de Paris. Je l'ai poussé, car je voulais lui montrer que je n'avais pas peur de lui. Diaghilev m'a frappé avec sa canne, parce que je voulais le quitter. Il a senti que je voulais le quitter, c'est pourquoi il a couru après moi. Je marchais en courant à moitié. J'avais peur d'être remarqué. J'ai remarqué que les gens regardaient. J'ai senti une douleur à la jambe et j'ai poussé Diaghilev. Je ne l'ai pas poussé fort, car je ne sentais pas de colère contre Diaghilev, mais des larmes. Je pleurais. Diaghilev m'injuriait.

Diaghilev grinçait des dents, et j'avais le cœur gros. Je ne pouvais plus me retenir, et je me suis mis à marcher lentement. Diaghilev aussi marchait lentement. Nous avons marché lentement. Je ne me souviens pas où nous allions. Je marchais. Il marchait. Nous avons marché et nous sommes arrivés. Nous avons vécu ensemble longtemps. Ma vie était ennuyeuse. Je souffrais tout seul. Je pleurais tout seul. J'aimais ma mère et je lui écrivais tous les jours. Je pleurais dans ces lettres. J'y parlais de ma vie future. Je ne savais pas quoi faire. J'ai oublié ce que j'écrivais, mais j'ai le sentiment que je pleurais amèrement. Ma mère le ressentait, car elle me répondait par lettre. Elle ne pouvait pas répondre à mes buts, car ces buts étaient les miens. Elle attendait mes résolutions. J'avais peur de la vie, car j'étais très jeune. Je suis marié depuis plus de cinq ans, j'ai aussi vécu cinq ans avec Diaghilev. Je ne peux pas compter. J'ai maintenant vingt-neuf ans. Je sais que j'avais dix-neuf ans quand j'ai fait la connaissance de Diaghilev. Je l'aimais sincèrement, et quand il me disait que l'amour des femmes était une chose affreuse, je le croyais. Si je ne l'avais pas cru, je n'aurais pas pu faire ce que j'ai fait. Massine ne connaît pas la vie, car ses parents étaient riches. Ils ne manquaient de rien. Nous n'avions pas de pain. Ma mère ne savait pas quoi nous donner pour vivre. Ma mère est allée au cirque Cinizelli, pour gagner un peu d'argent. Ma mère avait honte d'un tel travail, car c'était une artiste connue en Russie. Je comprenais tout étant enfant. Je pleurais dans mon âme. Ma mère pleurait aussi. Une fois, je ne l'ai pas supporté et j'ai couru chez Bourman, mon ami, il s'appelait Anatole, il est maintenant marié à

Clementovitch. J'ai couru chez son père et j'ai raconté que ma mère souffrait à cause de l'argent. Alors, son père (un pianiste) m'a dit d'aller chez l'administrateur des Théâtres-Impériaux à Petrograd. J'y suis allé. Je n'avais que quatorze-quinze ans. L'administrateur s'appelait Dimitri Alexandrovitch Kroupenski. Téliakovski était le directeur. Nicolas II était empereur. J'aimais le théâtre. Je suis allé au bureau. Quand je suis entré, j'ai eu peur, car j'ai vu des visages secs et railleurs. Je suis entré dans la pièce où Kroupenski était assis. Il portait une barbe noire. J'ai eu peur de lui, car j'avais peur de sa barbe. Je tremblais comme la feuille du tremble. Kroupenski et les autres fonctionnaires se sont mis à rire. Je me suis mis à trembler encore plus. Je tremblais et tout le monde riait. Kroupenski m'a demandé ce que je voulais, alors je lui ai dit qu'il me fallait cinq cents roubles pour payer les dettes de ma mère. J'avais appris ce chiffre par hasard. Je ne pensais pas à ce que je disais. Je tremblais. Je me suis levé. J'ai senti les figures ennuyées. Je suis parti. J'ai couru vite, haletant. Kroupenski et sa barbe noire me poursuivaient. Je courais. Je criais en moi-même : "Je ne le ferai plus", "Je ne le ferai plus." Je pleurais dans mon âme, mais les larmes ne sortaient pas. Je savais que si j'allais vers ma mère, elle me comprendrait, c'est pourquoi j'ai couru vers elle et je lui ai tout raconté. Je ne savais pas mentir. Quand je commençais à mentir, je tremblais comme la feuille du tremble. J'étais une feuille de Dieu. J'aimais dieu, mais je n'aimais pas prier. Je ne savais pas ce que je devais faire. Je vivais, et la vie passait. Je ne comprenais pas les affaires et ne les aimais pas, mais Dieu m'aidait. Je donnais des leçons. Pendant les leçons j'étais simple. J'étais heureux de travailler. Je pleurais souvent dans ma chambre. J'aimais avoir ma chambre à part. Je pensais que j'étais grand si j'avais ma chambre à part. Dans une chambre à part je pouvais pleurer beaucoup. Je lisais Dostoïevski. J'ai lu *l'Idiot* à dix-huit ans et j'en ai compris le sens. Je voulais être écrivain et j'étudiais maladroitement les écrits de Dostoïevski. J'étudiais Gogol. Je copiais Pouchkine croyant que si je le copiais, j'apprendrais à écrire des poèmes et des romans comme Pouchkine. J'ai beaucoup copié, mais j'ai senti que tout ça était des bêtises, et j'ai abandonné. Je vivais simplement. Nous avions assez de pain. Ma mère aimait recevoir. Elle invitait des gens quand elle sentait que nous avions beaucoup. Ma mère aimait rencontrer des gens, c'est pourquoi elle en invitait. Moi aussi, j'aimais rencontrer des gens, c'est pourquoi j'écoutais tout ce que disaient mes aînés. Je comprenais les aînés, c'est pourquoi les aînés m'attiraient. J'ai compris mon erreur après, car les aînés avaient d'autres buts que les miens. Parce que j'aimais les aînés, les petits m'ont repoussé, car ils ne me comprenaient pas. Je connaissais un garçon qui s'appelait Goncharov. Je ne me souviens plus de son prénom. Je m'en souviens, il s'appelait Leonid. Leonid buvait de la vodka, je ne buvais pas de vodka. Nous étions à l'école ensemble. La vie en commun à l'école nous a réunis, mais ne nous a pas rapprochés, car je n'ai pas adopté ses habitudes. Je ne sais pas qui lui avait appris à boire. Sa figure était pâle et couverte de boutons. Les surveillants ne comprenaient pas les enfants, car ils s'enfermaient dans la salle des surveillants, où ils lisaient et recevaient leurs amis*. Je comprends les surveillants qui s'ennuient en présence des enfants. Je comprends que les enfants ne comprennent pas les surveillants. Etre surveillant est une chose difficile. Je n'ai pas voulu que ma Kyra soit élevée par d'autres, car je comprends ce que c'est que l'éducation. Je veux que les gens élèvent leurs enfants eux-mêmes, et ne les confient pas à des étrangers, car les étrangers s'ennuient.

....

Je ne pouvais pas écrire, car j'ai réfléchi sur ce que j'écrivais. Je voulais dire que la vie des enfants dépend de leur éducation. Les surveillants ne peuvent pas faire l'éducation des enfants, car ils ne sont pas mariés. S'ils sont mariés, ils s'ennuient sans leurs femmes et leurs enfants. Je connais un surveillant qui avait des chouchous. Il s'appelait Issayenko. Je l'aimais, mais je sentais qu'il ne m'aimait pas. J'avais peur de lui croyant qu'il me voulait du mal. Il m'a invité chez lui une fois, en me disant qu'il voulait m'apprendre le français. Je suis allé chez lui, pensant que j'apprendrais, mais dès mon arrivée il m'a fait asseoir sur une chaise et m'a donné un livre. Je m'ennuyais. Je ne comprenais pas pourquoi il m'avait invité si c'était pour me mettre un livre entre les mains. Je lisais à haute voix, mais je m'ennuyais. Issayenko m'a invité à manger avec les autres. J'ai senti qu'il payait les gens chez qui il habitait pour les repas et la chambre. Je ne comprenais pas le français, car ils parlaient

* Il s'agit ici des surveillants chargés de la discipline des élèves à l'école des Théâtres-Impériaux. (N.d.T.)

154

russe*. La femme était jeune et mince. Ses nerfs étaient en mauvais état, car elle bougeait beaucoup. Un jeune homme était avec elle, je ne me souviens pas comment il était. Son visage à elle est empreint dans ma mémoire. Elle avait un tout petit chien qui courait tout le temps sur la table et léchait son assiette. Elle aimait ce petit chien. Je n'aimais pas ce petit chien, car il était malade. Son corps était abîmé. Il était tout maigre. Les pattes toutes longues. Les oreilles petites. Les yeux saillants. Bref, le chien était minuscule. J'ai senti de la pitié pour ce petit chien, et je suis devenu triste. Issayenko se moquait du petit chien, car il était minuscule. Je sentais que j'étais de trop, car ils voulaient parler de quelque chose, et ils ne disaient rien. Je sentais qu'il y avait un secret. Je voulais partir, mais je ne savais pas comment. Issayenko me souriait. J'ai ressenti du dégoût, et je suis parti en laissant sur l'assiette tout ce qu'on y avait mis. Je savais qu'il**. Je suis parti avec un mauvais sentiment pour Issayenko et tous ceux qui étaient là. J'avais la nausée. Je ne pouvais pas continuer les leçons de français et j'évitais Issayenko. Issayenko me poursuivait et me chicanait sur mes notes. Je recevais les notes les plus basses, c'est-à-dire un sur douze. Nous étions notés sur douze, et la meilleure note était douze. Je n'étudiais pas le français, car je ressentais du dégoût. Le professeur de français sentait que je n'aimais pas le français et il se fâchait. Je n'étudiais pas le français, et quand il m'interrogeait, j'écoutais ce que les autres me

* Sans doute ils parlaient russe, car je ne comprenais pas le français. *(N.d.T.)*
** *Sic. (N.d.T.)*

soufflaient. Il me mettait de bonnes notes de temps en temps. Il devait montrer que ses élèves étudiaient bien, c'est pourquoi il me mettait de bonnes notes. J'ai compris son astuce, et j'ai commencé à changer mes notes. J'effaçais les "un", et je mettais des "neuf". J'aimais changer les notes. Le professeur de français ne le remarquait pas, et personne ne me faisait rien. J'ai abandonné le français.

....

Je n'aimais pas étudier la religion, car ça m'ennuyait beaucoup. J'aimais assister à la classe de religion, car j'aimais écouter les histoires du Révérend Père. Ce Père n'était pas le mien, mais celui des autres, car il parlait de ses enfants. Il nous montrait une pièce de monnaie et disait qu'avec cette pièce il apprenait à ses enfants à le comprendre. Je savais que ma mère n'avait pas d'argent, mais je la comprenais, c'est pourquoi je m'ennuyais. Le Révérend Père n'était pas un père, car un père est un homme bien, et celui-là retenait sa colère. Tous les enfants remarquaient qu'il retenait sa colère, c'est pourquoi ils se permettaient des espiègleries derrière son dos. Je connais des espiègleries, car j'étais le meneur de plusieurs espiègleries. J'étais très espiègle, et tous les garçons m'aimaient pour ça. Je leur ai montré que je savais mieux tirer à la fronde qu'eux, car j'ai atteint à l'œil un docteur qui était en fiacre, alors que nous allions au théâtre en voiture. J'aimais les voitures, car je pouvais tirer sur les passants. Je tirais très juste. Je n'étais pas sûr si c'était moi qui avais atteint le docteur, mais j'ai eu honte de nier, quand tous les garçons m'ont montré du doigt, de peur qu'on ne les mette à la porte. J'aimais ma mère et je me suis mis à pleurer. Mes larmes ont ému le surveillant qui était un homme très bien, seulement il buvait beaucoup et tous les enfants se moquaient de lui, car il était ridicule. Les enfants l'aimaient, car il ne se fâchait jamais. Beaucoup ont pleuré quand ils ont appris qu'il était mort d'ivrognerie. On l'a enterré, mais pas un seul garçon n'est allé à l'enterrement. Moi aussi j'avais peur, c'est pourquoi je n'y suis pas allé.

On m'a accusé du crime, et l'inspecteur m'a fait la morale. J'avais peur de sa morale, car je sentais la fureur de l'inspecteur Pisnitchevski. Pisnitchevski était un homme méchant, mais il ne jetait pas les enfants à la rue, car il savait que c'étaient des enfants de parents pauvres. Pisnitchevski a appelé ma mère et lui a dit qu'il ne me jetterait pas à la rue, mais qu'il ne pouvait me laisser sans punition, c'est pourquoi il croyait nécessaire que ma mère me reprenne pour deux semaines. J'ai senti une immense douleur dans mon âme et j'ai failli perdre conscience. J'avais peur pour ma mère, car je savais comme il lui était difficile de trouver de l'argent. Ma mère m'a emmené et m'a battu avec des verges apportées par le concierge. Je n'avais pas peur des verges, mais j'avais peur de ma mère. Ma mère m'a battu fort, mais je ne lui sentais pas de colère. Ma mère me battait parce qu'elle croyait que c'était le meilleur moyen. J'ai senti de l'amour pour ma mère, et je lui ai dit "que je ne le ferais plus". Elle m'a ressenti et m'a cru. J'ai senti que ma mère me croyait et j'ai décidé de bien étudier. J'ai commencé à recevoir de bonnes notes, et tout le monde riait en disant que les verges de ma mère m'avaient aidé. Les surveillants souriaient, et les garçons riaient. Moi aussi je riais, car je ne ressentais pas d'offense. J'aimais ma mère, c'est pourquoi ça me faisait plaisir, que tout le monde sache. J'ai raconté comment elle m'avait battu. Les enfants avaient peur et ne riaient plus. Je me suis mis à bien étudier et à donner le bon exemple, seuls le français et la religion n'allaient pas.

Je connaissais la religion russe, car j'allais tout le temps à l'église. J'aimais aller à l'église, car j'aimais voir les icônes d'argent qui scintillaient. Des cierges étaient en vente, et parfois j'en vendais avec Issayev, mon compagnon de masturbation. Je l'aimais, mais je sentais que ce qu'il m'avait appris était une mauvaise chose. Je souffrais quand j'en avais envie. J'en avais envie chaque fois que je me mettais au lit. Issayenko a remarqué que je me masturbais, mais il ne m'a rien dit de terrible. J'ai remarqué qu'à l'école personne ne savait rien de mes habitudes, c'est pourquoi j'ai continué. J'ai continué jusqu'à ce que je remarque que je commençais à danser moins bien. J'ai eu peur, car j'ai compris que ma mère serait bientôt ruinée et que je ne pourrais pas l'aider. J'ai commencé à lutter contre la luxure. Je me forçais. Je me disais : "Il ne faut pas." J'étudiais bien. J'ai abandonné la masturbation. J'avais environ quinze ans. J'aimais ma mère, et l'amour pour ma mère m'a forcé à m'améliorer. J'étudiais bien. Tout le monde a commencé à me remarquer. J'obtenais des "douze". Ma mère était heureuse. Elle me disait souvent que les verges m'avaient aidé. Je lui disais que c'était vrai, mais moi-même je sentais autre chose. J'aimais ma mère infiniment. J'ai décidé de travailler la danse encore plus. J'ai commencé à maigrir. Je me suis mis à danser comme Dieu. Tout le monde s'est mis à en parler. Quand j'étais encore à l'école, je m'étais déjà produit comme premier danseur. Je savais ce que c'était qu'un premier danseur. Je ne comprenais pas pourquoi on me donnait à danser de tels rôles. J'aimais me montrer. J'étais fier. J'aimais la fierté, mais je n'aimais pas les compliments. Je ne me vantais pas. Les élèves des classes d'art dramatique m'aimaient. J'étais beaucoup avec eux. J'ai fait la connaissance d'une élève qui m'avait choisi comme chouchou. Elle m'appelait "Nejinka*". Elle m'a offert un album en velours et y a collé des coupures de journaux. Dans ces coupures j'ai lu qu'on m'appelait "enfant prodige", et que la critique était signée : Svetlov. Je n'aimais pas ce qu'on écrivait sur moi, car je sentais que tout ça, c'étaient des compliments. J'ai dit à mon amie d'école que je n'aimais pas ce qu'on écrivait. Elle m'a dit que je ne comprenais pas et elle m'a invité chez elle, en disant qu'elle voulait me présenter à son père et à sa mère. J'ai senti de l'amour pour elle, mais je ne le lui ai pas montré. Je l'aimais spirituellement, c'est pourquoi je lui souriais tout le temps. Je souriais tout le temps. J'aimais sourire à tout le monde, car j'ai remarqué que tout le monde m'aimait. J'aimais tout le monde. Quand je suis venu chez mon amie, j'ai déjeuné, après quoi leurs invités se sont mis à faire du spiritisme. Ils ont posé les mains sur la table, et la table s'est mise à

* Jeu de mots entre Nijinski et *nejinka*, "douillet", "délicat". *(N.d.T.)*

bouger. Tout le monde s'est étonné. Son père, un général, n'aimait pas ces bêtises, c'est pourquoi il est parti. J'ai senti que c'était bête, je les ai laissés et je suis rentré chez moi. Je suis rentré à la maison fatigué, car je ne comprenais pas le but de cette invitation. Je n'aimais pas les invitations, c'est pourquoi je refusais les invitations. On m'a proposé des leçons de danse de salon, car on connaissait ma réputation en Russie. J'avais seize ans. Je donnais des leçons et donnais l'argent à ma mère. Ma mère me plaignait, mais elle ressentait un immense amour pour moi. Moi aussi je sentais un immense amour pour ma mère, et j'ai décidé que j'allais l'aider question argent. J'ai terminé l'école à dix-huit ans. On m'a lâché au-dehors. Je ne savais pas comment faire, car je ne savais pas m'habiller. On m'avait accoutumé à l'uniforme. Je n'aimais pas les vêtements civils, c'est pourquoi je ne savais pas comment les porter. Je pensais que les bottes avec de grosses semelles étaient belles, c'est pourquoi j'avais acheté des bottes avec de grosses semelles…

Je veux décrire la fin de mes études. J'ai quitté l'école. Je sentais la liberté, mais cette liberté me faisait peur. J'ai reçu en récompense de mes bonnes études un Evangile avec une dédicace de mon professeur de religion. Je ne comprenais pas cet Evangile, car il était en polonais et en latin. Si on m'avait donné un Evangile en russe, j'aurais mieux compris. J'ai commencé à le lire et j'ai abandonné. Je n'aimais pas lire l'Evangile, car je ne le comprenais pas. Le livre était beau et l'impression riche. Je ne sentais pas l'Evangile. Je lisais Dostoïevski. Dostoïevski me réussissait mieux, c'est pourquoi je le dévorais. Ce dévorement était immense, car en lisant *l'Idiot*, je sentais que l'Idiot n'était pas un "idiot", mais un homme bien. Je ne pouvais pas comprendre *l'Idiot*, car j'étais encore jeune. Je ne connaissais pas la vie. C'est maintenant que je comprends *l'Idiot* de Dostoïevski, car on me prend pour un idiot. J'aime que tout le monde pense que je suis un idiot. J'aime le sentiment, c'est pourquoi j'ai fait semblant d'être idiot. Je n'étais pas idiot, car je ne suis pas nerveux. Je sais que les gens nerveux sont sujets à la folie, c'est pourquoi j'avais peur de la folie. Je ne suis pas fou, et l'Idiot de Dostoïevski n'est pas idiot. J'ai senti le nerf *(sic)* et j'ai fait une faute à la lettre *i*. J'aime cette lettre, car c'est Dieu qui m'a montré ce qu'était le nerf. Je n'aime pas la nervosité, car je connais ses conséquences. Je veux écrire calmement, mais pas nerveusement. J'écris vite, et par à-coups, mais sans nervosité. Je ne veux pas écrire lentement, car la beauté de mon écriture n'a pas d'importance pour moi, ce qui m'importe, c'est d'écrire vite. Je ne veux pas qu'on admire mon écriture. Je veux qu'on admire ma pensée. J'écris ce livre pour la pensée, et pas pour l'écriture. Ma main se fatigue, car je n'ai pas l'habitude d'écrire beaucoup, mais je sais qu'elle s'habituera bientôt. Je sens une douleur à la main, c'est pourquoi j'écris mal et par à-coups. Tout le monde dira que mon écriture est nerveuse, car les lettres sont hachées. Je dirai que mon écriture n'est pas nerveuse, car ma pensée n'est pas nerveuse. Ma pensée coule calmement, et pas brusquement...

....

La wilsonnerie ne me laisse pas tranquille. Je souhaite à la wilsonnerie de la prospérité. J'espère que mon livre l'aidera, c'est pourquoi je veux vite le publier. Pour publier ce livre vite, je veux aller à Paris, mais pour aller à Paris, il faut se préparer. Je sais qu'à Paris il y a beaucoup de gens méchants, c'est pourquoi je veux me protéger. Je veux écrire à Reszke une lettre en polonais, et pour ça il me faut m'habituer un peu. Je lui dirai toute la vérité, c'est pourquoi il m'aidera. Je veux écrire en polonais, mais pas dans ce cahier...

....

J'écrivais en polonais, et j'ai écrit une lettre à Reszke. Reszke est un Polonais invétéré. Il me comprendra, si je lui débite des compliments. Les compliments, je ne les aime pas. Les compliments sont une chose inutile. Je ne suis pas un complimenteur. Je suis celui qui dit la vérité. La vérité est diverse. La diversité, c'est la diversité. J'ai écrit une lettre à Diaghilev et à ses amis, en leur montrant les dents. Mes dents ne mordaient pas. Je mords sans douleur. J'ai l'estomac propre. Je n'aime pas manger de la viande. J'ai vu comment on tuait l'agneau et le cochon. J'ai vu et j'ai senti leurs pleurs. Ils ressentaient la mort. Je suis parti pour ne pas voir la mort. Je ne pouvais pas la supporter. Je pleurais comme un enfant. Je suis monté sur une montagne et j'étais à bout de souffle. J'étouffais. Je sentais la mort de l'agneau. Je pleurais en montant sur la montagne. J'avais choisi une montagne où il n'y avait pas de monde. J'avais peur des railleries. Les hommes ne se comprennent pas. Je comprends les hommes. Je ne leur veux pas de mal. Je veux les sauver du mal. Je sais que les hommes n'aiment pas le salut, c'est pourquoi je ne cherche pas à m'imposer. Que je m'impose ne leur apportera pas le salut. Je veux le salut. Mes étoiles me disent : "Viens ici, viens ici." Je sais ce que c'est que le clignotement. Je sais ce que c'est que la vie. La vie, c'est la vie, ce n'est pas la mort. Je veux la mort pour la vie. Je ne peux pas écrire, car je suis fatigué. Je suis fatigué, parce que j'ai dormi. J'ai dormi, dormi, et dormi, et dormi. Je veux écrire maintenant. J'irai dormir quand le Seigneur me l'ordonnera. Je suis un novice, je suis lui. Il est Dieu, et je suis en Dieu. Les Dieux, les Dieux, les Dieux sont. Je veux le dire en français, car j'ai écrit en français à tout le monde en France, sauf à Reszke. Reszke est un homme qui a des relations, c'est pourquoi je lui demanderai de m'envoyer des papiers polonais. J'appelle papiers tous les papiers où sont dits la naissance et la ville du baptême. J'ai été baptisé dans deux villes. Je suis né dans une ville. Ma ville a été et est ma mère. Une mère ne peut rien dire. Je demande son amour. Je veux son amour. J'écris, écris, écris. Je veux, veux, veux*.

....

Je veux écrire un peu en vers, mais ma pensée est ailleurs. Je veux décrire mes promenades.

Mes promenades étaient à pied. J'aimais me promener seul. J'aime me promener seul.

* "Ecris" et "veux" riment en russe. *(N.d.T.)*

Je veux seul seul. Tu es seul et je suis seul.
Nous sommes seuls et vous êtes seuls.

Je veux écrire écrire. Je veux dire dire.
Je veux dire dire, je veux écrire écrire.

   Pourquoi ne peut-on parler en rimes,
quand on peut parler en rimes. Je suis rime
rime rif. Je veux rifa narif. Tu es narif et je
suis tarif. Nous sommes rif tu rif nous rif. Tu
es dieu et je suis lui. Nous sommes nous vous
êtes ils.

Je veux dire dire, que tu veux dormir et dormir.
Je veux écrire et dormir.
Tu ne veux pas dormir écrire.
J'écris écris écris.
Tu écris écris écris.
Je veux te dire.
Qu'il ne faut pas faut pas faut pas.
Je ne faut pas faut pas faut pas.
Tu tu la tu la la ga*.
La ga la ga la gou la ga.
Ga la gou la la gou la.

* En russe, le mot *gouliat* signifie se promener. Nijinski
utilise ce mot et le transforme d'abord en le coupant
en deux, puis en inversant les syllabes, créant ainsi de
nouveaux sons qui sont parmi les premiers sons intelli-
gibles chez les enfants. Ces sons ont parfois une certaine
signification dans le langage enfantin. Ex. : *goulia*-
pigeon, ou *liaga*-grenouille. Nous préférons ne pas leur
donner d'équivalence en français, mais leur laisser leur
valeur poétique basée sur la consonance. *(N.d.T.)*

Je veux te dire, qu'il ne faut pas t'écrire. Je t'écris à toi, à toi. Je dirai à toi à toi. Je veux écrire écrire. Je veux ne pas dormir mais chier.

Je veux que tu es allé.
Je veux que tu es allé.
Tu es allé et je suis allé.
Nous sommes allés et vous êtes allés.
Tu ne veux pas te promener là-bas.
Je ne veux pas te promener là-bas.
Goula goula goula la la.
La gou la gou la gou la.
Tu es gou la gou la gou.
Tu es gou gou gou gou gou.
Gou gou gou gou gou gou gou.
Je veux dire que dormir.
Je veux dire que dormir.
Tu ne veux pas dormir avec moi.
Tu ne veux pas dormir avec moi.
Je suis avec toi et tu es avec moi.
Je suis avec toi et tu es avec moi.
Nous sommes vous et vous êtes en moi.
Je veux à toi à toi.
Tu veux pour moi tu es Lui.
Je suis Lui et tu es en moi.
Nous sommes vous ils sont Toi.
Toi toi toi toi toi toi toi.
Je veux te dire.
Que tu veux dormir dormir dormir.
Je ne veux pas veux pas dormir.
Tu ne veux pas veux pas dormir.
J'irai chier avec toi.
Tu es chi et je ne suis pas chi.
Je chi cane chi cane chi.
Chi chi chi chi chi chi chi.

Je veux dire que dormir
Je veux dire que chier
Je chie et tu chies
Je chie je chie
Tu chies tu je chie
Tu chies tu je chie
Je chie et tu es dans le chié
Je chie et tu chies
Nous chions et vous êtes dans le chié.
Je chie chie chie chie
Je suis dans le chié et vous êtes dans le chié.
Nous chions vous chiez
Je chie chie chie chie chie chie chie.
Je veux dire je chie.
Je veux dire que je chie.
Je chie chie chie chie bien
Je chie je suis bien
Je suis bien que je chie bien
Je suis bien que je chie bien
Je chie chie chie.
Je chie chie chie.
Je veux dire que je chie
Je veux dire que je chie
Je chie chie chie
Je chie chie que je chie
Tu que veux tu veux dormir
Je veux un peu dormir
Tu ne dors pas que je veux
Je veux que tu ne dors pas
Dors dors dors dors dors dors dors
Je ne dors pas et tu dors
Je veux que tu dors dors dors
Tu ne veux pas que tu dors
Je ne dors pas quand tu dors
Je ne dors pas quand tu dors.
Je te veux du bien.
Tu ne me veux pas de mal.

Je veux du bien du bien
Tu ne veux pas dormir toujours.
Je veux te dire
Je veux dire à toi,
Que tu dors dors dors dors dors.

....

J'ai écrit de la même façon en français, et
j'espère qu'on me comprendra. Je veux parler parler aux gens de l'amour des uns envers
les autres. Je sais qu'ils riront en recevant ces
lettres, mais je sais que ces poèmes les étonneront. Je sais que tout le monde croit que je
suis mort, car je n'ai donné aucunes nouvelles.
Je veux que les gens m'oublient, car je veux
faire une grande impression. Ma première
représentation sera à Paris, au Châtelet. J'aime
le Châtelet, car ce théâtre est simple et grand.
Je ne veux pas beaucoup d'argent pour moi,
car je veux donner un spectacle au profit
des artistes français pauvres qui ont souffert
de la guerre.

Je veux leur parler de l'amour des uns envers les autres, c'est pourquoi je veux leur
parler. Je veux qu'ils viennent à moi. Je sais
qu'ils viendront après ce spectacle de bienfai-
sance. Je veux parler à tous les artistes, car je
veux les aider. Je leur dirai que je les aime et
que je les aiderai toujours. Je ne veux pas aider
avec de l'argent, c'est pourquoi je leur dirai
que je leur rendrai visite s'ils s'aiment les uns
les autres. Je ferai semblant d'être un bouffon, car ils me comprendront mieux.

J'aime les bouffons de Shakespeare. Ils ont beaucoup d'humour, mais parfois ils se fâchent, c'est pourquoi ce ne sont pas des Dieux. Je suis un bouffon en Dieu, c'est pourquoi j'aime plaisanter*.

Je veux dire que le bouffon est à sa place là où il y a de l'amour. Un bouffon sans amour n'est pas Dieu. Dieu est un bouffon. Et je suis Dieu. Nous sommes des Dieux, vous êtes Dieu. Je veux dire que Dieu. Dieu est Dieu, et Dieu est Dieu.

Je me sens du froid dans les pieds et je comprends que je dois bientôt aller me coucher. On marche là-haut, c'est pourquoi je sens qu'on viendra me chercher. Je n'ai pas sommeil, car j'ai beaucoup dormi pendant la journée, mais on veut me gaver.

....

A ma chère et bien-aimée Romouchka.

Je t'ai fâchée exprès, car je t'aime. Je veux ton bonheur. Tu as peur de moi, car j'ai changé. J'ai changé, car Dieu l'a voulu. Dieu l'a voulu, car je l'ai voulu. Tu as appelé le Docteur Fränkel. Tu as cru un étranger, et pas moi. Tu penses qu'il est d'accord avec toi. Il est d'accord avec moi. Il a peur de montrer à sa femme qu'il ne sait rien. Il a peur de montrer

---

* Le mot *shout*, bouffon, a souvent été traduit clown, d'où le fameux "clown de Dieu" si souvent accolé au nom de Nijinski comme une "marque de commerce". *(N.d.T.)*

168

à sa femme qu'il n'est rien. Rien, parce que tout ce qu'il a appris n'est rien. Je n'ai pas eu peur d'abandonner toutes mes études et de montrer à tout le monde que je ne savais rien. Je ne veux pas danser comme avant, car toutes ces danses sont la mort. La mort, ce n'est pas seulement quand le corps meurt. Le corps meurt, mais l'esprit vit. L'esprit est une colombe, mais en Dieu. Je suis Dieu, et je suis en Dieu. Tu es une femme comme toutes les autres. Je suis un homme comme tous les autres. Je travaille plus que les autres. Je sais plus que les autres. Tu me comprendras plus tard, car tout le monde dira que Nijinski est Dieu. Tu y croiras et seras d'accord. Tu t'en-nuieras, car tu ne veux pas travailler. Je veux me promener avec toi, tu ne veux pas te promener avec moi. Tu crois que je suis malade. Tu le crois parce que le Docteur Fränkel t'a dit que j'étais malade. Il pense que je suis malade, car il pense que je suis malade. Je t'écris dans mon cahier, car je veux que tu lises en russe. J'ai appris à parler français. Tu ne veux pas parler en russe. Je pleurais quand je sentais ton russe. Tu n'aimes pas quand je parle hongrois. J'aime la langue hongroise, je veux la langue hongroise, car tu es la langue hongroise. Je veux vivre en Hongrie. Tu ne veux pas vivre en Hongrie. Je veux vivre en Russie, tu ne veux pas vivre en Russie. Tu ne sais pas ce que tu veux, et moi je sais ce que je veux. Je veux construire une maison. Tu ne veux pas vivre dans la maison. Tu penses que je suis bête, et moi je pense que tu es idiote. Une idiote est une chose affreuse. Je suis bête, mais je ne suis pas idiote. Tu es idiote, mais tu n'es pas bête. Je suis bête, je suis bête. Un homme bête est un cadavre, et je ne suis pas un cadavre*. Cadavre, cadavre, cadavre, et je ne suis pas cadavre. Je ne te veux pas de mal. Je t'aime toi, toi. Tu ne m'aimes ne m'aimes pas. Je t'aime, je t'aime.

Tu ne veux pas montrer que tu m'aimes, que tu m'aimes. Je veux te dire que tu m'aimes, que tu m'aimes. Je veux te dire que je t'aime, que je t'aime.

Je t'aime toi toi. Je t'aime toi toi. Je veux te dire que tu aimes *mia* et *mia***.

Je suis mia suis mia pas mia.
Je suis mia suis mia pas mia.
Mia mia mia mia mia mia mia.
Je ne suis pas mlia, mais je suis zemlia.
Je suis zemlia, et tu es zemlia.
Nous sommes zemlia, et vous êtes zemlia.
Tu ne veux pas mia mia mia.
Je te veux toi toi.
Je te veux toi toi.
Tu ne veux pas mia mia mia.
Je ne suis pas mia, pas mia, mlia mlia.
Je ne te veux pas de mal.
Je veux t'aimer.

* Les mots "bête" et "cadavre" riment en russe. *(N.d.T.)*
** Nijinski utilise ici un mot de slavon, *mia*, qui en russe, *menia*, signifie moi. C'est *peut-être* le sens que Nijinski donne à ce mot dans ce poème. *Zemlia* signifie terre, et *vnemli* écoute-moi. Pour respecter à la fois le sens des mots et leur sonorité, qui est de toute évidence primordiale pour Nijinski, nous les avons parfois traduits et parfois seulement transcrits. Nous avons voulu rester au plus près du rythme des vers de Nijinski. *(N.d.T.)*

Je t'aime toi toi.
Je ne suis pas mlia je suis mlia zemlia.
Je suis zemlia et tu n'es pas mlia
Je suis zemlia et tu n'es pas mlia
Pas mlia pas mlia je ne suis pas mlia
Mlia mlia pas mlia je suis zemlia.
Tu es mlia et je suis zemlia
Je suis zemlia et tu es zemlia.
Nous sommes zemlia et il est zemlia
Je ne suis pas mlia mais je suis zemlia.
Je veux te dire
Que je t'aime toi toi
Je veux te dire
Que je t'aime t'aime toi.
J'écris j'écris je me hâte
Tu ne dors pas, mais tu dors, mais tu dors
Je ne dors pas quand je veux dormir.
Tu ne dors quand je dors
Je ne dors pas et tu dors encore
Tu dors encore dors dors dors dors dors
Je veux te dire
Que je dors je dors je dors
Tu ne dors pas ne dors pas ne dors pas
Que je dors je dors je dors
Je veux te dire, que je dors que je dors.
Tu veux me montrer, que tu dors tu dors, tu dors
Je veux te dire, que je dors mais je ne dors pas.
Je veux te dire que je t'aime que je t'aime
Je veux te dire que je t'aime que je t'aime.
Je suis amour et tu es amour et nous sommes
dans l'amour et vous êtes dans l'amour.
Je veux te dire que je t'aime que je t'aime.
Je veux te dire que je t'aime que je t'aime
Je ne te veux pas de mal, je ne te veux pas
de mal
Tu ne veux pas me dire, que tu m'aimes, que
tu m'aimes
Je veux te dire que tu m'aimes que tu m'aimes.

Je t'aime mon ami. Tu ne t'aimes ne t'aimes pas
Je ne te, et tu ne te. Je t'aime toi toi.
Je ne te veux pas de mal. Je ne te veux pas
de mal.
Je veux ton amour. Je veux ton amour
Je veux te dire que je t'aime toi toi.
J'aime ton pays natal
Je t'aime toi toi.
Je veux à toi à toi. Je veux te dire
Je veux te dire, que je suis à toi et tu es à moi.
Tu es à moi, et je suis à toi. Nous sommes Toi
et vous êtes eux.
Je suis lui en tous en tous. J'aime tout le monde
j'aime tout le monde.
Je veux te dire que j'aime tout le monde que
j'aime tout le monde
Je veux te dire que j'aime tout le monde que
j'aime tout le monde.
Je veux jouer le bouffon. Je peux tout dire
tout tout tout
Je veux tout dire tout. Je veux tout dire tout
Tu as peur de moi moi moi. Je ne suis pas mia
pas mia mlia mlia
Je suis zemlia et tu es zemlia je ne suis pas
mlia et tu es zemlia
Je vnemlia vnemlia vnemli
Je vnemlia vnemlia vnemli
Je veux te dire que écoute-moi moi
Je veux te dire que tu es en mia que tu es en mia
Je veux te dire que tu es mlia et je suis zemlia.
Je suis zemlia, zemlia je suis zem
Tu es zem, et je ne suis pas mlia
Je te veux toi toi, tu n'es pas mlia et je ne suis
pas mlia
Je veux te dire que tu es mlia et je suis zemlia.
Toute la terre est à moi. Je ne suis pas mlia je
ne suis pas mlia
Je veux te dire, que la terre est mia mia mia.

Tu as peur de me dire que tu es mia que tu
es mia
Mia mia mia mia mia mia mia.
Je suis mia je suis zemlia.
Je veux te dire, que tu es mia, et je suis zemlia.
Je veux te dire, que tu es mia, et je suis zemlia.

....

J'avais faim. On m'a appelé pour le déjeuner. Mon déjeuner était à une heure de l'après-
midi. Je n'ai pas déjeuné car j'ai senti la viande.
Ma femme voulait manger de la viande. J'ai
laissé mon assiette de soupe qui était faite
avec de la viande. Ma femme s'est fâchée. Elle
a cru que la nourriture me dégoûtait. La viande
me dégoûte, car je sais comment on tue les
animaux, et comment ils pleurent. J'ai voulu
lui montrer que le mariage, ce n'est pas quand
les gens ne sont pas du même avis. J'ai jeté
mon alliance sur la table. Puis je l'ai ramassée
et je l'ai remise. Ma femme s'est énervée, car
j'ai jeté l'alliance encore une fois. J'ai jeté
l'alliance encore une fois, car j'ai senti qu'elle
avait envie de viande. J'aime les animaux, c'est
pourquoi je trouvais dommage de manger
de la viande, car je sais que si je mange de la
viande, on sera forcé de tuer encore un animal. Je mange peu. Je ne mange que quand
j'ai faim. Ma femme mange beaucoup. Elle a
pitié de moi, c'est pourquoi elle pense que je
dois manger de la viande. J'aime le pain avec
du beurre et du fromage. J'aime les œufs. Je
mange peu par rapport à ma constitution.
Mon estomac va mieux, car je ne mange plus
de viande. Mon ventre avait remonté, et avant
il avait descendu. Il avait descendu car l'intestin
était gonflé. L'intestin se gonfle, je l'ai remarqué,

après la viande. La viande ne laisse pas l'estomac tranquille. J'avais mal à l'estomac, et aujourd'hui je n'ai pas mal. Je sais que beaucoup de docteurs diront que tout ça ce sont des bêtises. Qu'il faut manger de la viande, car la viande est une chose nécessaire. Je dirai que la viande n'est pas une chose nécessaire, car la viande développe le désir. Chez moi, le désir a disparu depuis que je ne mange pas de viande. La viande est une chose affreuse. Je sais que les enfants qui mangent de la viande se masturbent. Je sais que les jeunes filles et les garçons se masturbent. Je sais que les femmes et les hommes ensemble et séparément se masturbent. La masturbation développe la bêtise. L'homme perd le sentiment et la raison. Je perdais la raison quand je me masturbais. Mes nerfs étaient tendus. J'étais tout tremblant de fièvre. J'avais mal à la tête. J'étais malade. Je sais que Gogol se masturbait. Je sais que la masturbation l'a perdu. Je sais que Gogol était un homme raisonnable. Je sais que Gogol ressentait. Son sentiment s'émoussait de jour en jour. Il a senti sa mort, car il a déchiré ses dernières œuvres. Je ne déchirerai pas mes œuvres, car je ne veux pas me masturber. J'étais un grand masturbateur. Je comprenais mal Dieu et je pensais qu'il me voulait du bien, quand je me masturbais. Je connais beaucoup de femmes qui croisent les jambes. Ces femmes se masturbent souvent. Un homme peut croiser les jambes, car son corps est fait autrement. Beaucoup de femmes pensent que c'est beau d'être assis les jambes croisées. Je trouve que c'est laid, car ce qui est bon pour un homme n'est pas bon pour une femme. Je ne veux pas que Kyra croise les jambes, mais elle le fait, car elle a remarqué que les autres ne la reprenaient pas. Kyra est encore petite et ne comprend pas ce qu'elle fait. Je lui ai souvent dit qu'il ne fallait pas se coucher sur le ventre. Je suis couché sur le ventre quand je dors, mais mon ventre est petit, c'est pourquoi il peut le faire. Les gens qui ont un gros ventre ne doivent pas se coucher sur le ventre. Un homme doit dormir sur le côté, et une femme sur le dos. J'ai étudié tout ça, car j'avais un gros ventre. J'ai remarqué une grande fatigue quand je dormais sur le ventre. Toute ma journée était gâchée. Je sais ce que c'est que le ventre. Le ventre a un intestin, un estomac, un foie, une vessie, etc. J'ai remarqué que quand je me couchais après avoir mangé, vers le matin tout est encore archiplein et l'estomac ne se met en marche que le matin, après que je suis levé. Je me lève avec paresse, et je n'ai aucune envie de vivre.

Depuis que je ne mange pas de viande, j'ai remarqué que mon estomac allait mieux, que mes idées étaient meilleures et que je courais au lieu de marcher. Je marche seulement pour me reposer. Je cours beaucoup, car je sens une force. J'ai des muscles obéissants. J'ai le cerveau obéissant. Je danse avec plus de légèreté, et j'ai un grand appétit. Je mange vite et je ne pense pas à ce que je mange. Ma nourriture n'est pas importante, car je n'en fais rien. Je mange n'importe quoi. Je ne mange pas de conserves. Je mange des légumes frais et toutes sortes de nourritures végétariennes. Je suis végétarien. Je ne suis pas un mangeur de viande. Je suis un homme, et pas une bête. Je suis une bête quand Dieu veut me faire comprendre que je ne dois pas manger de viande. Ma femme ressent qu'il ne faut pas manger de viande, mais elle a peur d'arrêter, car le Docteur Fränkel mange de la viande. Elle croit que le Docteur Fränkel comprend mieux la médecine que moi. Je comprends que le Docteur Fränkel ne comprend pas la médecine, ainsi que beaucoup d'autres docteurs et professeurs. Les docteurs et les professeurs aiment beaucoup manger, car ils pensent que la viande donne de la force physique. Je crois que la force physique ne vient pas de la nourriture, mais de la raison. Je sais que bien des gens diront qu'on ne peut pas se nourrir de la raison. Je dirai qu'on peut se nourrir de la raison, car la raison distribue la nourriture. Je mange autant que la raison me le commande. J'ai beaucoup mangé maintenant, car je sentais une grande faim. Je me suis enfui de la maison, car ma femme ne m'a pas compris. Elle a eu peur de moi, et j'ai eu peur d'elle. J'ai eu peur d'elle, car je ne voulais pas manger de viande. Elle a eu peur de moi, car elle croyait que je ne voulais pas qu'elle mange. Elle pensait que je voulais la faire mourir de faim. Je veux l'aider, c'est pourquoi je ne voulais pas qu'elle mange de viande. Je me suis enfui de la maison. J'ai descendu et descendu en courant la montagne sur laquelle est notre maison. Je courais et courais. Je ne trébuchais pas. Une force inconnue me portait en avant. Je n'étais pas fâché contre ma femme. Je courais tranquillement. Au pied de la montagne il y avait la petite ville de Saint-Moritz. J'ai passé tranquillement Saint-Moritz. Puis j'ai tourné sur une route qui menait vers le lac. J'ai pressé le pas. En traversant la ville, j'ai remarqué le

Docteur Fränkel qui allait chez ma femme. J'ai compris qu'on lui avait téléphoné et qu'on lui avait demandé de venir.

J'ai marché et j'ai baissé la tête, comme si j'étais coupable. J'ai marché et marché. Je marchais vite. Quand je me suis approché du niveau du lac, j'ai commencé à me chercher un refuge. J'avais un franc et dix centimes en poche. J'ai pensé que j'avais encore de l'argent à la banque, environ quatre cents francs. Je me suis dit que je pouvais me payer une chambre, mais que je ne rentrerais pas à la maison. J'ai décidé de chercher une chambre. Je suis entré dans une pâtisserie pour demander à la propriétaire de la maison et de la pâtisserie de me donner une chambre. Je voulais l'émouvoir, et je lui ai dit que je n'avais rien mangé. Je lui ai d'abord demandé si elle-même avait mangé. Elle a dit qu'elle avait déjà terminé. Après ça je lui ai dit que j'avais faim. Elle n'a rien répondu, croyant probablement qu'il ne fallait pas que je mange. J'allais souvent chez eux, et j'achetais toutes sortes de friandises. Elle croyait que j'étais riche, c'est pourquoi elle me faisait toujours des amabilités. J'embrassais son enfant et lui caressais la tête. Elle était contente. Je lui disais que je la plaignais, car elle souffrait à cause de la guerre. Elle se plaignait des temps difficiles. Je pleurais, elle aussi. Je lui commandais beaucoup de friandises, croyant l'aider. Elle était contente. Je lui ai demandé si elle pouvait me louer une chambre. A quoi elle m'a répondu que tout était archiplein. Après quelque temps elle m'a dit qu'il y aurait un appartement libre dans une semaine. Je lui ai dit que je n'avais pas besoin d'un appartement. Elle a dit qu'elle me plaignait bien, mais qu'elle ne pouvait pas me donner de chambre. J'ai senti qu'elle pensait que je voulais venir avec une femme. Je lui ai dit que je voulais une chambre et que je voulais y travailler, parce que ma femme ne me comprenait pas. Elle a ressenti ma plainte et elle est partie. J'ai dit à son mari qui était là pendant notre conversation que j'étais un homme sérieux et que je n'avais pas besoin d'une femme. Il m'a ressenti, mais il ne pouvait rien faire. Je lui ai dit qu'il était parfois difficile de se comprendre. A quoi il m'a répondu qu'un jour, sa femme avait pris une assiette pas comme il le fallait, et il lui avait conseillé de la prendre comme il le fallait, mais elle ne lui a pas obéi. J'ai senti les pleurs du mari. Moi aussi je me suis mis à pleurer dans mon âme. Je lui ai serré la main pour la première fois et je suis parti. Je sentais de l'amertume, car j'ai compris que je serais obligé de passer la nuit dans la rue. J'ai marché. J'ai passé une galerie de magasins fermés, car toute la ville de Saint-Moritz-Dorf était fermée. Personne ne l'habitait. Je me suis installé près d'un mur sous une fenêtre qui avait un appui, pour voir si je pourrais y passer la nuit. J'ai senti de la chaleur. Après quelque temps j'ai senti du froid. J'ai aperçu de loin une femme ratatinée de froid. J'étais ratatiné aussi. J'avais froid, car c'était l'hiver et l'on était à deux mille mètres. J'ai continué. Soudain, j'ai remarqué une porte ouverte et je suis entré. Je n'ai vu personne, alors j'ai suivi les chambres qui étaient fermées à clé. J'ai remarqué une porte entrouverte et je suis entré. Soudain, j'ai senti que ça puait. La puanteur provenait de l'intérieur. J'ai regardé avec attention, et j'ai vu que c'étaient des water-closets sales. J'ai failli pleurer, car je pensais que je devrais dormir dans des waters sales. Je suis sorti dans la rue. La rue était vide. J'ai continué. Soudain, j'ai été poussé vers la gauche et j'y suis allé. J'ai suivi une mauvaise route. A une certaine distance j'ai remarqué une petite maison à deux étages, peinte en blanc. Je suis allé dans cette direction. Je suis entré dans la maison, et j'y ai trouvé la propriétaire. La propriétaire était une femme simple. Elle avait des vêtements déchirés. Je lui ai demandé si elle pouvait me donner une chambre. Elle a dit qu'elle le pouvait, mais que la chambre était froide. Je lui ai dit que ça m'était égal. Elle m'a emmené au premier étage. L'escalier était à l'extérieur, raide et cassé. L'escalier ne craquait pas, mais la neige craquait. Je suis entré dans la chambre numéro 5 et j'ai vu sa pauvreté. Je me suis senti soulagé. Je lui ai demandé combien il fallait payer pour la chambre. Elle a dit un franc par jour. Je l'ai remerciée et je suis parti en promettant de passer le soir. Nous nous sommes séparés. La maison était blanche et propre. On voyait que les gens étaient pauvres, mais propres. Je voulais partir, mais je ne pouvais pas. Je voulais écrire dans cette petite chambre. La chambre me plaisait. J'ai jeté un coup d'œil, et j'ai vu un lit dur sans oreillers et des fauteuils alignés. Les fauteuils étaient des chaises en bois courbé. Près du lit en vieux bois, il y avait un lavabo sans cuvette. J'ai compris qu'il n'y avait pas d'accessoires de toilette. Je voulais rester, mais Dieu m'a dit qu'il fallait partir. Je suis parti. La femme a fait bonne impression sur moi. Je suis reparti par le chemin d'où j'étais venu. J'ai senti de la tristesse. Ma tristesse était profonde. De la petite maison, j'ai vu ma petite maison à moi, et j'ai pleuré. Je pleurais amèrement. J'avais du chagrin. Je voulais éclater en sanglots, mais mon malheur était trop grand. Les larmes ne venaient pas. J'étais triste. Je suis resté triste longtemps, car j'ai traversé la forêt. J'ai marché longtemps, et je suis entré dans une maison sur la route. J'ai vu des enfants. Je les ai ressentis, et ils m'ont ressenti. Ils ont cru que je voulais jouer et ils se sont mis à me jeter de gros morceaux de neige. Je leur répondais par de petits morceaux, en disant en allemand "c'est pas bien". Je ne parle pas allemand, mais j'ai compris les enfants. J'ai pris la luge et je les ai promenés. Ils riaient. J'étais heureux. Je suis entré avec eux dans leur chaumière et j'ai vu une femme. La femme leur a donné des galettes grasses avec du sucre. Elle les faisait cuire et les donnait aux enfants. Je voulais manger, car je n'avais rien mangé au déjeuner. Elle m'a ressenti et m'a donné une galette. J'ai voulu lui donner dix centimes, mais elle n'a pas voulu les prendre. Je les lui ai fourrés dans la main en disant que c'était pour les pauvres enfants. Elle m'a ressenti et m'a confié son malheur. Je lui ai dit qu'il ne fallait pas s'affliger, car Dieu l'avait voulu. Elle a dit en allemand, en montrant le cimetière, qu'elle avait perdu son enfant voilà déjà trois mois, et qu'elle l'avait enterré dans le cimetière. J'ai senti son malheur et je lui ai dit qu'il ne fallait pas s'affliger, car Dieu avait voulu reprendre son enfant. Elle s'est tue et a ressenti la vérité. Je lui ai encore dit que Dieu reprenait ce qu'il avait donné, et qu'il ne fallait pas s'affliger. Elle s'est calmée et s'est mise à rire. Je voulais partir, mais elle a encore donné une galette à chacun des enfants.

Je ne bougeais pas. Elle m'a donné encore une galette. Elle-même n'en mangeait pas. Elle me ressentait. Je l'ai remerciée et je suis parti. Les enfants m'aimaient. Je ne me suis pas promené avec eux plus d'un quart d'heure. Je suis parti par la route de la forêt. Dans la forêt j'entendais les oiseaux et parfois des exclamations de promeneurs à ski. Je n'avais pas de skis, mais je ne tombais pas. Je marchais et marchais. Je ne tombais pas, car je marchais sur la route. Je ne pouvais pas aller plus loin, car je sentais du froid aux pieds. J'étais habillé légèrement. Je montais rapidement la colline, soudain je me suis arrêté. Je ne savais pas quoi faire. Je ne voulais pas décider le premier. J'attendais le commandement de Dieu. J'attendais et attendais. J'avais froid. J'attendais. J'ai senti de la chaleur. Je savais qu'avant de mourir gelé les hommes ressentent le froid, mais je n'avais pas peur de mourir. J'ai senti une poussée et j'ai continué à marcher. Je suis monté plus haut. Je marchais et marchais. Soudain je me suis arrêté, et j'ai compris qu'il n'était pas possible d'aller plus loin. Je n'avançais plus, je ne bougeais pas et je sentais le froid. J'ai compris que la mort était venue. Je n'avais pas peur et je pensais que je m'allongerais, et qu'après on me ramasserait et m'amènerait à ma femme. Je pleurais. Je pleurais dans mon âme. J'avais du chagrin. Je ne savais pas quoi faire. Je ne savais pas où aller. J'ai compris que si j'allais plus loin, je ne trouverais pas d'abri avant vingt-cinq verstes. J'avais peur de mourir de froid, car j'avais faim et j'étais fatigué. Je me suis retourné et j'ai pris le chemin du retour. Je marchais et marchais. J'ai vu une autre route menant ailleurs. J'ai pris cette route et j'ai vu des gens.

Je me suis réjoui dans mon âme. Les gens n'ont pas fait attention à moi. J'ai continué à marcher en admirant leurs silhouettes sur des skis. Je marchais sur une mauvaise route. La route était toute défoncée. Je ne pouvais pas regarder de côté. Je voyais que l'Inn coulait le long de la route. L'Inn prend sa source là où j'avais marché. Je marchais mal et j'étais fatigué. Je marchais et marchais. Je voulais me reposer. J'ai aperçu une souche, mais la souche était au bord de la route, et le bord de la route tombait à pic dans l'Inn. J'ai essayé de m'asseoir, mais j'ai failli tomber dans l'Inn. L'Inn était rapide, car la montagne était haute. Je marchais et marchais. Je ressentais une immense fatigue, mais soudain je me suis senti fort et j'ai voulu courir toutes les vingt-cinq verstes. Je ne comprenais pas la distance. Je croyais que je les parcourrais vite, mais je me suis senti fatigué. Je marchais et marchais. Je voulais retourner sur la route que j'avais déjà suivie, mais j'ai senti le froid et j'ai décidé d'aller plus loin. Je suis entré dans le village de Kampfer. Dans ce village j'ai entendu des enfants chanter. J'ai compris que ce chant n'était pas joyeux, mais appris en classe, et je ne me suis pas arrêté. Je plaignais les enfants. J'ai compris ce que c'était que l'école. Je plaignais les enfants. Je marchais et marchais. J'ai atteint la route qui menait à la maison, et dans l'autre sens à ma petite chambre, mais cette chambre était à vingt-cinq verstes. J'ai senti que je devais aller vers cette chambre, parce que je devais changer de vie. J'ai décidé d'y aller, mais une force inconnue m'a fait comprendre que je devais retourner vers chez moi. La route était longue et montait, mais je n'avais pas peur de monter. Je marchais et marchais. Soudain je me suis senti fatigué et je me suis assis sur le garde-fou de la route. J'étais assis et je me reposais. J'avais froid. Je gelais, mais je n'avais pas peur de mourir de froid, car je sentais encore beaucoup de chaleur. J'étais assis et j'attendais. J'ai vu passer des voitures et des passants, mais je ne bougeais pas. Je croyais qu'il me faudrait rester toujours assis, mais soudain j'ai senti la force de me relever. Je me suis levé et je suis parti. Je marchais et marchais. J'ai rencontré des charrettes pleines de bois, et j'ai marché à leur côté. J'ai vu un cheval qui courait dans la montée et j'ai couru. Je le faisais sans penser, mais en ressentant. Je courais et j'étais à bout de souffle. Je ne pouvais pas courir et j'ai marché. J'ai compris que les gens harassent les chevaux et les gens jusqu'à ce que le cheval ou l'homme s'arrête ou tombe comme une pierre. Le cheval et moi avons décidé qu'on pourrait nous fouetter tant qu'on voudrait mais que nous n'en ferions qu'à notre tête, car nous voulons vivre. Le cheval marchait, moi aussi. Dans la voiture était assis un gros monsieur avec sa femme qui s'ennuyait. Le cocher s'ennuyait aussi. Tout le monde s'ennuyait. Je ne m'ennuyais pas, car je ne pensais pas, mais je ressentais. Je marchais et marchais.

Je suis arrivé à la ville de Saint-Moritz-Dorf. Je me suis arrêté près des dépêches. Je ne lisais pas les dépêches. Soudain quelqu'un m'a pris par l'épaule. Je me suis retourné et j'ai vu le Docteur Fränkel. Fränkel voulait que je passe chez eux, mais j'ai refusé net, en lui disant que je ne pouvais parler avec personne aujourd'hui, que je voulais être seul. Il m'a dit qu'il valait mieux que j'aille chez eux, car ma femme y était. J'ai dit que je n'aimais pas les réconciliations, que j'aimais que la raison comprenne, et pas qu'on arrange des réconciliations. J'aimais Fränkel, car j'ai senti qu'il avait du chagrin. Moi aussi j'avais du chagrin, mais j'ai décidé de retourner chez moi. J'ai senti que c'était ma maison, et je suis allé dans sa direction. Je marchais vite. J'ai monté la montagne et j'ai tourné vers l'entrée, et je n'étais pas encore arrivé à la maison que j'ai vu que la porte était ouverte. C'est Louise, la servante, qui m'a ouvert la porte. Je suis entré et je me suis mis au piano. J'ai commencé à jouer, mais la servante ne me ressentait pas et me dérangeait, mais je l'ai un peu poussée, et elle m'a compris. J'ai joué un enterrement. Je pleurais dans mon âme. La servante ressentait et elle a dit : "C'est beau." J'ai fini, je suis allé manger. Elle m'a donné un tas de choses. J'ai mangé du pain avec du beurre et du fromage, et pour dessert deux gâteaux à la confiture. Je n'avais pas faim, car je sentais mon estomac. Je suis allé écrire ce que j'ai écrit.

On vient de m'appeler pour dîner, mais j'ai refusé net, car je ne veux pas manger seul. J'ai dit que je n'étais pas un enfant, et qu'on n'avait pas à me raisonner. Louise me raisonnait en disant : "Des macaronis chauds." Je ne répondais rien. Les gens téléphonent et téléphonent. Les gens courent et courent. Je ne sais pas qui téléphone ni pourquoi, car je n'aime pas parler au téléphone. Je crois que la mère de ma femme est arrivée et téléphone pour prendre des nouvelles de ma santé. La servante a répondu quelque chose avec des larmes dans la voix. Tout le monde pense que je suis malade.

Je veux te dire que je t'aime toi toi
Je veux te dire que je t'aime toi toi
Je veux te dire que j'aime j'aime j'aime
Je veux te dire que j'aime j'aime j'aime.
J'aime mais pas toi. Tu n'aimes pas ce que Lui.
J'aime ce que Lui ce que Lui. Tu es mort tu es mort.
Je veux te dire que tu es mort que tu es mort.
Je veux te dire que tu es mort que tu es mort.
Mort est mort, et je suis vie
Je suis vie, et tu es mort
Ayant vaincu la mort par la mort*
Je suis mort, et tu n'es pas vie.
Vie est vie, et mort est mort.
Tu es mort, et je suis vie.
Ayant vaincu la mort par la mort.
Je suis mort, et tu n'es pas vie.
Je veux te dire, que tu es mort, et je suis vie.
Je veux te dire, que je suis vie, et tu es mort.
Je t'aime mon ami. Je te veux du bien.
Je te veux du bien, je t'aime toi toi.
Je te veux du bien, je ne te veux pas de mal.
Tu ne m'aimes pas toi
Je t'aime je t'aime.
Je te veux du bien
Je suis à toi, et tu es à moi.
Je t'aime toi toi
Je t'aime toi toi.
Je te veux toi toi
Je te veux toi toi.

* Citation de la liturgie orthodoxe de Pâques. *(N.d.T.)*

J'écris ces vers en pleurant et en pensant à ma femme qui m'a abandonné croyant que je suis un barbare d'origine russe. Elle m'a dit plus d'une fois que j'étais un "barbare russe". Elle a appris ces mots en Hongrie, quand la Russie était en guerre avec la Hongrie. J'aimais la Hongrie quand elle était en guerre avec la Russie. Je ne connaissais personne quand j'étais en Hongrie. J'étais enfermé dans une chambre et je composais la théorie de la danse. Je dansais peu, car j'étais triste. Je m'ennuyais, car j'avais compris que ma femme ne m'aimait pas. Je me suis marié par hasard. Je me suis marié en Amérique du Sud et le mariage a été célébré à Rio de Janeiro. J'ai fait sa connaissance sur le paquebot *Avon*. J'ai déjà un peu décrit mon mariage. Je dois dire que je me suis marié sans réfléchir. Je l'aimais et l'aimais. Je ne pensais pas à l'avenir. Je dépensais l'argent que j'avais économisé avec beaucoup de difficulté. Je lui offrais des roses qui coûtaient cinq francs chacune. Je lui apportais de ces roses tous les jours, par vingt, par trente. J'aimais lui offrir des roses blanches. Je ressentais les fleurs. J'ai compris que mon amour était blanc, et pas rouge. Les roses rouges me faisaient peur. Je ne suis pas un homme peureux, mais je sentais un amour éternel, et pas passionné. Je l'aimais passionnément. Je lui donnais tout ce que je pouvais. Elle m'aimait. Il me semblait qu'elle était heureuse. J'ai ressenti du chagrin pour la première fois trois ou cinq jours après le mariage. Je lui ai demandé d'apprendre à danser, car pour moi la danse était la chose la plus sublime au monde après elle. Je voulais lui apprendre. Je n'apprenais à personne, car j'avais peur pour moi. Je voulais lui apprendre la bonne danse, mais elle a eu peur, elle ne me croyait plus. Je pleurais et pleurais amèrement. Je pleurais amèrement. Je sentais déjà la mort. J'ai compris que j'avais fait une erreur, mais l'erreur était irréparable. Je m'étais mis entre les mains d'une personne qui ne m'aimait pas. J'ai compris toute l'erreur. Ma femme m'a aimé plus que les autres, mais elle ne me ressentait pas. J'ai voulu partir, mais j'ai senti que c'était déloyal, et je suis resté avec elle. Elle m'aimait peu. Elle ressentait l'argent et mon succès. Elle m'aimait pour mon succès et la beauté de mon corps. Elle était habile et m'a donné l'appétit de l'argent. J'ai fait une affaire à Londres au Palace Music Hall et j'ai échoué dans cette affaire. Je suis encore en procès avec ce théâtre. J'ai déjà décrit la direction de ce théâtre.

Je suis tombé de surmenage et j'avais de la fièvre. J'étais à la mort. Ma femme pleurait. Elle m'aimait. Elle souffrait quand elle me voyait tant travailler. Elle comprenait que tout ça c'était pour de l'argent. Je ne voulais pas d'argent. Je voulais une vie simple. J'aimais le théâtre et je voulais travailler. Je travaillais beaucoup, mais plus tard, j'ai perdu courage, car j'ai remarqué qu'on ne m'aimait pas. Je me suis enfermé en moi-même. Je me suis enfermé si profondément que je ne pouvais plus comprendre les gens. Je pleurais et pleurais…

Je ne sais pas pourquoi ma femme pleure. Je crois qu'elle a reconnu sa faute et a peur que je ne la quitte. Je ne savais pas qu'elle était à la maison. Je la croyais chez Fränkel. Je me suis arrêté, car j'ai entendu ses pleurs. J'ai mal. J'ai pitié d'elle. Je pleure, je pleure. Elle pleure et pleure. Je sais que le docteur Fränkel est chez elle, c'est pourquoi je n'y vais pas. J'espère qu'avec l'aide de Dieu, elle me comprendra.

J'ai envie de pleurer, mais Dieu me commande
d'écrire. Il ne veut pas que je reste sans rien
faire. Ma femme pleure et pleure toujours. Je
pleure aussi. J'ai peur que le Docteur Fränkel ne vienne me dire que ma femme pleure,
pendant que moi j'écris. Je n'irai pas chez
elle, car ce n'est pas ma faute. J'irai manger
seul si dieu me l'ordonne. Mon enfant voit
et entend tout, et j'espère qu'elle me comprendra. J'aime Kyra, mais elle ne me ressent
pas, car il y a une ivrognesse près d'elle. J'ai
remarqué les flacons d'alcool. Un flacon
d'alcool à quatre-vingt-dix degrés, l'autre dilué
avec de l'eau. Ma femme ne le remarque pas,
mais j'espère que sa mère le remarquera et
jettera dehors et la femme et le flacon. Ma
petite Kyra sent que je l'aime, mais elle croit
que je suis malade, car on lui a raconté des
histoires. Ils demandent si je dors bien, et je
leur dis que j'ai toujours un bon sommeil. Je
ne sais pas quoi écrire, mais Dieu veut que
j'écrive, car il en connaît le sens. J'irai bientôt
à Paris et j'y ferai une telle impression que
le monde entier en parlera. Je ne veux pas
qu'on pense que je suis un grand écrivain. Je
ne veux pas qu'on pense que je suis un grand
artiste. Je ne veux pas qu'on dise que je suis
un grand homme. Je suis un homme simple

qui a beaucoup souffert. Je crois que le Christ n'a pas souffert autant que j'ai eu à souffrir au cours de ma vie. J'aime la vie, et je veux vivre.

J'ai envie de pleurer, mais je ne peux pas, car mon âme me fait si mal que j'ai peur pour moi. Je sens de la douleur. Je suis malade de l'âme. Je suis malade de l'âme, et pas de l'esprit. Le Docteur Fränkel ne comprend pas ma maladie. Je sais ce dont j'ai besoin pour retrouver la santé. Ma maladie est trop grave pour qu'on puisse me guérir rapidement. Je suis incurable. Je suis malade de l'âme. Je suis pauvre. Je suis misérable. Je suis malheureux. Je suis affreux. Je sais que tout le monde souffrira en lisant ces lignes, car je sais qu'on me ressentira. Je sais bien ce qu'il me faut. Je suis un homme fort, et pas faible. Je ne suis pas malade du corps. Je suis malade de l'âme. Je souffre. Je souffre. Je sais que Kostrovski me ressentira, mais je sais que tout le monde me ressentira. Je suis un homme, et pas une bête. J'aime tout le monde. Moi aussi j'ai des fautes. Je suis un homme, et pas Dieu. Je veux être Dieu, c'est pourquoi je travaille sur moi-même. Je veux danser. Je veux dessiner. Je veux jouer du piano. Je veux écrire des vers. Je veux composer des ballets. Je veux aimer tout le monde. C'est mon but dans la vie. Je sais que les socialistes me comprendront mieux, mais je ne suis pas socialiste. Je suis Dieu. Mon parti est celui de Dieu. J'aime tout le monde. Je ne veux pas de la guerre. Je ne veux pas des frontières des Etats. Je veux la wilsonnerie, qui améliorera tout le globe terrestre. Je suis tout le globe terrestre. Je suis la terre. J'ai une maison partout. J'habite partout. Je ne veux rien posséder. Je ne veux pas être riche. Je veux aimer, aimer. Je suis l'amour, et pas la férocité. Je ne suis pas une bête assoiffée de sang. Je suis un homme. Je suis un homme.

Dieu est en moi, et je suis en Lui. Je Le veux. Je Le cherche. Je veux qu'on publie mes manuscrits, car je sais que tout le monde peut lire, mais j'espère l'amélioration. Je ne sais pas ce qu'il faut pour ça, mais je sens que Dieu les aidera dans leur quête. Je suis un chercheur, car je sens Dieu. Dieu me cherche, c'est pourquoi nous nous retrouvons l'un l'autre.

Dieu Nijinski / Saint-Moritz-Dorf / Villa *Guardamunt* /

le 27 février 1919

MORT

(troisième cahier)

Sur la mort
Vaslav Nijinski
V. Nijinski
Saint-Moritz-Dorf
Villa *Guardamunt*
27 février 1919

La mort est venue à l'improviste, car je l'ai voulue. Je me suis dit que je ne voulais plus vivre. J'ai peu vécu. Je n'ai vécu que six mois. On m'a dit que j'étais fou. Je croyais que j'étais vivant. On ne me laissait pas tranquille. Je vivais dans la joie, mais les gens disaient que j'étais méchant. J'ai compris que les gens avaient besoin de la mort, et j'ai décidé de ne plus rien faire, mais je ne pouvais pas. J'ai décidé d'écrire sur la mort. Je pleure de chagrin. Je suis très affligé. Je m'ennuie, car tout est vide autour de moi. Je me suis vidé. Je sais que Louise, la servante, pleurera demain, car elle sera désolée de voir cette dévastation. J'ai enlevé tous les dessins et les tableaux que j'ai faits au cours de ces six mois. Je sais que ma femme cherchera mes tableaux et ne les trouvera pas. J'ai remis les meubles comme avant et le même abat-jour à la lampe. Je ne veux pas qu'on se moque de moi et j'ai décidé de ne rien faire. Dieu m'a commandé de ne rien faire. Il veut que je note mes impressions. Je vais écrire beaucoup. Je veux comprendre la mère de ma femme et son mari. Je les connais bien, mais je veux vérifier. J'écris sous l'impression de ce que j'ai vécu, je n'invente pas. Je suis assis à une table vide. Dans ma table, il y a beaucoup de couleurs. Toutes les couleurs se sont desséchées, car je ne peins plus. J'ai beaucoup peint et j'ai fait beaucoup de progrès. Je veux écrire, mais pas ici, car je sens la mort. Je veux aller à Paris, mais j'ai peur de ne plus avoir le temps. Je veux écrire sur la mort. J'appellerai le premier livre *la Vie*, et celui-ci *la Mort*. Je ferai comprendre la vie et la mort. J'espère réussir. Je sais que si je publie ces livres, tout le monde dira que je suis un mauvais écrivain. Je ne veux pas être écrivain. Je veux être un penseur. Je pense et j'écris. Je ne suis pas un écrivassier. Je suis un penseur. Je ne suis pas Schopenhauer. Je suis Nijinski. Je veux vous dire, à vous, les hommes, que je suis Dieu. Je suis ce Dieu qui meurt si on ne l'aime pas. J'ai pitié de moi-même, car j'ai pitié de Dieu. Dieu m'aime et me donne la vie en la mort. Je suis la mort. Je suis celui qui aime la mort. Je n'ai pas sommeil. J'écris la nuit. Ma femme ne dort pas, mais pense. Je sens, je suis la mort. Il lui est difficile de refuser la mort. Je comprends les gens. Ils veulent jouir de la vie. Ils aiment les jouissances. Je considère toutes les jouissances comme affreuses. Je ne veux pas de jouissances. Ma femme veut des jouissances. Je sais qu'elle aura peur quand elle découvrira que tout ce que j'écris est la vérité. Je sais qu'elle sera triste, car elle pensera que je ne l'aime pas. Je lui dirai que j'ai écrit la vérité, mais je sais qu'elle dira que je suis un homme méchant. Il se peut qu'elle ne veuille pas vivre avec moi, car elle ne me fera pas confiance. Je l'aime et je sais que je souffrirai de son absence. Je sais que mes souffrances sont nécessaires, c'est pourquoi je souffrirai. Je veux dire toute la vérité. Je ne veux pas cacher aux gens ce que je sais. Je dois montrer ce que sont la vie et la mort. Je veux décrire la mort. J'aime la mort. Je sais ce que c'est que la mort. La mort est une chose affreuse. J'ai ressenti la mort plus d'une fois. J'ai été mourant à la clinique quand j'avais quinze ans. J'étais un gamin courageux. J'ai sauté et je suis tombé. On m'a emmené à l'hôpital. A l'hôpital, j'ai vu la mort de mes propres yeux. J'ai vu l'écume qui sortait de la bouche d'un malade, parce qu'il avait bu toute une bouteille de médicament. Je sais ce que c'est qu'un médicament. Le médicament vous soutient, mais si on le prend, on va dans l'autre monde. Je sais que dans l'autre monde il n'y a pas de lumière, c'est pourquoi j'ai peur de l'autre monde. Je veux de la lumière, mais différente. J'aime la lumière des étoiles qui clignotent, je n'aime pas les étoiles qui ne clignotent pas. Je sais qu'une étoile clignotante c'est la vie, et qu'une étoile qui ne clignote pas c'est la mort. Je sais ce que je dois faire quand une étoile me clignote. Je sais ce que signifie une étoile qui ne clignote pas. Ma femme est une étoile qui ne clignote pas. J'ai remarqué qu'il y a beaucoup de personnes qui ne clignotent pas. Je pleure quand je sens qu'une personne ne clignote pas. Je sais ce que c'est que la mort. La mort c'est une vie éteinte. Une vie éteinte, c'est ainsi qu'on appelle les gens qui ont perdu la raison. Moi aussi, j'étais dénué de raison, mais quand je suis resté dans ma petite chambre à Saint-Moritz, j'ai compris toute la vérité, car j'ai beaucoup senti. Je sais qu'il est difficile de sentir seul. Mais c'est seulement quand il est seul que l'homme peut comprendre ce qu'est le sentiment. Je ne veux rien faire pour que ma femme ressente. Je sais que si je commence à expliquer, elle pensera, et penser, c'est la mort. Je ne veux pas penser, c'est pourquoi je vis. Je sais que quand la mère de ma femme arrivera, j'aurai beaucoup à penser. La mère de ma femme arrivera demain à onze heures du matin. Je voulais dire aujourd'hui, mais j'ai changé d'avis, car je considère que demain, c'est quand un homme se réveille, et pas les douze premières heures de la journée. Je ne crois pas nécessaire de compter. Je n'aime pas compter. Compter fatigue le cerveau. Compter c'est la mort. Tous les équipements mécaniques sont la mort. Je sais que c'est ma grande faute si ma femme compte, mais je lui avais dit que ça ne valait pas la peine de compter, car tout était déjà compté. J'ai envie d'aller boire, car j'ai mal à l'estomac. Je mangerai de la viande, car je veux montrer que je suis comme eux. J'en mangerai et je décrirai mes impressions. Je veux parler de tout ce que je verrai et entendrai. Je ferai tout comme eux. Je dirai des amabilités comme eux. J'ai bu toute une bouteille d'eau minérale. Je n'aime pas boire sans raison, mais je l'ai bue, car je le faisais avant. Maintenant je veux revivre comme avant. Je ne revivrai plus comme avant après avoir terminé ce livre. Je veux écrire sur la mort, c'est pourquoi j'ai besoin d'impressions fraîches. J'appelle impressions fraîches quand un homme décrit ce qu'il a vécu. Je vais décrire ce que j'ai vécu. Je veux vivre des choses. Je suis un homme dans la mort. Je ne suis pas Dieu. Je ne suis pas un homme. Je suis une bête féroce et un fauve. Je veux aimer les cocottes. Je veux vivre comme un homme inutile.

Je sais que Dieu le veut, c'est pourquoi je vivrai ainsi. Je vivrai ainsi jusqu'à ce qu'il m'arrête. Je jouerai à la Bourse, car je veux faire perdre les autres. Je suis un homme méchant. Je n'aime personne. Je veux du mal à tout le monde et du bien pour moi-même. Je suis égoïste. Je ne suis pas Dieu. Je suis une bête féroce. Je me masturberai et ferai du spiritisme. Je dévorerai tous ceux qui me tomberont sous la main. Je ne m'arrêterai devant rien. J'aimerai la mère de ma femme et mon enfant. Je pleurerai, mais je ferai tout ce que Dieu me commandera. Je sais que tout le monde aura peur de moi et qu'on m'enfermera dans une maison de fous, mais ça m'est égal. Je n'ai peur de rien. Je veux la mort. Je me tirerai une balle dans la tête si Dieu le veut. Je serai prêt à tout. Je sais que Dieu veut tout ça pour l'amélioration de la vie, c'est pourquoi je suis son instrument. Il est déjà une heure passée et je ne dors pas. Je sais que les gens doivent travailler le jour, moi, je travaille la nuit. Je sais que demain j'aurai les yeux rouges. La mère de ma femme aura peur, car elle pensera que je suis fou. J'espère qu'on m'enfermera dans une maison de fous. Je me réjouirai de cet événement, car j'aime tyranniser tout le monde. Je trouve de la jouissance dans la tyrannie. La tyrannie m'est familière. Je connaissais un chien qui s'appelait Citron. C'était un bon chien. Je l'ai gâché. Je lui ai appris à se masturber contre ma jambe. Je lui ai appris à jouir contre ma jambe. J'aimais ce chien. J'ai fait toutes ces choses quand j'étais gamin. Je faisais la même chose que le chien, mais avec la main. Je jouissais en même temps que lui. Je sais que beaucoup de jeunes filles et de femmes aiment les animaux de cette façon. Je sais que ma servante Louise fait ça avec des chats. Je sais que ma cuisinière fait ça avec des chats. Je sais que tout le monde fait ces choses-là. Je sais que tous les petits chiens sont gâchés. Je connaissais une famille hongroise dont la jeune fille faisait ça avec un gorille. Le gorille l'a mordue à l'endroit où elle se faisait posséder. Le singe a ressenti de la colère, car la femme ne l'avait pas compris. Le singe est un animal stupide, et la femme rusait avec le gorille. Le gorille l'a mordue, c'est pourquoi elle est morte dans des souffrances atroces. Je sais que beaucoup de gens se mettent toutes sortes de sucreries pour que les animaux les lèchent. Je connais des femmes qui se font lécher par des animaux. Je connais des gens qui lèchent. Moi aussi je léchais ma femme. Je pleurais, mais je léchais. Je connais des choses affreuses, car je les ai apprises de Diaghilev. Diaghilev m'a tout appris. J'étais jeune et je faisais des bêtises, mais je ne veux plus faire ces choses-là. Je sais où tout ça mène. J'ai vu des femmes qui se faisaient posséder par des hommes plusieurs fois de suite. J'ai moi-même possédé ma femme jusqu'à cinq fois par jour. Je sais où tout ça mène. Je ne veux plus faire ces choses-là. Je sais que de nombreux docteurs soutiennent qu'un homme doit posséder sa femme chaque jour. Je sais que tout le monde croit ça. Je sais que de nombreux docteurs soutiennent qu'il est indispensable pour un homme de posséder une femme, car on ne peut exister sans ça. Je sais que les gens ne le font que parce qu'ils ont beaucoup de désir.

Je connais beaucoup de poèmes sur le désir. Le désir est une chose affreuse. Je sais que le clergé fait la même chose. Je sais que l'Eglise n'interdit pas les actes de chair. Je sais qu'un jour, ma femme et sa femme de chambre ont dû se confesser, et qu'elles ont failli être enfermées dans le souterrain d'une des églises de Londres. J'ai oublié le nom de l'église. Je le dirai plus tard, car je poserai la question à ma femme. Je veux la posséder pour avoir un enfant, et pas pour le désir. Je ne veux pas désirer. Je n'aime pas le désir. Je veux vivre. Je désirerai, car Dieu le voudra. Je connais un poète qui a beaucoup écrit en russe sur le désir. Moi-même, j'ai désiré beaucoup de femmes. J'ai beaucoup désiré à Paris. A Paris, il y a beaucoup de cocottes, c'est pourquoi on peut désirer. Je sens le désir maintenant, car Dieu veut me faire comprendre ce que c'est que le désir. Je n'ai pas désiré depuis longtemps. Ma femme aime me désirer. Je ne veux pas désirer, car je sais ce que c'est que le désir. Je sais qu'on me dira que je suis un skopets*. Je n'ai pas peur des skopets, car je connais leurs buts. Je n'aime pas les skopets, car ils se font couper les testicules. Je sais que les testicules sécrètent la semence, c'est pourquoi je ne veux pas me les faire couper. J'aime la semence. Je veux la semence. Je suis la semence. Je suis la vie. Sans la semence, il n'y aurait pas de vie. Je sais que beaucoup de professeurs allemands ordonnent aux gens de se multiplier parce qu'ils veulent beaucoup de soldats. Je sais ce que c'est qu'un soldat. J'ai vu beaucoup d'images, et en plus j'ai une forte imagination. Je connais la mort des soldats. Je connais leurs souffrances. J'ai vu en Hongrie un train de blessés allemands. J'ai vu leurs visages. Je sais que les professeurs

* Secte religieuse dont les membres masculins se font châtrer après la naissance de leur premier enfant. (N.d.T.)

allemands et autres ne comprennent pas la mort. Je sais que les professeurs sont des bêtes stupides. Je sais qu'ils sont bêtes, car ils ont perdu le sentiment. Je sais qu'ils ont perdu la vue, car ils lisent beaucoup de bêtises. J'ai composé un ballet sur la musique de Richard Strauss. J'ai composé ce ballet à New York*. Je l'ai composé vite. On exigeait de moi que je le règle en trois semaines. Je pleurais et disais que je ne pouvais pas le régler en trois semaines, que c'était au-dessus de mes forces, alors Otto Kahn, le directeur et président du Metropolitan, m'a dit qu'il ne pouvait pas me donner plus de temps. Il me l'a fait dire par le chargé des affaires du théâtre, M. Coppicus. J'ai accepté la proposition, car il ne me restait rien d'autre à faire. Je savais que si je n'acceptais pas, je n'aurais pas d'argent pour vivre. Je me suis décidé, et je suis allé travailler. J'ai travaillé comme un "bœuf". Je ne connaissais pas la fatigue. Je dormais peu, je travaillais et travaillais. Ma femme voyait tout le travail et me plaignait. J'ai pris un masseur, car sans massages, je n'aurais pas pu continuer mon travail. J'ai compris que je mourais. J'ai commandé des costumes en Amérique, à un costumier. Je lui ai expliqué tous les détails. Il me ressentait. J'ai commandé les décors au peintre Johnson. Cet artiste semblait me comprendre, mais il ne me ressentait pas. Il s'énervait et s'énervait. Je ne m'énervais pas. Je me réjouissais. Je lui ai montré le décor. Je lui ai dit d'apporter des livres de l'époque qu'on allait représenter. Il me dessinait ce que je lui disais. Ses maquettes de costumes

* Il s'agit ici de *Till Eulenspiegel*, dernière chorégraphie de Nijinski, créée à New York en 1916. *(N.d.T.)*

étaient plus réussies. Leurs couleurs étaient pleines de vie. J'aimais la vie en couleurs. Il a compris mon idée. Je lui ai montré comment il fallait chercher l'idée. Il m'était reconnaissant mais il s'énervait et s'énervait. Il me rappelle ma femme qui a peur de tout. Je lui disais : "De quoi aurions-nous peur ? Il ne faut pas avoir peur." Mais il était nerveux. Apparemment, il n'était pas sûr du succès. Il ne me croyait pas. J'étais sûr du succès. Je travaillais comme un bœuf. On a fourbu le bœuf, car il est tombé, et il s'est tordu la cheville. On a envoyé le bœuf chez le docteur Abbé. C'était un bon docteur. Il m'a soigné simplement. Il m'a ordonné de rester couché. J'étais couché et couché. J'avais une garde-malade. Elle me gardait et me gardait. Je n'arrivais pas à m'endormir, car je n'avais pas l'habitude de dormir avec une garde-malade. Si elle n'était pas restée assise près de la table, j'aurais peut-être dormi. Elle me recommandait tout le temps : "Dormez, dormez, dormez", et moi je ne dormais pas, et ne dormais pas. Et ainsi, une semaine a passé, puis une autre. Mon ballet *Till* n'était toujours pas à l'affiche. Le public s'inquiétait. Le public me prenait pour un artiste capricieux. Je n'avais pas peur de ce que le public pensait. La direction avait décidé de repousser le spectacle d'une semaine. Puis elle a commencé à jouer sans moi, croyant faire de meilleures affaires. Elle avait peur d'une faillite. Il n'y a pas eu de faillite, car j'ai commencé à danser et le public est venu. Le public américain m'aime, car il a cru en moi. Il voyait que j'avais mal au pied. Je dansais mal, mais il était content. *Till* était réussi, mais il avait été monté trop vite. Il avait été sorti trop tôt du four, c'est pourquoi il était mal cuit. Le public américain aimait mon ballet mal cuit, car il était bon. Je l'avais très bien cuisiné. Je n'aime pas les choses mal cuites, car je sais combien on a mal à l'estomac ensuite. Je n'aimais pas ce ballet, mais je disais que c'était "bien". Il fallait dire que c'était "bien", car si j'avais dit que le ballet n'était pas bien, personne ne serait venu au théâtre et ça aurait été la faillite. Je n'aime pas les faillites, c'est pourquoi je disais que c'était "bien". J'ai dit à Otto Kahn que j'allais bien et que j'étais content. Il me faisait des compliments, car il voyait que le public se réjouissait. J'avais fait un ballet drôle, car je ressentais la guerre. Tout le monde en avait assez de la guerre, c'est pourquoi il fallait amuser. Je les ai amusés. J'ai montré *Till* dans toute sa beauté. Sa beauté était simple. J'ai montré la vie de Till. La vie de Till était simple. J'ai montré que Till était le peuple allemand. Les journaux étaient contents, car la critique était allemande *(sic)*. J'avais fait venir des journalistes la veille de la première représentation et je leur avais expliqué le but de *Till*. Ils étaient très heureux, car ils pouvaient préparer leur critique. La critique était bonne et parfois très intelligente. Je me voyais Dieu et diable à la fois. On m'a élevé à des hauteurs de la tour de Babylone. Je n'aimais pas les hauteurs, car je voyais que tout ça n'était que des compliments. Je voyais que le critique avait compris mon ballet. J'ai senti que le critique voulait me complimenter. Je n'aime pas les compliments, car je ne suis pas un gamin. J'ai vu l'erreur que le critique avait remarquée. Il avait remarqué un endroit dans la musique que je n'avais pas compris. Il croyait que je n'avais pas compris. J'avais très bien compris, mais je ne voulais pas me fatiguer, car j'avais mal au pied. Cet endroit dans la musique était très difficile à interpréter, c'est pourquoi je l'avais ignoré. Les critiques pensent toujours qu'ils sont plus intelligents que les artistes. Ils exagèrent souvent, car ils injurient l'artiste pour son interprétation. L'artiste est pauvre, c'est pourquoi il tremble devant le critique. Ça le peine et l'offense. Il pleure dans son âme. Je connais un critique partial, un peintre, qui n'aimait pas les artistes qui ne s'inclinaient pas devant lui. Il s'appelle Alexandre Benois. Alexandre Benois est un homme très intelligent et il ressent la peinture. J'ai lu une de ses critiques qui s'intitule *Les Lettres artistiques*. Ces critiques étaient partiales. Il attaquait toujours Alexandre Golovine qui était artiste peintre des Théâtres-Impériaux à Pétersbourg. J'ai compris que Benois voulait le déloger, car il voulait sa place. Il a envoyé sa critique au journal *Retch*. Ce journal était dirigé par Nabokov. Nabokov était un homme intelligent et a su bien arranger son journal. Il avait engagé Filosofov et s'en prenait sans arrêt à *Novoïe Vremia*. *Novoïe Vremia* avait ses abonnés, et *Retch* voulait les lui enlever. *Retch* était bête, car il n'y avait rien dedans. J'ai compris le journal quand j'étais enfant. Je n'aimais pas les journaux, car j'avais compris leur bêtise. Ils écrivaient des choses connues de tous. Ils remplissaient des pages, car il fallait les remplir. Je n'avais pas peur de la critique quand j'étais gamin, c'est pourquoi je ne m'inclinais pas devant elle. Je m'inclinais devant un critique qui s'appelait Valerian Svetlov.

Ce critique écrivait sur la danse. Il vivait avec la danseuse Schollar, et lui empruntait plein d'expressions. Il notait ces expressions et les plaçait dans de belles phrases. Il y avait aussi d'autres critiques, mais ils n'avaient pas la langue aiguisée. Chez Svetlov la langue était toujours prête. Il cuisinait sa critique, c'est pourquoi il écrivait bien. Les gens pensaient qu'un homme qui écrivait bien comprenait la danse. Je comprenais bien la danse parce que je dansais. Svetlov n'a jamais dansé les ballets dont il faisait la critique. Svetlov est un homme blanc. On l'appelait "le perroquet", car il avait une tête de perroquet. Nicolas Legat ne l'aimait pas, c'est pourquoi il le caricaturait en perroquet. Je dirai que c'est un perroquet pas parce qu'il a une tête de perroquet, mais parce que tout ce qu'il écrit est perroquerie. J'appelle "perroquerie" ces critiques qui répètent des choses que tout le monde connaît déjà. Svetlov était un perroquet dans de la soie, car il avait de l'argent. Il offrait à Schollar des choses chères et de qualité. Il ne l'aimait pas comme un homme jeune et fort. Il avait près de soixante ans. Il se pommadait et se maquillait. Les femmes l'aimaient, car ses critiques étaient acérées. Tout le monde avait peur de lui. Toutes les danseuses couchaient avec lui, car elles avaient peur de lui. Il aimait bien plaisanter, mais pas faire. Il aimait s'amuser comme un petit garçon. C'était un Petit Poucet, car il était chétif. Il était heureux. Il était toujours content. Il avait le visage calme. Son visage ressemblait à un masque. J'ai vu des masques comme ça. Ces masques étaient en cire. Je crois qu'il ne souriait pas exprès, car il avait peur des rides. Il avait des coupures de vieux journaux sur le ballet. Il écrivait la même chose, en changeant un peu le style. Ses critiques étaient la mort, car elles ne disaient rien de nouveau. Ses discours sentaient le parfum et la pommade. Il a commencé à me démolir par caprice. Il ne savait pas que ses critiques me donnaient la nausée. J'avais peur de lui, mais je ne l'aimais pas. Je comprenais qu'on lisait ses critiques, c'est pourquoi ça me contrariait, car j'avais peur qu'on ne me fasse danser dans le corps de ballet. On appelle corps de ballet une masse de gens qui ne savent rien. Je connais beaucoup d'artistes qui savaient bien danser, car ils l'avaient appris, mais qu'on avait placés dans le corps de ballet par hasard, ou parce qu'ils n'avaient personne pour les protéger. Le corps de ballet était bien, car il y avait des gens bien. Le corps de ballet m'a aimé et m'a fait de la publicité. Je l'aimais et il m'aimait. Déjà à cette époque, j'avais envie qu'on m'aime. Je cherchais toutes sortes d'astuces et de manigances pour qu'on m'aime. Je voulais être aimé pas seulement du corps de ballet, mais aussi des premiers et seconds danseurs et danseuses, des maîtres de ballet et des ballerines. J'ai cherché l'amour et j'ai compris que l'amour n'existait pas. Que tout ça c'était de la boue. Que tous cherchaient des compliments ou des amabilités. Je n'aimais pas les compliments et les amabilités. J'allais au bureau de l'administrateur des théâtres Kroupenski, et je demandais qu'on me donne à danser. Je dansais seulement quatre fois par an. Dans le ballet, un an c'est huit mois, car le travail de danse dure huit mois. J'ai très peu dansé devant le public, mais le public m'aimait beaucoup. Je savais que tout ça c'était le résultat des intrigues des artistes.

J'ai cessé d'être gai, car j'ai senti la mort. J'avais peur des gens et je me suis enfermé dans ma chambre. Ma chambre était étroite avec un haut plafond. J'aimais regarder les murs et le plafond, car ça me parlait de la mort. Je ne savais pas comment me divertir, et je suis allé avec Anatole Bourman, mon ami, chez une cocotte. Nous sommes arrivés et elle nous a donné du vin. J'ai bu ce vin, il m'est monté à la tête. C'était la première fois que je goûtais du vin. Je n'aimais pas boire. Après le vin, la tête m'a tourné, mais je n'ai pas perdu conscience. Je l'ai possédée. Elle m'a donné une maladie vénérienne. J'ai eu peur et j'ai couru chez le docteur. Le docteur vénérien vivait assez richement. J'avais peur des gens. Je croyais que tout le monde savait. J'avais dix-huit ans. Je pleurais. Je souffrais. Je ne savais pas quoi faire. J'allais chez le docteur, mais il ne me faisait rien. Il m'a dit d'acheter une seringue et des médicaments. Il m'a dit d'injecter le médicament dans mon membre. Je l'injectais. J'enfonçais la maladie plus profondément. J'ai remarqué que mes testicules gonflaient. J'ai appelé un autre docteur qui m'a mis des sangsues. Les sangsues me suçaient le sang. Je me taisais, mais j'étais épouvanté. J'avais peur. Je souffrais dans mon âme. Je n'avais pas peur des sangsues. Les sangsues remuaient et je pleurais et pleurais. J'ai longtemps gardé le lit. Je n'en pouvais plus. Je me suis levé, et alors mes testicules ont recommencé à gonfler. J'ai eu peur et j'ai décidé d'en finir à tout prix. J'ai été malade de cette maladie plus de cinq mois. J'ai remis des sangsues et gardé le lit. J'avais peur que ma mère ne l'apprenne. J'ai fait la connaissance d'un homme qui m'a aidé dans cette maladie.

Il m'aimait comme un homme aime un jeune garçon. Je l'aimais, car je savais qu'il me voulait du bien. Cet homme s'appelait le Prince Pavel Lvov. Il m'écrivait des poèmes d'amour. Je ne lui répondais pas, mais il m'écrivait quand même. Je ne sais pas ce qu'il voulait dire, car je ne les lisais pas. Je l'aimais, car je sentais qu'il m'aimait. Je voulais vivre toujours avec lui, car je l'aimais. Il m'a obligé à le tromper avec Diaghilev, car il croyait que Diaghilev me serait utile. J'ai fait la connaissance de Diaghilev par téléphone. Je savais que Lvov ne m'aimait pas, c'est pourquoi je l'ai quitté. Pavel Lvov voulait poursuivre nos relations, mais j'ai compris qu'il était malhonnête d'être infidèle. Je vivais avec Diaghilev Serge. Je connais son frère de sa deuxième mère. C'est un homme soigneux et il aime les musées. Je considère les musées comme des cimetières. Il considère les musées comme la vie. Un musée ne peut pas être la vie parce qu'il contient des œuvres d'artistes morts. A mon avis, il ne faudrait pas garder les tableaux des morts, car ils détruisent la vie des jeunes artistes. On compare le jeune artiste avec celui du musée. Je connais un peintre à qui l'on a refusé son diplôme de l'Académie des beaux-arts rien que parce que ses tableaux ne ressemblaient pas à ceux des musées. Ce peintre s'appelait Anisfeld. Anisfeld était Juif. Il a des enfants. Il est marié, mais sa femme ne l'aime pas. Je le sais, parce qu'il disait qu'il se disputait avec sa femme. Je m'en souviens. Il venait chez Diaghilev et se plaignait. Je sais qu'il aimait sa femme, car je sentais les pleurs de son âme. C'était un homme bien. Je lui ai commandé des décors pour plusieurs ballets. Il est maintenant en Amérique du Nord, où il fait des portraits et des décors. On voit d'après les journaux qu'il a du succès. Je suis très content pour lui, car je connais toutes les intrigues de Léon Bakst. Bakst est un bon artiste, mais méchant, car il a démoli Benois et Anisfeld. Je ne démolis pas Benois, mais je dis toute la vérité. Bakst le démolissait, car il ne disait pas la vérité. J'ai vu qu'il avait la dent dure pour Anisfeld. Bakst n'aimait pas Anisfeld car celui-ci faisait de beaux décors et avait du succès, à Paris et dans d'autres villes où nous donnions des spectacles du nom de Ballets russes. J'aimais les Ballets russes. Je leur donnais toute mon âme. Je travaillais comme un bœuf. Je vivais comme un martyr. Je savais que Diaghilev avait des difficultés. Je connaissais ses souffrances. Il souffrait à cause de l'argent. Il ne m'aimait pas, car je ne lui donnais pas mon argent pour son affaire. J'avais économisé beaucoup de milliers de francs. Diaghilev m'a demandé une fois quarante mille francs. Je les lui ai donnés, mais j'avais peur qu'il ne me les rende pas, car je savais qu'il ne les avait pas. Je savais que Diaghilev savait trouver de l'argent, c'est pourquoi j'ai décidé de lui refuser s'il m'en demandait encore. Diaghilev m'en a demandé une fois, au Châtelet, à Paris, dans les coulisses, mine de rien. Je lui ai vite répondu que je ne voulais pas lui donner mon argent, car j'avais donné cet argent à ma mère. Je lui ai tout donné sur le papier et en pensée. Je ne voulais pas qu'elle souffre du manque d'argent. Ma mère a beaucoup souffert, c'est pourquoi je voulais lui donner une vie tranquille. Je lui ai donné une vie tranquille, car elle n'avait pas de soucis d'argent, mais j'ai remarqué qu'elle n'était pas tranquille à mon égard. Elle a voulu me parler plus d'une fois. Je l'ai senti, mais je l'ai évitée. Ma sœur elle aussi a voulu me parler, mais je l'ai évitée. Je comprenais bien que si je laissais Diaghilev, je mourrais de faim, car je n'étais pas suffisamment mûr pour la vie. J'avais peur de la vie. Maintenant je n'ai pas peur de la vie. J'attends les commandements de Dieu. Voilà longtemps que j'écris. Je crois qu'il est bientôt quatre heures de la nuit. Je sais que les gens disent quatre heures du matin, mais je ne vais pas me coucher, car Dieu ne le veut pas. Dieu veut que j'écrive beaucoup. Il veut que j'aille bientôt à Paris et publie ces deux livres. J'ai peur de leur publication, car je sais quel scandale je créerai. Je sais que Dieu m'aidera, c'est pourquoi je n'ai pas peur. Je ne peux pas écrire, car ma main s'est engourdie. Dieu me commande d'écrire. J'irai dormir s'il me le commande. J'attends ses commandements…

Il était déjà cinq heures quand je suis monté. Je suis allé dans le vestiaire et je me suis changé. Chemin faisant, je pensais "Où est ma femme ? Dans la chambre où je dois dormir ou dans une autre ?" et j'ai senti un frisson dans mon corps. Je frissonnais comme maintenant. Je ne peux pas écrire, car je frissonne de froid. Je ne peux pas écrire. Je corrige les lettres, car j'ai peur qu'on ne comprenne pas mon écriture. Je veux dire que je suis allé dans la chambre à coucher, et quand je suis entré, j'ai senti le froid avant de voir. Son lit n'avait pas d'oreillers et n'était pas fait. Je suis redescendu, j'ai décidé de ne pas dormir. Je voulais noter mes impressions. Je ne peux pas écrire, car je sens le froid dans tout mon corps. Je prie Dieu de m'aider, car j'ai mal à la main et il m'est difficile d'écrire. Je veux bien écrire.

Ma femme ne dort pas, et moi non plus. Elle pense, et je sens. J'ai peur pour elle. Je ne sais pas quoi lui dire demain. Je ne parlerai à personne. Je dormirai demain. Je veux écrire, mais je ne peux pas. Je pense. Je ne sens pas, mais je sais que Dieu le veut. Je ne peux pas écrire à cause du froid. Mes doigts se raidissent. Je veux dire qu'elle ne m'aime pas. Je suis triste. J'ai de la peine. Je sais que les gens s'habituent au chagrin et je m'y habituerai. J'ai peur de m'habituer au chagrin, car je sais que c'est la mort. J'irai demander pardon, car je ne veux pas de la mort. Je lui demanderai pardon, mais elle ne me comprendra pas, car elle pensera que j'ai tort. Je n'ai pas peur d'avoir tort, mais j'ai peur qu'elle ne meure. Sa raison se refroidit. Je gèle. Je ne peux pas écrire. Je veux dire que j'ai froid. Je ne peux pas écrire. Mes doigts se sont raidis. Je ne peux pas écrire. J'ai pitié de moi et d'elle. Je pleure. Je suis froid. Je ne sens pas. Je meurs. Je ne suis pas Dieu. Je suis une bête…

....

....

Je veux dormir, mais Dieu ne me le permet pas. J'ai griffé le papier, car je me sentais une bête. Je n'aime pas le papier. Je suis une bête féroce. Je suis un homme méchant. Je ne suis pas Dieu, je suis une bête. J'ai pitié de moi et de mes semblables. Je ne suis pas un homme, mais une bête. Je sais qu'on dira que je suis méchant, car j'écris des choses méchantes.

Je suis méchant, je suis méchant et une bête féroce. J'ai des griffes pointues. Je griffonnerai demain. Je me sens méchant. Je ne veux pas le mal, mais on me veut du mal. Je ne veux pas prendre en pitié les gens qui me veulent du mal. Je ne veux pas le mal, mais on me veut du mal. Je ne peux pas écrire joliment, car je suis méchant. Je n'écris pas calmement. Ma main est nerveuse. Je suis nerveux. Je suis méchant et nerveux. Je ne peux pas être calme. Je ne veux pas être calme. Je serai méchant. Je suis un vaurien. Je suis le plus méchant au monde. Je sais me fâcher. Je l'ai fâchée, c'est pourquoi elle m'a quitté. Je ne peux pas écrire, car je suis fâché. Je suis fâché, mais pas comme les autres... Je me fâche en Dieu. Je n'irai pas me promener demain. Je resterai à la maison. Je boirai du vin et de la bière. Je mangerai de la viande. Je rirai. Je serai bête. Je ne veux pas écrire joliment, car je veux qu'on me lise comme je le veux. Je ne peux plus écrire.

....

Je me suis levé à trois heures de l'après-midi. Je me suis réveillé plus tôt. J'entendais une conversation, mais je ne comprenais pas qui parlait. J'ai compris beaucoup plus tard. J'ai reconnu la voix de sa Mère et de son mari. J'ai compris qu'ils étaient arrivés. J'attendais que Dieu me dise quoi faire. Je ne faisais rien, mais je sentais de l'ennui. J'ai compris en une demi-heure autant de choses qu'un autre en comprendrait en toute une vie. Je pensais. Je pensais avec Dieu. Je savais que Dieu m'aimait, c'est pourquoi je n'avais pas peur de faire ce qu'il me commandait. J'avais peur de la mort. J'étais triste. Je m'ennuyais. Je plaignais ma femme. Elle pleurait. Je souffrais. Je savais que Dieu voulait mes souffrances. Je savais que Dieu voulait que je comprenne ce que c'est que la mort. J'ai compris. J'attendais les ordres de Dieu. Je ne savais pas si je devais me réveiller ou rester au lit. Je sais que Dieu ne me fera pas de mal. Je souffrais dans mon âme. J'avais envie de pleurer. J'entendais sangloter ma femme. J'entendais le rire de ma femme. J'entendais les menaces de la mère de ma femme. Je pleurais dans mon âme. Je regardais le mur et je voyais le papier peint. Je regardais la lampe et je voyais du verre. Je regardais l'espace et je voyais le vide. Je pleurais. J'étais triste. Je ne savais pas quoi faire. J'ai voulu consoler ma femme, mais Dieu me l'a interdit. Je voulais rire, car je sentais le rire, mais j'ai compris la mort, et je me suis arrêté. J'entendais parler de moi. J'ai compris que tout le monde pensait. J'ai commencé à m'ennuyer. Je voulais les amuser. Je restais couché, je restais couché. J'étais triste. Je pleurais dans mon âme. J'ai commencé à bouger et j'ai levé une jambe. J'ai senti un nerf dans cette jambe. J'ai commencé à bouger ce nerf. Je bougeais les orteils au moyen de ce nerf. J'ai compris que mon gros orteil n'était pas bon, car il n'avait pas de nerf. J'ai compris la mort. Je remuais le gros orteil, et les autres orteils remuaient après lui. J'ai compris que les autres orteils n'avaient pas de nerf et qu'ils vivaient du nerf du gros orteil. Je sais que bien des gens se soignent les pieds. Ils se coupent les durillons. Je n'ai pas de durillons, car je me suis soigné davantage. Je n'ai pas cru aux opérateurs de durillons et je les ai grattés moi-même. J'ai compris que gratter c'était la même chose, avec cette différence que le durillon coupé repoussait plus vite. J'ai décidé d'en finir avec les durillons, car ils ne me laissaient pas tranquille. J'étais à Venise. J'ai ôté mes bottes et j'ai commencé à marcher pieds nus ou en pantoufles. Je n'aimais pas les pantoufles, mais je les portais par habitude. Je les porte maintenant, car je dois les user. Je n'aime pas les bottes, c'est pourquoi je porte des chaussures de danse larges. J'ai compris à Venise comment on pouvait se débarrasser des durillons, et j'ai commencé à faire ce qui me paraissait le mieux. J'ai observé, après quelque temps, que mon durillon ne me faisait plus mal, mais il était gros, car je l'avais laissé pousser. Je l'ai laissé tel qu'il était, et après quelque temps j'ai commencé à l'user avec une pierre qui s'appelle "pierre d'écume". Mes durillons sont partis. J'ai observé aujourd'hui que je n'avais plus de durillons, mais que mes orteils étaient courts et n'avaient pas une belle forme. J'ai observé que mes orteils étaient sans nerfs. J'ai compris que toute notre vie était une dégénérescence. J'ai compris que si les gens continuent de vivre ainsi, ils seront sans orteils. J'ai compris que tout l'organisme humain dégénérait. J'ai compris que les gens ne pensaient pas à ce qu'ils faisaient. Je sais que la terre dégénère et que les gens l'aident à dégénérer. J'ai remarqué que la terre s'éteignait et que toute la vie s'éteignait avec elle. J'ai compris que l'huile qu'on pompe de la terre donnait de la chaleur à la terre, et le charbon est ce qui a déjà brûlé dans la terre. J'ai compris que sans la combustion, il n'y aurait plus de vie. J'ai compris que nous avions besoin de la chaleur de la terre. Que la chaleur de la terre était la vie de la terre. J'ai compris que les gens abusaient du pompage de l'huile et du pétrole. J'ai compris que les gens ne comprenaient pas le sens de la vie. Je sais que sans huile ni pétrole il est difficile de vivre. Je sais que les gens ont besoin de charbon. Je sais que les pierres précieuses sont des éléments consumés et figés. Je sais que l'eau est le reste de la terre et de l'air. Je sais que la lune est couverte d'eau. Je sais que des astronomes ont vu des canaux. Je comprends le sens des canaux. Je sais que les gens se sont sauvés à l'aide de canaux. Je serai un poisson, et pas un homme si les gens ne m'aident pas. Je comprends que la terre s'éteint. Je sais que la terre était un soleil. Je sais ce que c'est qu'un soleil. Le soleil c'est le feu. Les gens pensent que la vie dépend du soleil. Je sais que la vie dépend des gens. Je sais ce que c'est que la vie. Je sais ce que c'est que la mort. Le soleil c'est la raison. L'intelligence est un soleil éteint qui se décompose. Je sais que la décomposition détruit la vie. Je sais que la terre se couvre de décompositions. Je sais que les gens abusent de la décomposition. Les savants couvrent et couvrent la terre. La terre étouffe, elle manque d'air. Les tremblements de terre viennent du frisson des entrailles de la terre. Les entrailles de la terre sont la raison. Je tremble quand on ne me comprend pas. Je sens beaucoup, c'est pourquoi je vis. Le feu en moi ne s'éteint pas. Je vis avec Dieu. Les gens ne me comprennent pas. Je suis venu ici pour aider. Je veux le "paradis" terrestre. Sur la terre aujourd'hui, c'est "l'enfer". On appelle "enfer" quand les gens se disputent. Je me suis disputé avec ma femme hier, pour son amélioration. Je n'étais pas fâché. Je ne la fâchais pas par méchanceté, mais pour allumer en elle l'amour de moi. Je veux allumer la terre et les hommes, et pas les éteindre. Les savants éteignent la terre et l'amour dans les gens. Je sais qu'il n'est pas commode d'écrire dans ce cahier, mais j'écris car j'ai pitié du papier. Je sais que si les gens avaient pitié les uns des autres, la vie serait plus longue. Je sais que bien des gens diront qu'il n'est pas important de vivre longtemps, que "après nous le déluge", mais cette phrase parle de la mort. Les gens n'aiment pas leurs enfants. Les gens pensent que les enfants ne sont pas eux. Les gens pensent que les enfants sont nécessaires pour multiplier le nombre des soldats. Les gens tuent les enfants et couvrent la terre de cendre. La cendre est mauvaise pour la terre. Les gens disent que la cendre est bonne pour la terre. Je sais que la terre couverte de cendre étouffe. Je sais qu'il lui faut de la vie. Je suis russe, c'est pourquoi je sais ce que c'est que la terre. Je ne sais pas labourer, mais je sais que la terre est chaude. Sans sa chaleur, il n'y aurait pas de pain. Les gens pensent qu'il faut brûler les os des morts pour améliorer le sol. Je dirai que c'est mauvais, car toute la terre s'améliore par la chaleur, et pas par la cendre. Je comprends que la terre est putréfaction. Je sais que la putréfaction est une bonne chose. Je sais que sans la putréfaction, il n'y aurait pas de pain. Je sais que la putréfaction recouvre la terre et anéantit aussi la chaleur terrestre. Je comprends que les gens pensent qu'il faut beaucoup manger. Je considère que manger est une habitude. Je sais que l'homme est très fort de nature. Je sais que les gens l'affaiblissent, car ils ne se préoccupent pas de sa vie. Je sais que les gens doivent vivre, c'est pourquoi je veux expliquer aux savants. Je sais que bien des savants riront, mais je comprends le sens de ce rire. Je ne veux pas de rire. Je veux l'amour. L'amour est la vie, et le rire la mort. J'aime rire quand Dieu le veut. Je sais que bien des gens diront "Pourquoi Nijinski parle-t-il tout le temps de Dieu ? Il est devenu fou. Nous savons que c'est un danseur et rien de plus." Je comprends toutes ces railleries. Je ne me fâche pas à cause des railleries. Je pleure et pleure.

Je sais que bien des gens diront que Nijinski est un pleurnicheur. Je sais ce que c'est qu'un pleurnicheur. Je ne suis pas un pleurnicheur. Je ne suis pas un mourant. Je suis vivant, c'est pourquoi je souffre. Mes larmes coulent rarement. Je pleure dans mon âme. Je sais ce que c'est qu'un pleurnicheur. On appelle pleurnicheurs les gens qui ont les nerfs faibles. Je sais ce que sont les nerfs, car j'étais nerveux...

J'ai éteint l'électricité, car je voulais économiser. J'ai compris le sens de l'économie. Je ne regrette pas l'argent, mais je regrette l'énergie. J'ai compris que sans énergie il n'y aurait pas de vie. J'ai compris le sens de la terre qui s'éteint, c'est pourquoi je veux donner une idée aux gens de comment on peut recevoir de l'électricité sans charbon. Le charbon est nécessaire à la chaleur de la terre, c'est pourquoi je ne veux pas extraire de charbon.

....

Je veux donner des exemples avec le charbon. Les gens creusent et creusent toujours le charbon. Les gens étouffent à cause du charbon. Les gens trouvent la vie difficile, car ils ne comprennent pas le sens du charbon. Je sais ce que c'est que le charbon. Le charbon est un combustible. Je sais que les gens abusent du charbon. Je sais que la vie est courte, c'est pourquoi je veux aider les gens. Je n'écris pas pour m'amuser, je veux faire comprendre la vie et la mort aux gens. J'aime la vie. J'aime la mort. Je n'ai pas peur de la mort. Je sais que la mort est bonne là où Dieu la veut. Je sais que la mort est mauvaise là où il n'y a pas de Dieu. Je comprends les gens qui veulent se brûler la cervelle. Je sais que le père de ma femme s'est brûlé la cervelle. Il a trop étudié. Il est devenu nerveux, car son cerveau était surmené. Je n'étudie pas beaucoup. J'étudie seulement ce que Dieu me commande. Dieu ne veut pas que les gens étudient beaucoup. Dieu veut le bonheur des gens...

Je veux parler du charbon. Je comprends le sens du charbon. Le charbon est une source de combustible. Le combustible est une source de vie. Je comprends les gens qui disent que sans combustible on peut geler. Je comprends que le combustible est une chose nécessaire. Je comprends qu'il faut économiser le combustible. Je sais que le bois est une chose nécessaire, qu'il faut l'économiser, et pas le couper et le couper. Les gens abusent du combustible. Les gens pensent qu'il leur faut beaucoup de choses, car plus on en a, plus on est heureux. Je sais que moins on en a, plus on est tranquille dans l'âme. Je ne peux plus écrire, car mon combustible a attiré ma femme vers moi. Je l'aime. Elle a lu ce que j'ai écrit et elle m'a compris. Je lui ai dit qu'il ne fallait pas qu'elle m'empêche d'écrire, et elle est partie sans s'attrister. Elle ressent davantage aujourd'hui. Je suis heureux, car j'espère son amélioration. La mère de ma femme s'est calmée, car elle a vu mon amour pour ma femme.

Le combustible est une chose nécessaire, c'est pourquoi il faut l'économiser. J'économiserai le combustible, car je sais qu'avec ça la vie sera plus longue. Je ne veux pas de ces gens qui pensent "après nous le déluge". Je n'aime pas l'égoïsme. J'aime tout le monde. Je veux manger peu, car je n'ai pas besoin de me remplir l'estomac. Je veux vivre simplement. Je veux aimer, car je veux le bonheur de tout le monde. Je serai le plus heureux des hommes en apprenant que tout le monde partage. Je serai le plus heureux des hommes quand je jouerai et danserai, etc., sans qu'on me paie en argent ou de toute autre manière. Je veux de l'amour pour les gens. Je ne veux pas la mort. J'ai peur des gens intelligents. Ils ont une odeur de froid. Je gèle quand je me trouve près d'un homme intelligent. J'ai peur des gens intelligents, car ils ont une odeur de mort. Je n'écris pas pour étaler mon intelligence. J'écris pour expliquer. Je ne veux rien pour ce livre. Je veux aider les gens. Je ne me vante pas de mon livre, car je ne sais pas écrire. Je ne veux pas que mes livres soient vendus. Je veux qu'on me publie gratuitement. Je sais qu'il est difficile de publier gratuitement aujourd'hui. Je sais que les gens sont en voie d'extinction. Je sais qu'on me comprendra si ce livre est bien imprimé, c'est pourquoi je vais le publier contre de l'argent. J'ai mis peu de temps pour l'écrire, mais ma femme veut de l'argent, car elle a peur de la vie. Je n'ai pas peur, mais je n'ai pas le droit de laisser ma femme sans secours.

Je veux parler de la mère de ma femme, Emma, et de son mari Oscar.

Ce sont des gens bien. Je les aime, mais comme tout le monde, ils ont des fautes. Je vais décrire leurs fautes pour qu'ils les lisent. J'espère leur amélioration. Je sais qu'ils viendront me chercher, c'est pourquoi j'écris pour qu'ils me voient en train de travailler. J'aime qu'on me voie en train de travailler. Je veux du travail. J'aime les gens qui travaillent. Emma et Oscar sont fatigués d'un long voyage. Ils pensaient que j'étais fou, mais ils ont ressenti le contraire. Oscar voit que je comprends la politique, c'est pourquoi il s'intéresse à moi. Il aime la politique et les affaires d'argent. Je n'aime ni l'une ni les autres. Je veux montrer aux gens un exemple de ma conversation avec Oscar. Je l'aime, mais il pense beaucoup. Il a peur de se faire opérer des hémorroïdes, car il est peureux. Je sais qu'on me dira qu'il est peureux parce qu'il est Juif.

Je veux dire qu'être peureux n'est pas un vice. Les gens peureux sont bien. J'aime les Juifs, car ils sont peureux. Je connais beaucoup de gens qui font semblant de ne pas être peureux. Je sais qu'ils font semblant.

Je n'aime pas qu'on fasse semblant. J'aime les gens qui ne font pas semblant. Je sais que les gens diront qu'être peureux est un trait de caractère faible. Je dirai qu'être peureux n'est pas un trait de caractère faible, mais une habitude nerveuse. Je sais que les gens diront que je ne sais pas ce que c'est que la peur, car je ne suis pas allé à la guerre. Je dirai que je suis allé à la guerre, car j'ai fait une guerre à mort. J'ai fait la guerre, pas dans une tranchée, mais à la maison. J'ai fait la guerre à la mère de ma femme quand j'étais interné en Hongrie. Je sais que bien des gens diront que je vivais bien car j'étais dans la maison de la mère de ma femme. Je vivais bien. J'avais de tout. Je n'avais pas faim, mais je souffrais dans mon âme. Je n'aimais pas la mère de ma femme. J'aimais m'isoler. Je travaillais sur un système de notation, car je n'avais rien à faire. Je m'ennuyais. Je pleurais. Je savais que personne ne m'aimait. La mère de ma femme faisait semblant de m'aimer. Je le sentais et je le lui expliquais comme je pouvais. Elle ne me comprenait pas, car elle pensait que j'étais méchant. Je n'étais pas méchant. J'étais un martyr. Je pleurais, car ma femme ne me comprenait pas. Oscar ne me comprenait pas. Il ressentait l'argent, car il leur était difficile de nous nourrir. Je sentais que la mère de ma femme devait me donner à manger gratuitement, parce que j'étais un parent. Je savais que les parents n'aimaient pas les parents, c'est pourquoi j'ai décidé de jouer à l'offensé. Elle ne me comprenait pas. Elle croyait que j'étais pauvre, c'est pourquoi elle avait peur que je ne lui coûte de l'argent. Elle aimait l'argent, mais n'en connaissait pas le sens. Je comprenais le sens de l'argent, c'est pourquoi je faisais semblant que l'argent n'était pas important. Je savais ce qu'était l'argent étant enfant. Ma mère me donnait cinquante kopecks par semaine pour m'acheter des friandises, car elle avait de l'argent des chambres qu'elle louait. Ma mère louait des chambres, ça nous donnait de quoi manger. Je mangeais beaucoup, car j'avais toujours faim. Je ne comprenais pas qu'il fallait manger peu. Je mangeais comme un grand, alors que je n'avais que douze ans. Je vivais chez la mère de ma femme et je mangeais beaucoup. Je ne comprenais pas le sens de la nourriture, c'est pourquoi je mangeais trop. La nourriture coûtait cher, car c'était la guerre. La mère de ma femme, Emma, était une femme nerveuse. Elle m'aimait pour mon succès auprès du public. Elle aimait ma danse. Je n'aimais pas danser, car je m'ennuyais. Je m'ennuyais et m'ennuyais. Je ne comprenais pas qu'on pouvait vivre partout. Je travaillais à mon système de notation et sous la table les chats pissaient et chiaient. Je n'aimais pas les chats à cause de leur saleté. Je n'aimais pas la saleté. Je ne comprenais pas que ce n'étaient pas les chats qui chiaient, mais les gens. Les gens n'aimaient pas les chats, c'est pourquoi ils n'en prenaient pas soin. Je prenais soin de mon système de notation. Je voulais m'oublier, c'est pourquoi je me suis mis à noter mon ballet *le Faune* selon mon système de notation. C'était un long travail. J'ai mis près de deux mois. Le ballet durait dix minutes. J'ai compris mon erreur et j'ai abandonné le travail. J'ai recommencé à m'ennuyer. J'avais du chagrin. Je pleurais, car je m'ennuyais. Je m'ennuyais après la vie sans m'en rendre compte. Je lisais Tolstoï. Lire était reposant, mais je ne comprenais pas le sens de la vie.

Je vivais au jour le jour. Je faisais des exercices de danse. J'ai commencé à développer mes muscles. Mes muscles sont devenus fermes, mais ma danse était mauvaise. Je sentais la mort de ma danse, c'est pourquoi je suis devenu nerveux. Je m'énervais, et la mère de ma femme aussi. Nous nous énervions tous les deux. Je ne l'aimais pas, c'est pourquoi je lui cherchais chicane pour des riens. Je n'aimais pas les riens, mais je cherchais chicane, car je n'avais rien à faire. Je vivais au jour le jour. Ma femme s'ennuyait. Nous avons imaginé de nous livrer à la débauche. J'ai acheté des livres qui sont maintenant dans une malle à l'hôtel Bristol de Vienne. J'ai acheté ces livres pour nous exciter. J'excitais ma femme. Elle ne voulait pas. Je la forçais à s'exciter. Elle s'excitait et nous étions débauchés. J'étais un débauché. Je sais qu'il y a beaucoup de débauchés. Le Docteur Fränkel aussi est un débauché, car il m'a montré des estampes japonaises dans un livre. Ce livre était plein d'images de débauche. Il souriait quand j'approuvais ce livre. Mon cœur éclatait à la vue de ces horreurs, mais je ne voulais pas le montrer. J'ai compris que les gens ne me comprendraient pas si je n'approuvais pas leurs actions. Je me suis dit que je ferais semblant. Je faisais semblant, et on me comprenait. Je ne veux pas faire semblant, mais Dieu le veut, car il m'a choisi pour son but. Je lui obéis, mais parfois j'ai peur d'entrer dans des auberges ou des appartements, car je crois que Dieu ne le veut pas. Une fois, je suis passé devant une auberge où Dieu voulait que j'entre, mais j'ai senti de la fatigue dans le corps et la mort de l'esprit. J'ai eu peur et j'ai voulu entrer, mais Dieu ne me voulait pas de mal, et m'a arrêté.

Je sais que bien des gens diront : "De quoi Nijinski parle-t-il ? Il dit tout le temps que Dieu lui commande de faire une chose ou une autre, et lui-même, il ne fait rien." Je comprends les gens, et je suis triste de l'avouer, mais je dois dire que c'est la vérité. Je ne suis plus un homme, mais Dieu. Je ne suis pas un homme ordinaire. Je suis Dieu. J'aime Dieu, et il m'aime. Je veux que tout le monde soit comme moi. Je ne fais pas de spiritisme. Je suis un homme en Dieu, et pas dans un état de spiritisme. Je ne suis pas un médium. Je suis Dieu. Je suis un homme en Dieu. J'ai peur de la perfection, car je veux qu'on me comprenne. Je me sacrifie, car je ne vis pas comme tout le monde. Je travaille des jours entiers. J'aime le travail. Je veux que tout le monde travaille comme moi. Je veux raconter ma vie à Budapest pendant la guerre. J'ai longtemps habité chez la mère de ma femme. Je ne savais pas quoi faire. Je m'ennuyais. J'ai senti une force quand j'ai appris qu'on me libérait, et j'ai décidé de m'enfuir de chez la mère de ma femme. Je me suis enfui à l'hôtel avec ma femme et l'enfant, car j'avais reçu de l'argent. Je n'étais pas fâché contre la mère de ma femme. Je l'aimais, car j'avais compris qu'elle avait des difficultés. La mère de ma femme a compris ses erreurs et a couru à l'hôtel pour nous supplier. Nous n'étions pas d'accord, car nous savions que nous allions bientôt partir. J'ai fait mes adieux à la mère de ma femme et l'ai remerciée pour son hospitalité. Je l'aimais mais je n'aimais pas Oscar. Oscar était un homme sans délicatesse, c'est pourquoi il clamait ses opinions à haute voix. Je me suis offensé, et j'ai failli me battre avec lui, mais ma femme m'a arrêté, et la mère de

ma femme a arrêté Oscar. Ainsi nous nous
sommes arrêtés, mais nous grincions des dents.
Nous nous étions disputés à cause de la politique. Oscar a dit que la Russie avait tort, et
j'ai dit que la Russie avait raison. J'ai saisi l'occasion pour voir Oscar s'irriter. Je sais que
bien des gens ne croiront pas ce que j'écris,
mais ça m'est égal, car je sais que beaucoup
sentiront que j'ai raison. Je ne parlais plus à
Oscar, et je suis parti sans dire au revoir. Je
savais que j'avais tort, mais je faisais tout exprès,
car je voulais qu'ils, c'est-à-dire la mère de ma
femme et Oscar, comprennent qu'il ne faut
pas être avare. Je les prenais au dépourvu. Ils
ont beaucoup pensé et ils ont changé d'avis.
Ils savaient que je ne les aimais pas. J'ai écrit
dans des journaux américains sur la barbarie
de la mère de ma femme. Ils l'ont lu et ça a
dû les changer, car ils n'ont plus épargné leur
argent. Je ne leur ai pas parlé de l'avarice. Ils
m'ont compris, car j'avais bien écrit. Je faisais
semblant, car je leur voulais du bien. Je les
aimais, mais je devais jouer, c'est pourquoi je
me sentais méchant. Cette méchanceté était
fausse. Je les aimais. La mère de Romola était
une femme difficile. Elle avait ses habitudes.
Elle giflait les servantes. Je n'aimais pas ça,
c'est pourquoi je lui montrais les dents. Elle
se fâchait encore plus. La mère de ma femme
n'aimait pas que son mari regarde les servantes, c'est pourquoi quand il les regardait,
elle giflait les servantes. Je n'en comprenais
pas le sens, car je n'y pensais pas, mais je
sentais qu'elle le faisait par jalousie. Je plaignais les servantes et Oscar, car je voyais qu'il
les regardait par curiosité. J'ai vu sa curiosité,
c'est pourquoi je prends sa défense. Je croyais
qu'il faisait la cour aux servantes, mais ensuite,

j'ai conclu que tout ça était une invention de la capricieuse Emma. Emma était une femme affreuse, car elle ne laissait jamais Oscar tranquille. Oscar l'aimait et prenait toujours sa défense. Je voyais qu'il pleurait dans son âme et je le plaignais. Je ne lui disais rien, car je pensais qu'il ne me comprendrait pas. Maintenant je le comprends et j'espère qu'il m'aimera. Je lui donnerai quelques-uns de mes dessins, car je vois qu'il les aime. Je ne signerai pas mes dessins, car je sais que personne ne peut faire ce que je fais. J'ai dit à Oscar aujourd'hui que je n'aimais pas signer mes dessins, car je sais que personne ne fera ce que je fais. Je sais que tout le monde peut faire de bons dessins, mais je sais que Dieu n'aime pas les répétitions. Je sais que les gens me copieront, mais copier n'est pas la vie. Copier, c'est la mort. Je sais que bien des gens me diront que Raphaël et Andrea Del Sarto ont copié, et qu'Andrea Del Sarto a copié la *Joconde* de façon qu'il est impossible de reconnaître si c'est Léonard de Vinci qui l'a peinte ou Andrea Del Sarto. Je n'aime pas les copies, c'est pourquoi je ne veux pas qu'on me copie. Mes dessins sont très simples, il est très facile de les copier. Je sais qu'il y aura beaucoup de copieurs, mais je ferai tout mon possible pour qu'on ne me copie pas. Les copieurs me rappellent les singes, car le singe copie les gestes humains. Le singe copie, car il ne comprend pas. C'est un animal stupide. Je sais que bien des gens diront que Raphaël n'était pas stupide mais qu'il copiait. A ça je dois dire que Raphaël copiait, car il en avait besoin pour acquérir la technique. J'aime la technique, mais je n'aime pas copier…

Je sais ce qu'il faut pour mon stylo, car j'ai remarqué que mon doigt se fatiguait d'appuyer. A cause de la pression, un petit sillon est apparu sur mon troisième doigt. Je sais que mon doigt prendra une vilaine forme, c'est pourquoi je vais travailler au perfectionnement du stylo. Je sais déjà ce qu'il faut pour le perfectionnement du stylo. J'ai remarqué que mon stylo s'ouvrait par-devant, c'est pourquoi l'encre s'écoule si je ne le visse pas assez fortement. Je sais qu'à force de visser fortement, le stylo se fatigue, c'est pourquoi il s'abîme vite. J'ai également observé qu'il était mauvais que le stylo soit ouvert par-devant, car si cette partie du stylo tombe par terre, la plume se casse. La plume est en or, c'est pourquoi elle coûte très cher. J'ai remarqué que l'or de la plume était mauvais, car je n'écris pas plus de deux semaines, et la plume a déjà changé de forme. Il est vrai que j'écris beaucoup. Mais je sais que bien des gens écrivent beaucoup, c'est pourquoi je veux leur expliquer l'erreur du stylo. Je vois toute la tromperie de *Waterman's Ideal Fountain-Pen**. Je sais que cette usine est célèbre. Je sais que sa célébrité date du début, car elle a produit des millions de bons stylos pour se faire de la publicité. Je sais que maintenant il veut s'enrichir, c'est pourquoi il produit de mauvais stylos dans l'espoir que personne ne remarquera la tromperie**. Je parle du stylo exprès pour faire comprendre aux gens qu'il ne faut pas tromper les gens. Je sais que cette usine me traînera en justice. Je sais qu'ils montreront de bons stylos, en disant

---

* En anglais dans le texte. *(N.d.T.)*
** Nijinski parle ici du propriétaire de l'usine de stylos. *(N.d.T.)*

que ces stylos-ci sont des contrefaçons. Je sais qu'ils prendront les meilleurs avocats pour leur défense et donneront de l'argent pour corrompre, car ils ne veulent pas qu'on remarque la tromperie. Je serai condamné, mais j'aurai raison. J'espère qu'on me défendra. Je vais cacher ce stylo au cas où on me jugerait. Je n'ai pas peur du procès, mais ma femme en a peur, car elle croit qu'on me veut du mal. Je sais qu'on me mettra en prison, car l'usine a beaucoup d'actionnaires. Je sais qui sont les actionnaires, c'est pourquoi je veux écrire sur eux. Je n'aime pas l'actionnariat, car je sais que les actionnaires sont des gens riches. Je préférerais que les actionnaires soient des gens pauvres. Je sais que si les gens pauvres étaient actionnaires, il n'y aurait pas de guerre. La guerre est un actionnariat. Lloyd George représente les actionnaires en Angleterre. Wilson n'aime pas les trusts. Il a déjà exprimé son opinion plus d'une fois, mais on ne l'écoute pas. J'aimerais aider Wilson. Je ferai tout pour aider Wilson. Wilson est un homme, et pas une bête féroce. L'actionnariat est une bestialité. Je sais qu'on me dira que tout le monde est actionnaire, car tout le monde achète. A ça, je dirai que tout le monde achète, car il n'y a pas d'autre possibilité. Je sais que si on trouvait une possibilité, il n'y aurait pas d'actionnariat. Je veux aider tous les gens qui me demanderont de les aider. Je n'aime pas les demandes, mais je veux que les gens sachent que je veux les aider.

....

Je veux commander un cadre pour la photographie d'Oscar, car je veux lui montrer mon amour. Il a vu que je n'avais pas sa photographie. Je veux lui montrer que tous sont égaux. Je veux lui montrer que je ne suis pas un homme nerveux. Je sais que tous les hommes sont nerveux, car ils boivent du thé et du café. Je n'aime pas le thé et le café, car il n'y a pas de vie dans ces boissons. Les gens pensent qu'il faut en boire, car on les en a persuadés. Je sais ce que c'est que le thé et le café. Je n'en bois pas, car on me prend pour un homme nerveux. Je leur ai montré mon nerf ce matin. Tout le monde a eu peur. J'ai tout à coup chanté comme Chaliapine, avec une voix de basse. J'aime Chaliapine, car il ressent le chant et le jeu. On l'empêche de se développer, car on lui demande de jouer des choses qu'il n'aime pas. Il veut montrer qu'il est un grand artiste et peut bien jouer tous les rôles. Je sais que son cœur éclate de souffrance. C'est un ivrogne, car on l'a persuadé de boire. Je connais des ivrognes de thé. Je connais des ivrognes de café. Je connais l'ivrognerie des cigares et des cigarettes. Je connais toutes les ivrogneries, car je les ai goûtées. Je sais qu'on me dira que moi aussi je suis un ivrogne, car je bois du lait. Je répondrai que le lait ne contient pas de matières excitantes. Je sais que les docteurs interdisent de boire et de fumer, mais ils font eux-mêmes ce qu'ils interdisent, c'est pourquoi le malade ne les comprend pas. Je sais que tout le monde sera fâché contre moi, car je ne fais pas ce que les autres veulent, c'est pourquoi je ferai tout ce que les autres font. Je pleurerai, mais je le ferai parce que je veux que tous abandonnent leurs habitudes. Je sais que bien des gens diront que je fais semblant. Qu'il faut arrêter soi-même, et après l'exiger des autres. Je comprends toutes ces remarques. Je pleurerai, mais je ferai tout ce que font les autres, car je veux que les gens prennent soin de moi. Je ne suis pas égoïste. Je suis un homme d'amour, c'est pourquoi je ferai tout pour les autres. Je veux qu'on prenne soin de moi. Je sais que les gens me comprendront. Je sais que les gens aimeront ma femme et mon enfant, mais je veux l'amour universel. Je veux que les gens s'aiment. Je veux écrire sur les guerres. Je veux écrire sur la mort, car j'ai senti ce que c'est que la mort. Je sais que les gens aiment la mort, car ils disent "ça m'est égal". Je jouerai au théâtre des choses qui exciteront le public, car je sais que les gens aiment l'excitation, mais en les excitant je leur ferai sentir l'amour. Je ne veux pas que les gens aiment la mort de l'âme. Je ne veux pas que les gens aient peur de la mort qui vient de Dieu. Je suis la nature. Je suis Dieu dans la nature. Je suis le cœur de Dieu. Je ne suis pas du verre dans le cœur. Je n'aime pas les gens au cœur de verre. J'ai fait une faute en écrivant "cœur", mais maintenant je l'ai corrigée, car j'aime me corriger. Je veux que les gens se corrigent. Je ne veux pas la mort de l'esprit. Je suis une colombe. Je sais ce que les gens pensent en regardant les icônes et en voyant une colombe. Je sais que les gens ne comprennent pas l'église, mais ils y vont par habitude, car ils ont peur de Dieu. Dieu n'est pas dans les icônes. Dieu est dans l'âme de l'homme. Je suis Dieu. Je suis esprit. Je suis tout. Je sais que bien des gens diront que "Nijinski est devenu fou, parce qu'il est danseur et comédien". Je sais que les gens m'aimeront en tant qu'homme s'ils voient comment je vis chez moi. Je sais que tout le monde hésite à me déranger, croyant que ça me dérange. Je suis un homme qu'on ne dérange pas. Je suis un homme d'amour. J'aime le moujik. J'aime le tsar. J'aime tout le monde. Je ne fais pas de différence. Je ne suis pas un homme de parti. Je suis l'amour de Dieu. Je connais les fautes de ma femme, c'est pourquoi je veux l'aider à se corriger. Je sais que bien des gens diront que "Nijinski tyrannise sa femme et tout le monde, car il écrit des mensonges". J'aurai pitié des gens pour leurs erreurs. Je sangloterai comme le Christ sur le mont Sinaï. Je ne suis pas le Christ. Je suis Nijinski. Je suis un homme simple. J'ai de mauvaises habitudes, mais je veux les corriger. Je veux que les gens me montrent mes fautes, car je veux qu'on prenne soin de moi. Je prendrai soin des autres, et tout le monde prendra soin de moi. Je veux des soins d'amour, et pas des soins de méchanceté. Je ne veux pas d'indulgence. Je ne suis pas l'indulgence. Je suis amour. Je veux parler de l'amour. Je vais parler de l'amour. Je sais que Dieu m'aidera, car je le comprends. Je sais que je suis un homme avec des fautes. Je sais que tout le monde a des fautes. Je sais que Dieu veut aider tout le monde. Je le sais, car je sens Dieu. Je sais que si tout le monde me ressent, Dieu aidera tout le monde. Je vois au travers des gens. Vous n'avez pas besoin de me parler de vous-même, car je comprends sans paroles. Je sais qu'on me dira : "Comment pouvez-vous me connaître quand vous ne m'avez pas vu ?" Je dirai que je peux vous connaître, car je sens avec la raison. Ma raison est si développée que je comprends les gens sans paroles. Je vois leurs actions et je comprends tout. Je comprends tout. Je peux tout faire. Je suis un moujik. Je suis un ouvrier d'usine. Je suis un domestique. Je suis un seigneur. Je suis un aristocrate. Je suis un tsar. Je suis l'empereur. Je suis Dieu. Je suis Dieu. Je suis Dieu. Je suis tout. Je suis la vie. Je suis l'infini. Je serai toujours et partout. On peut me tuer, mais je vivrai, car je suis tout. Je veux la vie infinie. Je ne veux pas la mort. J'écrirai sur la mort, pour que les gens comprennent leurs fautes et les corrigent. Je dis que moi aussi j'ai des fautes. Je ne suis pas un comédien. Je suis un homme avec des fautes. Venez et regardez-moi et vous comprendrez que je suis un homme avec des fautes. Je veux des fautes, car je veux aider les gens. Je n'aurai plus de fautes quand les gens viendront à mon aide. Je veux les gens, c'est pourquoi ma porte est toujours ouverte. Mes armoires et mes malles aussi sont ouvertes. Si vous trouvez la porte fermée, sonnez, et si je suis à la maison j'ouvrirai. J'aime ma femme et je lui veux du bien, mais elle ne me comprend pas encore, c'est pourquoi elle dit aux domestiques de fermer la porte. Je sais que ma femme s'énervera si elle remarque que le public se bouscule à ma porte, c'est pourquoi je prie les gens de rester chez eux et de m'attendre. Je viendrai là où on m'appellera. J'y serai sans y être. Je suis l'esprit en chaque homme. Je suis Nijinski. J'irai si Dieu me le commande, mais je n'irai pas si on me dit : "Viens chez moi." J'écouterai les gens, mais je ne viendrai pas chez eux, car je ne veux pas de révolte. Je n'aime pas les partis, c'est pourquoi je ne veux pas que les gens forment des groupes. Je veux que tous les hommes restent à côté de leurs femmes et de leurs enfants. Je ne veux pas de révolte. Je n'aime pas la mort. Je veux la vie. Je veux que les gens me ressentent. J'aime Dieu. J'aime la vie. J'aime tout le monde et je fais tout pour les autres. Je n'aime pas la mendicité. Je n'aime pas les sociétés pour les pauvres. Je considère que tout le monde est pauvre. Je n'aime pas donner de l'argent. J'aiderai spirituellement. Je veux l'amour spirituel, et pas charnel. J'aime le corps, car l'esprit en a besoin, c'est pourquoi je mangerai peu. Je ne veux pas la faim. Je ne veux pas que les gens aient l'habitude de beaucoup manger. Je n'aime pas la viande, car j'aime les animaux. Je pleure quand je vois des gens manger de la viande. J'étouffe quand on me donne de la viande. Je la mange, parce que je veux qu'on me comprenne. Je sais que bien des gens diront qu'ils mangent de la viande, parce qu'ils veulent qu'on les comprenne. Je comprends le sens de ces mots. Je ne veux pas que les gens forcent les autres à lire mes livres. Je veux que les gens persuadent les autres de lire mes livres, et d'aller au théâtre pour me voir danser. Je veux un théâtre gratuit. Je sais qu'aujourd'hui on ne peut rien faire sans argent, c'est pourquoi je travaillerai beaucoup pour que tous puissent me voir gratuitement. Je travaillerai beaucoup pour l'argent, car il faut que je montre aux gens que je suis un homme riche, et pas pauvre. Aujourd'hui, les gens pensent que celui qui n'a pas d'argent est bête et paresseux, c'est pourquoi, avec des pleurs dans l'âme j'amasserai de l'argent, puis je montrerai aux gens qui je suis. Je veux publier ces deux livres pour que les gens comprennent mes actions. Je veux travailler seul, car j'amasserai mon argent plus vite. Je veux m'enrichir. Je jouerai à la Bourse. Je ferai tout pour être riche, car je comprends le sens de l'argent. J'irai à Zurich avec Oscar et j'y jouerai à la Bourse. J'achèterai les valeurs que je trouverai bonnes. Je sais qu'Oscar aura peur, car il pensera que je vais perdre. Je sais qu'il me suppliera pour que je lui montre mon procédé, mais je ne le lui montrerai pas, car il ne comprend pas le sens de l'argent. Rockefeller est un homme bien, car il donne de l'argent aux gens, mais il ne comprend pas le sens de l'argent, car il donne de l'argent pour la science. Je donnerai mon argent pour l'amour. Pour le sentiment de Dieu chez les gens. J'achèterai un théâtre et j'y danserai gratuitement. Ceux qui voudront payer attendront leur tour. Ceux qui ne veulent pas payer formeront une file d'attente par amour. Je veux une file d'attente d'amour. Je verrai des injustices, car je suis perspicace. Je ne me tromperai pas et je demanderai à cet homme de quitter le théâtre. Je demanderai aux offensés de venir à moi. Je reconnaîtrai la ruse d'après le visage, car je suis un grand physionomiste. Je montrerai à tout le monde que je sais. Venez à moi, et vous verrez. Je veux écrire, mais ma main est fatiguée, car j'écris vite...

....

J'ai déjeuné copieusement, car je mange vite. J'ai mangé comme tout le monde. Oscar était assis à côté de moi et a vu que je mangeais de la viande. Emma aussi a vu que je mangeais de la viande, mais j'ai laissé presque tout le morceau, car je ne voulais pas manger d'animaux tués. Les gens me comprendront mieux si je mange de la viande. J'ai montré que je n'avais pas de dédain, car j'ai mangé la viande. J'ai vu les habitudes d'Emma. Elle mange vite et parfois, pour se réchauffer le corps, comme elle dit, elle boit du vin. J'ai

compris que ce n'était pas vrai, car elle m'a
ressenti et a laissé le vin. Elle aime le café, par
habitude. Elle est nerveuse, mais boit du café.
Elle mange tout très vite, sans mâcher. Oscar
aussi mange vite, ma femme aussi, j'ai mangé
comme eux. J'ai senti une douleur à l'estomac.
J'ai compris que j'avais peu mangé, mais parce
que j'avalais trop vite, sans mâcher, j'ai senti
mon estomac. Mon estomac s'est gonflé. J'ai
compris qu'il était fatigué. J'ai senti de la chaleur à l'estomac, et j'ai commencé à boire de
l'eau. Mon estomac s'est gonflé encore plus,
mais j'ai soif. J'ai beaucoup bu. Je sais qu'avec
une telle nourriture, on meurt vite. Je leur ai
fait comprendre ce que j'avais observé, mais
ils n'ont pas compris, car je le leur ai dit au
déjeuner. Je leur ai parlé de la mort des animaux, mais pas directement. Ils ne m'ont pas
compris, car ils ont beaucoup mangé. J'ai beaucoup mangé, mais je ne suis pas fatigué, car
je peux écrire après manger. Ma femme et
Emma, la mère de ma femme, et Oscar, ont
envie de dormir. Ils sont paresseux, car ils ne
veulent pas se lever de table. Ils ont remarqué que j'avais beaucoup mangé, c'est pourquoi ils savent que je ne suis pas avare. Je
leur ai donné tout ce que j'avais sous la main.
Je suis allé prendre du beurre dans l'armoire,
car je connais les habitudes d'Emma. Elle aime
avoir du beurre aux repas. Je lui ai donné du
beurre, mais elle ne l'a pas mangé. Elle croyait
que j'aimais le beurre, car ce matin j'en ai
mangé pas mal. Elle est rentrée de Hongrie,
où les gens souffrent de la faim à cause du
blocus imposé. Je sais que c'est l'Angleterre
qui a imposé le blocus. Je sais que Lloyd
George veut maintenir le blocus, car il a peur
d'une révolte. Il sait que si l'homme mange

bien, il n'a plus besoin de rien, c'est pourquoi l'homme est capable de tout. L'homme qui a mangé de la viande devient féroce et tue les gens. Lloyd George veut affamer les gens, c'est pourquoi il croit utile de ne pas lever le blocus. Je sais qu'on me dira que ce n'est pas Lloyd George qui a imposé le blocus, mais le peuple anglais, car il l'a élu comme président du Ministère*. Je dirai que ce n'est pas le peuple qui l'a élu, mais les gens riches. Je sais que tous les riches le comprendront, car il défend les intérêts des riches. Je sais qu'on me dira que Lloyd George n'est pas un homme riche et qu'il est d'origine ouvrière. Je sais que tout ça, ce sont des mensonges. Je sais que Lloyd George a beaucoup d'argent. Je sais que Lloyd George est un homme ambitieux. Je sais qu'on me dira que l'ambition est une bonne chose. Je dirai que l'ambition est une bonne chose, seulement il faut savoir s'en servir. Lloyd George se sert de l'ambition pour les classes riches. Je me sers de l'ambition pour toutes les classes. Je ne suis pas un libéral ou n'importe quel autre parti. Je suis sans parti. Je sais qu'on me dira : "Vous appartenez au parti des sans-parti." Je sais qu'il existe des gens sans parti, mais je n'appartiens pas à ce parti-là. Je suis Dieu, et Dieu n'est pas un parti, car il aime tout le monde. Je sais qu'on me dira que dans le premier livre j'ai parlé du parti de Wilson et que j'approuvais ce parti. A ça je dois répondre que je considère le parti de Wilson comme plus perfectionné que les autres partis. Je ne veux pas de parti. Je veux l'amour des uns pour les autres. Je sais qu'on me dira : "Vous n'appartenez à rien." Je dirai que je

* Premier ministre. *(N.d.T.)*

n'appartiens à aucun parti. J'appartiens à Dieu, c'est pourquoi j'accomplis tous ses objectifs. Je sais que bien des gens diront : "Quel Dieu vous ordonne d'accomplir tout ce que vous faites ? Vous nous trompez. Vous êtes un homme primitif, sans aucune culture." Je connais toutes ces réponses. Je leur répondrai simplement. Je suis l'homme premier-né, de culture divine, et pas bestiale. Je ne veux pas la mort. Je veux la vie pour les gens. J'aime les gens, et pas moi-même. Pour moi l'égoïsme et les actions bestiales ne sont pas la culture. J'aime les classes ouvrières, et les classes riches, et les classes pauvres. J'aime tout le monde. Je ne veux pas que tous soient égaux. Je veux que l'amour soit égal. Je veux que tout le monde s'aime. Je ne veux pas que les domestiques ne travaillent que pour de l'argent. Je veux qu'on m'aime. Mes domestiques m'aiment. Avant, je ne comprenais pas la vie, c'est pourquoi j'injuriais mes domestiques. Je sais que bien des gens diront que les domestiques sont idiots, et que si on ne montre pas le poing ils ne vous comprennent pas. Moi aussi j'ai traité mes domestiques de cette façon, mais aujourd'hui j'ai compris que j'avais tort d'agir de cette façon. Je ne veux pas que les domestiques souffrent. Je sais qu'on me dira que les domestiques ne sont pas reconnaissants. A ça je dois dire que les domestiques sont des gens comme nous, seulement ils ont moins d'intelligence. Les domestiques sentent quand on ne les aime pas, c'est pourquoi ils sont furieux. Je sais qu'on me dira que les domestiques ne doivent pas être furieux, car on les paie. Je dirai qu'on les paie avec leur propre argent, car les domestiques travaillent pour de l'argent. Les gens oublient que le travail c'est de l'argent. Les gens pensent que l'argent compte plus que le travail. Aujourd'hui tout le monde remarque que le travail vaut plus cher que l'argent, car il n'y a pas de travailleurs et il n'y a pas d'argent. Je ne vaux pas plus que les autres. Je suis un travailleur. Je sais que tout le monde travaille, mais il y a travail et travail. Un bon travail est une chose utile. Moi aussi je travaille quand j'écris ces livres. Je sais que bien des gens diront que je ne travaille pas, mais que j'écris pour mon plaisir. Je répondrai qu'il ne peut pas y avoir de plaisir quand un homme consacre tout son temps libre à l'écriture. Il faut écrire beaucoup pour comprendre ce que c'est que l'écriture. L'écriture est une chose difficile, car l'homme se fatigue d'être assis. Ses jambes raidissent et la main qui écrit s'engourdit. Les yeux s'abîment et l'homme manque d'air, car la chambre ne peut pas lui donner suffisamment d'air. On meurt vite d'une telle vie. Je sais que les hommes qui écrivent la nuit s'abîment les yeux et portent des lunettes ou des pince-nez et les hypocrites un monocle. Je ne porte pas de lunettes, de pince-nez ou de lorgnettes, car je n'ai pas écrit beaucoup, mais j'ai remarqué qu'à force d'écrire longtemps mes yeux s'injectaient de sang. J'aime les gens qui écrivent beaucoup, car je sais que ce sont des martyrs. J'aime les martyrs pour l'amour de Dieu. Je sais que bien des gens diront qu'il faut écrire pour de l'argent, car on ne peut pas vivre sans argent. Je dirai avec les larmes aux yeux que ces gens sont pareils au Christ en croix. Je pleure quand j'entends des choses pareilles, car je l'ai vécu d'une autre manière. Je dansais pour de l'argent. J'ai failli mourir, car j'étais surmené. J'étais pareil à un cheval qu'on force avec un fouet à traîner une lourde charge. J'ai vu des charretiers fouetter leurs chevaux à mort, car ils ne comprenaient pas que le cheval n'avait plus de forces. Le charretier menait son cheval dans une pente et le fouettait. Le cheval est tombé et tous ses intestins lui sont sortis du derrière. J'ai vu ce cheval et j'ai sangloté dans mon âme. Je voulais sangloter tout haut, mais j'ai compris que les gens me prendraient pour un pleurnicheur, c'est pourquoi je pleurais au-dedans de moi. Le cheval était couché sur le côté et criait de douleur. Son cri était faible, il pleurait. Je sentais. Ce cheval, le vétérinaire l'a tué d'un coup de revolver car il a eu pitié de ce cheval. Je connais l'histoire d'un chien. J'ai fait la connaissance d'un sportif français, M. Raymond. Je lui ai dit que son chien était très beau, mais lui, avec des pleurs dans la voix, il m'a dit qu'il allait l'abattre, car il sentait qu'il valait mieux qu'il meure que de souffrir de la faim. J'ai compris qu'il n'avait pas d'argent, c'est pourquoi j'ai voulu l'aider. Je savais que c'était un homme ambitieux, car il aimait gagner des coupes d'argent aux courses de skeleton. On appelle skeleton un sport où l'on se couche à plat ventre sur une luge d'acier et où l'on met toute sa force à acquérir de la vitesse. Une telle vitesse est très dangereuse. De nombreux sportifs ont été tués par accident. Ces sportifs ressentent le vin ou le tabac, et à cause de ça, leurs nerfs s'excitent à la moindre chose. Ils vont sur la piste et font appel à toutes leurs forces. Ils s'énervent et se tuent. Je l'ai dit à M. Raymond, et il m'a compris. Il est tombé lors d'une course et a failli se tuer. Je lui ai dit que je croyais que s'il était nerveux aujourd'hui, c'est qu'il avait beaucoup fumé. Je lui ai fait sentir qu'il avait du chagrin. J'ai remarqué sa larme, mais je ne le lui ai pas montré, car j'avais peur qu'il ne pleure. Il m'a dit qu'il allait tuer son chien. Je pleurais dans mon âme, et lui aussi. Il a senti que j'aimais le chien et est parti en nous laissant, ma femme et moi. Je suis parti triste. J'ai remarqué que quand je mange de la viande et avale sans mâcher, mes matières sortent avec difficulté. Je suis obligé de faire de tels efforts, que les veines de mon cou et de mon visage éclatent presque. J'ai remarqué que tout mon sang afflue vers ma tête. J'ai compris qu'un tel effort peut vous conduire à "l'apoplexie". Je ne connais pas cette maladie, mais je connais un incident que je veux raconter. Mes matières ne sortaient pas. Je souffrais, car j'avais mal à l'anus. Mon anus n'était pas grand, et les matières étaient grosses. J'ai fait encore un effort, et les matières ont avancé un peu. Je me suis mis à transpirer. J'avais froid et chaud au corps. Je priais Dieu qu'il vienne à mon aide. J'ai fait encore un effort, et les matières sont sorties. Je pleurais. J'avais mal, mais j'étais heureux. Quand tout ça a été fini, je me suis essuyé et ça m'a fait mal au derrière. J'ai remarqué qu'un bout de l'intestin était sorti et j'ai eu peur. J'ai voulu me le renfoncer dans le derrière, car je croyais qu'il rentrerait, mais il n'est pas rentré. Je pleurais. J'avais peur pour ma danse. Je savais ce que c'était qu'un intestin qui vous sort par le derrière. Je pleurais, alors Dieu m'a dit que je ne devais pas manger de viande et que je devais mâcher ma nourriture longuement avant de l'avaler. Je l'ai fait, et j'ai remarqué que mes matières sortaient plus facilement. J'ai commencé à moins manger. Mon intestin est rentré. J'étais heureux. Je connais des gens qui ont l'intestin très grand et qui ne peuvent ni rester assis ni marcher, et qui sont obligés de recourir à des suppositoires et autres moyens pour que leurs matières sortent. Mais aucun docteur, du moins je n'en ai pas entendu parler, n'a conseillé aux gens d'abandonner la viande et de cesser d'avaler la nourriture par gros morceaux. Je sais qu'Oscar souffre de cette maladie. Les docteurs lui ont conseillé de se faire opérer. Il a peur. Il se gratte le derrière. Je l'ai vu quand je dormais dans la même chambre que lui, car ma femme a encore peur de moi, parce que le Docteur Fränkel lui a dit que j'étais malade des nerfs. Je sais que les gens meurent du "cancer", c'est pourquoi je pense que le cancer n'est autre chose que la décomposition du sang. Les gens se nourrissent de toutes sortes de conserves et de viande, c'est pourquoi leur sang sécrète des substances inutiles. Ma femme et tout le monde ont peur du "cancer". Le Docteur Fränkel a ri quand je lui ai parlé du "cancer". Il a ri, car il pensait que je ne comprenais rien à la médecine. Je lui ai montré un exemple, et il s'y est intéressé, mais il était fatigué d'avoir mangé, c'est pourquoi il a abandonné cette conversation. Nous mangions en même temps, car ma femme l'avait invité chez nous. Il m'observait, car il voulait comprendre si j'étais fou ou non. Il est toujours convaincu qu'il y a "quelque chose qui cloche chez moi". Je sais que c'est lui qui "a quelque chose qui cloche", car c'est un homme nerveux. Il fume beaucoup, car il a pris cette habitude à l'école. Je crois que bien des gens fument pour se donner un genre. J'ai remarqué que les gens qui fument ont fière allure. J'ai visité le président* de Saint-Moritz,

* Il s'agit du maire de Saint-Moritz. *(N.d.T.)*

242

M. Hartmann. Je voulais leur donner un peu de vie, c'est pourquoi je suis allé bavarder. Oscar a commencé à parler avec le président. J'ai remarqué que le président avait pris un air fier, et Oscar aussi, ils ont commencé à fumer. Je regardais les montagnes avec une longue-vue, car on m'avait dit qu'on pouvait y voir des cerfs. J'ai regardé et je n'ai rien vu, et j'ai dit que je préférais ne pas voir les cerfs, car j'étais venu les voir, eux. Ils se sont mis à rire, et j'ai senti qu'ils ne s'intéressaient pas à moi. Ils s'intéressaient à Oscar. Je les ai laissés, et j'ai commencé à chercher les cerfs. J'ai réglé la longue-vue et l'ai pointée sur un cerf. Le cerf n'a pas eu peur de mon regard, et j'ai pu bien le voir. Je voyais un cerf vieux et gros. Il me rappelait le président Hartmann. Je leur ai dit que le cerf m'avait tourné le dos. Je voulais qu'ils me ressentent, mais ils n'avaient pas la tête à moi. J'ai dit à Oscar qu'il fallait aller manger, car la soupe nous attendait, et nous attendions la soupe. Hartmann et sa femme ont ri, mais ils n'avaient pas la tête à moi. J'ai senti qu'ils pensaient mais ne ressentaient pas, et j'ai eu de la peine. J'ai remarqué qu'ils croyaient que j'étais fou, car quand la présidente m'a demandé comment était ma santé, j'ai répondu que j'étais toujours en bonne santé et elle a souri. Ça m'a fait de la peine, et j'ai pleuré dans mon âme...

N'ayant rien d'autre à faire, la mère de ma femme, ma femme et Oscar sont venus au salon. Ma femme m'a demandé de montrer mes dessins. J'ai fait semblant de ne pas vouloir. Je leur ai montré des dessins qu'ils avaient déjà vus. Ma femme m'a demandé de montrer d'autres dessins. J'ai pris une pile de dessins sur lesquels j'ai travaillé sans cesse pendant deux ou trois mois et je les ai jetés par terre. La mère de ma femme, ma femme et Oscar ont ressenti que je n'aimais pas mes dessins. Je leur ai dit que personne ne s'y intéressait, c'est pourquoi je les avais enlevés du mur. Ils ont dit qu'ils regrettaient et ont commencé à les regarder. Je leur ai expliqué le sens de mes dessins. J'ai dit qu'à Paris on me comprendrait, car là-bas les gens ressentent beaucoup. Je l'ai dit exprès, car je voulais leur montrer les dents. Ils l'ont ressenti et ont dit qu'eux aussi comprenaient. Je n'ai plus rien dit. Je leur ai montré certains dessins, car je voulais qu'ils les ressentent, mais je sentais qu'ils pensaient, c'est pourquoi je les ai laissés, en pleurant dans mon âme. J'ai une âme, c'est pourquoi je pleure quand je sens qu'on ne me comprend pas. Je savais qu'ils ne me comprendraient pas, c'est pourquoi j'ai enlevé tous les dessins du mur de ma chambre. J'ai caché tous mes manuscrits en bas du piano. Je savais que personne ne comprendrait mes manuscrits, mais je pensais que le Dr. Fränkel enverrait des gens pour s'emparer de mes manuscrits et les garderait un certain temps pour les traduire. Je ne voulais pas montrer mes manuscrits, car j'étais sûr que le Docteur Fränkel ne les comprendrait pas et me prendrait pour un fou. J'avais peur pour ma femme, c'est pourquoi j'ai caché les cahiers. J'ai caché tous mes décors, car je sens qu'ils ne les comprendront pas. Je ne cacherai pas mes dessins, car ils les ont déjà vus. Je ne veux pas provoquer de mauvais sentiments tant que la mère de ma femme est ici, car je ne veux pas qu'elle emmène ma femme. Je sais qu'elle aime l'argent.

Je sais qu'elle nous avait invités chez elle, car elle espérait obtenir l'argent de ma femme. Je n'ai pas d'argent, c'est pourquoi j'avais peur qu'on ne m'enferme dans une maison de fous. Oscar et d'autres parents de ma femme ont des actions dans une maison de fous. Je comprends le but des gens, sans paroles. Je sens du dégoût. Je ne suis pas fâché, mais je suis dégoûté. J'ai peur d'Oscar et d'Emma. Ils sont morts tous les deux. Je veux l'aider, car j'ai remarqué qu'il me ressentait. J'ai remarqué cette nuit, quand nous étions couchés côte à côte, qu'il ressentait encore, car quand j'ai senti, il a ressenti aussi. J'ai fait l'expérience quand il s'est endormi. Oscar a bougé un doigt quand j'ai pensé à Dieu. Oscar s'est retourné quand j'ai senti Dieu. Je l'ai remarqué, mais je n'ai pas compris. J'ai senti que c'était Dieu qui agissait. Je viens seulement de l'apprendre. J'ai commencé à penser qu'il fallait écrire, et je n'ai pas pu. Dieu le fait exprès, car il veut me montrer ce que c'est que Dieu. J'ai écrit "il" avec une minuscule, car j'ai remarqué que peu importait à Dieu avec quelle lettre on l'écrivait. Les Allemands ont mis dieu au même niveau que tous les substantifs. Les Allemands pensent que le substantif est Dieu. Moi, je pense que tous sont égaux*.

J'ai compris que le prix du papier avait augmenté, c'est pourquoi j'en achèterai beaucoup à Zurich, car je pense beaucoup travailler. Je sais que les gens sont méchants et ne me donneront pas ce dont j'ai besoin, c'est

* Allusion aux règles de l'orthographe allemande où les substantifs s'écrivent avec une majuscule. (*N.d.T.*)

pourquoi je dois veiller sur mes intérêts. Dieu veille sur mes intérêts. Il m'a promis que je gagnerais à la Bourse. Je voulais écrire la Bourse* avec une majuscule, mais ça m'a contrarié et j'ai écrit avec une minuscule. Dieu n'aime pas la Bourse, mais il veut que je joue. Il veut que j'accomplisse sa tâche. Il me dit souvent que je perdrai, mais je suis sûr de gagner, car je veux consacrer cet argent à la réalisation de Sa tâche...

Je me fatigue à écrire au stylo, mais j'écrirai, car je veux laisser mon manuscrit aux gens. Je veux terminer ces livres au stylo. Je chercherai un stylo plus perfectionné. Demain j'irai à Zurich avec Oscar, ma Femme et sa mère. Je n'aime pas appeler la mère de ma femme par son prénom, car je sens qu'elle est méchante. Je n'aime pas les gens méchants. J'ai appelé Lloyd George, Diaghilev, etc., par leurs noms, parce qu'il est plus facile aux gens de les avoir en tête. J'ai fait des fautes exprès dans le nom de Diaghilev, car je veux qu'il voie que j'ai oublié comment s'écrit son nom**.

Je veux continuer d'écrire sur cette ligne, mais Dieu ne veut pas que j'écrive sur la même ligne que Diaghilev. J'ai remarqué ma faute, car j'ai écrit le nom de dieu et celui de Diaghilev avec une majuscule. Je veux écrire dieu avec une minuscule, car je veux faire la différence…

* Malgré la contradiction le mot Bourse est bien écrit avec une majuscule. *(N.d.T.)*
** Nijinski écrit incorrectement le nom de Diaghilev, le barre, puis l'écrit à nouveau, correctement. *(N.d.T.)*

J'ai envie d'aller me promener, car je suis fatigué d'être assis, et si on ne me remarque pas, j'irai tout seul. Tout le monde pensera que je travaille et je sortirai par l'escalier de service. Je monterai très haut et regarderai en bas, car je veux sentir l'altitude. J'y vais…

Je suis sorti par l'escalier de service, et j'ai senti le froid. Je sais qu'ils sont tous assis dans la salle à manger, c'est pourquoi je suis passé à côté sans faire de bruit. Je sais que les gens n'ont rien à faire, c'est pourquoi ils empêchent les autres de vivre. Je ne veux pas empêcher les autres de vivre. J'ai quitté la salle à manger, car j'ai senti qu'on ne m'y aimait pas. J'ai rencontré le docteur Fränkel, il avait l'air ennuyé. Je lui ai serré la main, mais avant je lui ai dit : "Tout le monde est malade." J'ai senti du froid dans mon âme, c'est pourquoi j'ai quitté la pièce.

Oscar est venu me voir et m'a invité à prendre le thé. Oscar a ressenti que le docteur Fränkel était fâché, c'est pourquoi il a voulu nous réconcilier. Je ne voulais pas me réconcilier, c'est pourquoi je l'ai retenu. J'ai raconté à Oscar mon projet d'un grand travail, en disant que le travail ne me fatiguait pas les nerfs. Il m'a semblé qu'il m'avait compris, car il était d'accord avec moi. Oscar est vite d'accord avec mon raisonnement. Je voulais lui prouver que l'écriture de Dieu ne fatigue pas les nerfs. Je n'ai pas peur de la fatigue de Dieu…

J'ai pris le thé avec le Docteur Fränkel, Oscar, la mère de ma femme et ma femme. Je buvais tranquillement, mais après quelque temps j'ai senti la conversation et j'ai commencé à amuser tout le monde. Je les amusais à dessein. Je disais des choses que je comprenais. Je plaisantais. Tout le monde était gai. J'ai remarqué que le Docteur pensait que je voulais me moquer de lui, c'est pourquoi j'ai changé de conversation. Ma conversation était sur les bolcheviks en Russie. Je voulais raconter une histoire mais ne le pouvais pas, car Dieu voulait que ce soit ma femme qui la raconte. Elle ne pouvait pas parler, car elle ne Le ressentait pas. Je l'ai aidée en la lui rappelant. Je ne voulais pas beaucoup parler, mais Dieu voulait que j'excite tout le monde. J'ai excité tout le monde et je suis parti. J'ai senti Fränkel car il voulait parler à ma femme. Je suis parti, car je croyais qu'on ne voulait pas de moi. Fränkel s'en va, et moi je reste. Je ne veux pas l'accompagner, car je veux lui faire sentir que personne n'a besoin de son avis…

Le docteur Fränkel est venu me dire au revoir. Je lui ai serré la main. Il m'a demandé de ne pas trop écrire. Je lui ai dit de ne pas avoir peur pour moi. Il m'a demandé si je voulais voir le docteur à Zurich. A ça j'ai dit que je ne savais pas, mais que si ma femme le voulait, j'irais le voir. Il m'a dit que ce serait très bien d'aller voir ce docteur, car il est très bien. Je lui ai dit que j'irais le voir s'il calmait ma femme. Le docteur Fränkel m'a compris. Je lui ai serré la main, et il m'a dit qu'il était l'élève de ce docteur. J'ai senti qu'il mentait, car il ne comprend rien aux nerfs. Lui-même boit du thé, du vin et il fume beaucoup, c'est pourquoi ses nerfs sont exaltés.

Je sais que le docteur Ranschbourg ne fume pas, car il ne sent pas le tabac...

Je commence à avoir mal à la tête, car j'ai beaucoup mangé. J'ai beaucoup mangé, car je ne voulais pas que la mère de ma femme croie que je suis avare. Elle sent que je ne suis pas avare. Oscar m'aime, car il s'inquiète de ma santé. On l'a persuadé que ça me faisait du mal de trop travailler. J'ai fait sentir à Oscar que j'étais en bonne santé, car je travaillais beaucoup. Je comprends pourquoi les gens se fatiguent. Ils mangent beaucoup, et ça leur fait monter le sang à la tête quand ils pensent. J'ai la nausée et des renvois, et en même temps un léger mal de tête. Je ne mangerai pas beaucoup ce soir, et je sais qu'au matin tout ça sera calmé...

Je partirai pour Zurich avant sept heures du matin, c'est pourquoi j'irai me coucher plus tôt, car je veux que le docteur des nerfs me voie en bon état. Je lui parlerai des nerfs, car cette science m'intéresse. Je sais déjà certaines choses sur cette science, mais je les décrirai plus tard. Je n'écrirai pas à Zurich, car je ressens un grand intérêt pour cette ville. J'irai au bordel, car je veux ressentir une cocotte. J'ai oublié ce que c'est qu'une cocotte. Je veux comprendre la psychologie des cocottes. J'irai chez plusieurs cocottes, si Dieu me le commande. Je sais que Dieu n'aime pas ça, mais je sens qu'il veut m'éprouver. Je sens une grande force spirituelle, c'est pourquoi je ne commettrai pas de faute. Je donnerai de l'argent à la cocotte, mais je ne ferai rien avec elle.

Je sens du désir, mais en même temps de la peur. Je sens que le sang me monte à la tête. Je sens que si je me mets à penser, j'aurai une attaque d'apoplexie. Je ne pense pas, car je n'aime pas ça. Je sais ce que c'est qu'une attaque d'apoplexie, l'occasion m'en a été donnée. Mon ami Serge Botkine m'a guéri de la typhoïde l'année de mes débuts à Paris. Il m'a guéri de la typhoïde. J'avais bu de l'eau d'une carafe, car j'étais pauvre et je ne pouvais pas acheter d'eau minérale. J'avais bu très vite, sans soupçonner qu'il y avait du poison. Je suis allé danser, et quand je suis rentré le soir, j'ai senti de la faiblesse dans le corps. Diaghilev a appelé le docteur Botkine, car il le connaissait bien. Serge Botkine était docteur du tsar. J'avais senti la fièvre, et je n'avais pas peur. Je ne savais pas ce que j'avais. Serge Botkine m'a regardé et a tout compris. J'ai senti la peur. J'ai remarqué que le docteur et Diaghilev échangeaient des coups d'œil. Ils s'étaient compris sans un mot. Moi aussi j'ai compris sans un mot. Botkine a examiné ma poitrine et a vu des boutons. J'ai compris qu'il avait peur. J'ai eu peur aussi. Il s'est énervé et a appelé Diaghilev dans la pièce voisine. Cette maison est démolie à présent. J'ai pleuré quand j'ai vu cette démolition. C'était une maison pauvre, mais avec mon argent, je ne pouvais pas vivre mieux. Diaghilev m'a fait sa proposition dans cette maison, alors que j'avais une forte fièvre. J'ai accepté. Diaghilev comprenait ma valeur c'est pourquoi il avait peur que je ne le quitte, car à l'époque je voulais encore me sauver, j'avais vingt ans. J'avais peur de la vie. Je ne savais pas que j'étais Dieu. Je pleurais et pleurais. Je ne savais pas quoi faire. J'avais peur de la vie. Je savais que ma mère elle aussi avait

peur de la vie, c'est pourquoi elle m'avait transmis cette peur. Je ne voulais pas accepter. Diaghilev était assis sur mon lit et exigeait. Il
m'inspirait de la peur. J'ai eu peur et j'ai accepté.
Je sanglotais et sanglotais, car j'avais compris
la mort. Je ne pouvais pas me sauver, car j'avais
de la fièvre. J'étais seul. Je mangeais une orange.
J'avais soif et j'ai demandé à Diaghilev de me
donner une orange. Il m'a apporté une orange.
Je me suis endormi l'orange dans la main, car
je me suis réveillé l'orange écrasée et tombée
par terre. J'ai dormi longtemps. Je ne comprenais pas ce que j'avais. J'ai perdu conscience.
J'avais peur de Diaghilev, et pas de la mort. Je
savais que j'avais la fièvre typhoïde, car je l'avais
eue dans mon enfance, et je me souvenais que
la typhoïde se reconnaissait à des boutons sur
le corps. Mes boutons n'étaient pas ceux de
la rougeole, car je sais ce que c'est que la rougeole. Je décrirai la rougeole plus tard...

Le docteur Botkine a un jour rendu visite à
Tamara Karsavina, la célèbre danseuse. Tamara
Karsavina était mariée. Elle avait épousé Moukhine. Moukhine n'était pas riche, mais il avait
pu lui donner un appartement. Ils n'avaient
pas d'enfants. Le docteur Botkine a rendu visite
à Karsavina, et plus tard, en rentrant chez lui
la nuit, il est tombé raide mort dans sa chambre.
J'ai vu que Karsavina était très nerveuse, sa
mort lui était désagréable, car il était mort
après l'avoir quittée. J'ai senti que Karsavina
était responsable de cette mort, parce qu'elle
elle l'avait excité. Serge Botkine aimait manger, car j'ai remarqué qu'il avait un gros cou
et la figure congestionnée. J'ai compris qu'il
avait beaucoup de sang. J'avais remarqué que

tout le monde s'inquiétait. J'ai remarqué que tout le monde se moquait. Je suis sûr que Karsavina flirtait avec lui, parce que c'était un homme bien en cour. On appelle la cour, la famille impériale. Karsavina flirtait, car elle pensait y gagner quelque chose. Botkine faisait des compliments, car il pensait qu'on avait le droit de faire la cour aux danseuses. Je ressentais de l'amour pour Karsavina. Je ne lui voulais pas de mal. Botkine non plus ne lui voulait pas de mal, mais il croyait qu'il fallait faire la cour aux danseuses. Je suis persuadé qu'il n'a rien fait avec elle. J'en suis persuadé, car je sais ce que c'est que Karsavina...

Botkine est mort d'une attaque d'apoplexie, car il était irrité. Il était certainement irrité à cause de sa coquetterie. Elle flirtait et il la désirait. Je sais que Karsavina est une honnête femme, car je l'avais remarqué. Moi aussi je la désirais un peu, car elle a de belles formes. Je sentais qu'il était impossible de lui faire la cour, c'est pourquoi j'étais irrité. Je lui ai fait la cour à Paris. Ma cour consistait à lui faire sentir qu'elle me plaisait. Karsavina l'a ressenti, mais elle ne m'a pas payé de retour, car elle était mariée. J'ai senti mon erreur et je lui ai baisé la main. Elle a ressenti que je ne voulais rien, et ça lui a fait plaisir. Je connais bien Karsavina, car j'ai travaillé avec elle cinq ans de suite. J'étais jeune et je faisais beaucoup de bêtises. Je me disputais avec Karsavina. Je ne voulais pas m'excuser. Je ne voulais pas m'excuser, car j'étais offensé. J'ai compris que Diaghilev lui avait monté la tête contre moi, car il avait remarqué que je lui faisais la cour. Karsavina m'a chicané pour un rien et je me suis irrité. Je pleurais amèrement, car j'aimais Karsavina comme un homme aime une femme. Elle sentait que je l'avais offensée, c'est pourquoi elle pleurait... Serge Botkine était mort. Tout le monde pleurait, car tout le monde l'aimait... Ma femme est venue et m'a embrassé. J'ai ressenti de la joie, mais Dieu ne voulait pas que je montre ma joie à ma femme, car il veut la changer...

....

Botkine est mort. J'ai vu son cadavre de loin. Il était couché sur un catafalque. J'ai compris la mort et j'ai eu peur. Je suis parti sans embrasser son cadavre*. Tout le monde embrassait le cadavre. Je ne pouvais pas voir tout ça. La famille pleurait, et les connaissances faisaient semblant d'être tristes. Ils inspectaient l'appartement, les tableaux et en évaluaient le prix. Je sais qu'après sa mort toutes ses affaires ont été vendues, car sa femme n'aimait pas les caprices de Serge Botkine. Serge Botkine aimait acheter des tableaux, car on l'avait persuadé qu'il fallait acheter des tableaux anciens. Son appartement était rempli de tableaux anciens. J'ai remarqué que les gens ne s'intéressent pas aux tableaux nouveaux, car ils pensent qu'ils ne comprennent pas l'art. Ils achètent des tableaux anciens pour montrer leur amour de l'art. J'ai compris que les gens aiment l'art, mais qu'ils ont peur de se dire "je comprends l'art". Les gens sont très peureux, car les critiques leur font peur. Les critiques

---

* Il est d'usage dans l'Eglise orthodoxe que le corps du défunt soit exposé dans le cercueil ouvert, à l'église, et qu'en guise d'adieu, les parents et amis baisent le front du mort. (N.d.T.)

font peur, car ils veulent qu'on leur demande leur avis. Les critiques pensent que le public est bête. Les critiques pensent qu'il faut expliquer les tableaux au public. Les critiques pensent que sans eux il n'y aurait pas d'art, car le public ne comprendrait pas les choses qu'il a vues. Je sais ce que c'est que la critique. La critique c'est la mort. J'ai parlé une fois à un homme, sur un bateau, en rentrant de New York à Boston. Je lui ai parlé avec emportement, car il m'avait provoqué. J'ai remarqué que c'était un policier russe qui s'occupait des troubles intérieurs. Il pensait que j'étais un anarchiste. Je ne sais pas pourquoi il a pensé que j'étais un anarchiste. Il avait le visage méchant. Il ne m'aimait pas, c'est pourquoi je l'ai ressenti et me suis méfié de lui. Je m'intéressais à mes idées sur la critique, c'est pourquoi j'ai parlé de la critique. Il avait voulu me parler, car il croyait me provoquer à une conversation sur la politique intérieure. J'ai compris et j'ai décidé de le fâcher en lui expliquant la question qu'il m'avait posée. J'ai parlé fort, car je voulais lui en imposer. Il a cru que je me fâchais, et il a fait semblant de se fâcher lui aussi. J'ai remarqué que son visage ne vivait pas quand il me parlait. Il n'était pas énervé quand il jouait l'énervement. J'ai compris que je jouais mieux que lui. J'ai commencé à lui expliquer la critique. Il m'écoutait, car il était fatigué de me contredire. Il me coupait la parole, car il voulait que je change de conversation, mais je ne quittais pas le sujet abordé, car j'aimais ce sujet. Ça lui a déplu, et il s'est énervé. J'ai remarqué que ce que je disais lui déplaisait, et il est parti en laissant ma question sur la critique inachevée. J'ai appris plus tard qu'il avait demandé à ma femme si j'étais un "nihiliste". Je ne sais pas ce que veut dire "nihiliste". Je sais peu de chose sur le "nihilisme". Je ne comprends pas tous ces mots, car je ne suis pas très instruit. J'ai étudié à l'Ecole impériale, où l'on ne m'a pas appris tous ces mots. J'étais un pupille impérial. Je ne comprenais rien à la politique intérieure avant de me marier. Je l'ai comprise étant marié, car j'avais peur de la vie, et il me fallait vivre. J'écrirai sur la politique plus tard. Je veux parler de la critique puisque j'ai effleuré cette question. Je n'aime pas la critique, car c'est une chose inutile. Je sais qu'on me dira que la critique est une chose indispensable, car sans elle on ne comprendrait pas ce qu'il faut, et ce qu'il ne faut pas. Je sais que les critiques écrivent car ils veulent de l'argent. Je sais que l'argent, dans l'organisation actuelle de la vie, est indispensable. Je sais qu'on me dira que les critiques travaillent beaucoup sur ce qu'ils écrivent. Je dirai que les critiques travaillent peu, car ils ne font pas l'art, mais écrivent sur l'art. L'artiste consacre toute sa vie à son art. Le critique en dit du mal, car il n'aime pas son tableau. Je sais qu'on me dira que le critique est un homme impartial. Je dirai que le critique est égoïste, car il écrit son opinion, et pas l'opinion du public. Les applaudissements ne sont pas l'opinion. Les applaudissements sont un sentiment d'amour pour l'artiste. J'aime les applaudissements. Je comprends le sens des applaudissements. Je parlerai des applaudissements plus tard. Le critique ne ressent pas les applaudissements. Le critique dit du mal des applaudissements, car il veut montrer qu'il comprend mieux que les autres. Le public parisien n'écoute pas la critique. La critique parisienne s'en prend au public, car elle n'arrive pas à l'influencer. Calmette était un grand critique, car il a écrit des critiques sur le théâtre et la politique. Il a démoli *le Faune* en disant que le ballet était obscène. Je ne pensais pas à l'obscénité, en composant ce ballet. Je l'ai composé avec amour. J'ai imaginé tout le ballet seul. J'ai donné l'idée du décor, mais Bakst Lev ne m'a pas compris. J'ai travaillé longtemps, mais bien, car je sentais Dieu. J'aimais ce ballet, c'est pourquoi j'ai transmis mon amour au public. Rodin a écrit une bonne critique, mais sa critique a été influencée. Rodin l'a écrite parce que Diaghilev le lui a demandé. Rodin est un homme riche, c'est pourquoi il n'avait pas besoin d'argent, mais il a été influencé, car il n'avait jamais écrit de critique. Rodin s'est énervé, car il n'aimait pas sa critique. Il voulait me dessiner, car il voulait faire un marbre de moi. Il a regardé mon corps nu, et l'a trouvé mal fait, c'est pourquoi il a barré ses croquis. J'ai compris qu'il ne m'aimait pas, et je suis parti...

Calmette a écrit sa critique le même jour. J'ai compris de la conversation de Diaghilev avec Bakst qu'on s'était moqué de Calmette dans la société. Calmette a perdu la confiance du public comme critique de théâtre...

....

Svetlov, un critique de Pétersbourg, a écrit dans la *Petersbourgskaïa Gazeta** une critique sur *le Faune*, sans avoir assisté à une représentation. Il l'a écrite parce qu'il avait lu *le*

* Journal de Saint-Pétersbourg. *(N.d.T.)*

Figaro, et *le Figaro* était le journal le plus répandu. Il l'a écrite sous l'impression de la critique de Calmette. Il n'est pas venu au théâtre, je le sais de ce que Diaghilev voulait qu'il vienne pour aider au travail des Ballets russes. Svetlov croyait que les Ballets russes avaient "échoué", c'est pourquoi il s'est empressé de prévenir le public russe, de peur que les autres journaux russes ne publient quelque chose avant lui. Je sais que Svetlov lit *le Figaro*, c'est pourquoi j'ai compris qu'il avait reçu ce journal avant son départ. Il n'avait pas lu le journal de Paris, *Le Matin*, c'est pourquoi il n'avait pas lu la critique de Rodin. S'il avait lu la critique de Rodin, je suis plus que sûr qu'il n'aurait pas écrit la critique de Calmette, mais qu'il aurait écrit la critique de Rodin. J'ai remarqué l'inquiétude de Svetlov quand il est arrivé à Paris. Il avait compris son erreur, c'est pourquoi il m'évitait. Je n'avais pas peur de lui, car je savais qu'il était méchant. Je n'ai pas peur des gens méchants, au contraire je leur fais la guerre. J'ai fait la guerre à Svetlov en ne le saluant pas. Il l'a ressenti et jouait à celui qui n'aimait pas mes ballets, mais il n'écrivait plus rien sur moi. Il a écrit une histoire du ballet sans la connaître, car ma vie n'y était pas décrite. On m'ignorait. Je pleurais, car j'avais beaucoup travaillé pour les Ballets russes. Diaghilev était furieux, mais n'en montrait rien. Je crois que Svetlov a écrit ce livre exprès, pour montrer à Diaghilev qu'il n'avait pas copié la critique de Calmette. Svetlov a vu que tout le monde se moquait de lui, c'est pourquoi il a écrit ce livre pour se justifier...

....

Je veux écrire sur ma vie d'artiste. J'étais nerveux, car je me masturbais beaucoup. Je me masturbais, car je voyais beaucoup de belles femmes qui flirtaient. Je les désirais et me masturbais. J'ai remarqué que mes cheveux commençaient à tomber. J'ai remarqué que mes dents commençaient à pourrir. J'ai remarqué que j'étais nerveux et que je dansais moins bien. J'ai commencé à me masturber une fois tous les dix jours. Je croyais que dix jours était un délai nécessaire, que tout le monde devait jouir une fois tous les dix jours, car je l'avais entendu dire par mes aînés. Je n'avais pas plus de dix-neuf ans quand j'ai commencé à me masturber une fois tous les dix jours. J'aimais être allongé sur mon lit et penser aux femmes, puis j'en ai eu assez et j'ai décidé de m'exciter moi-même. Je regardais ma bite dressée, et je m'excitais. Ça ne me plaisait pas, mais je pensais que "si j'avais mis la machine en marche, je devais finir". Je finissais vite, avec la sensation d'une montée de sang à la tête. Je n'avais pas mal à la tête, mais je me sentais une douleur aux tempes.
– En ce moment, j'ai mal à l'estomac, car j'ai beaucoup mangé, et j'ai la même douleur aux tempes qu'autrefois, quand je me masturbais. – Je me masturbais peu quand je dansais, car j'avais compris la mort de ma danse. J'ai commencé à ménager mes forces, c'est pourquoi j'ai arrêté. J'ai commencé à "courir après les filles". J'avais du mal à trouver des cocottes, car je ne savais pas où les chercher. J'aimais les cocottes à Paris. Elles m'excitaient, mais après une fois, je ne voulais plus rien faire. J'aimais ces femmes, car c'étaient des personnes bien. J'avais mal à chaque fois après les avoir possédées. Je n'écris pas ce livre

pour que les gens s'excitent. Je n'aime pas le désir. Je ne suis pas excité en écrivant ces lignes. Je pleure amèrement. Je sens tout ce que j'ai vécu, c'est pourquoi j'écris sur l'excitation. Mon désir a failli me perdre. J'ai senti que je faiblissais. Je ne pouvais pas composer *Jeux*. J'ai composé ce ballet sur le désir. Je n'ai pas réussi ce ballet, car je ne le sentais pas. Je l'avais bien commencé, puis on s'est mis à me presser, et je ne l'ai pas achevé. Dans ce ballet on voit le désir de trois jeunes gens. J'ai compris la vie à vingt-deux ans. J'ai composé ce ballet tout seul. Diaghilev et Bakst m'ont aidé à écrire le sujet du ballet, car Debussy, le célèbre compositeur de musique, exigeait le sujet sur le papier. J'ai demandé à Diaghilev de m'aider, Bakst et lui ont écrit mon sujet. J'ai raconté mes idées à Diaghilev. Je sais que Diaghilev aime dire que c'est lui qui les a imaginées, car il aime les compliments. Je suis content si Diaghilev dit qu'il a imaginé les sujets du *Faune* et de *Jeux*, car j'ai composé ces ballets sous l'impression de ma vie avec Diaghilev. *Le Faune* c'est moi, et *Jeux* c'est la vie dont rêvait Diaghilev. Diaghilev voulait avoir deux garçons. Il m'a plus d'une fois parlé de cette intention, mais je lui ai montré les dents. Diaghilev voulait aimer deux garçons à la fois, et voulait que ces garçons l'aiment. Les deux garçons sont les deux jeunes filles, et Diaghilev c'est le jeune homme. J'ai déguisé ces personnages exprès, car je voulais que les gens éprouvent du dégoût. J'éprouvais du dégoût, c'est pourquoi je n'ai pas pu terminer ce ballet. Debussy non plus n'aimait pas cette idée, mais on lui avait donné dix mille francs pour ce ballet, c'est pourquoi il devait le terminer...

Je sais que je dois aller à Zurich demain,
c'est pourquoi je vais me coucher.

Je ne suis pas allé me coucher, car Dieu
voulait m'aider. J'ai un peu mal à la tête et je
me sens des brûlures à l'estomac. J'appelle
"brûlure" quand on a l'estomac qui brûle. Je
n'aime pas avoir mal à l'estomac, c'est pourquoi je veux que les douleurs cessent. J'ai
demandé à Dieu de m'aider. Il m'a dit que je
ne devais pas me coucher. J'ai remarqué que
mon estomac ne fonctionnait pas quand j'étais
couché, c'est pourquoi j'ai décidé de ne pas
me coucher. Je dormirai dans le train, car j'en
ai assez d'Oscar et de la mère de ma femme.
Ils ne sont ici que depuis un jour. Je n'ai pas
envie de leur parler. J'ai dit à ma femme de
façon que sa mère l'entende que "je ne pouvais pas parler, car je devais terminer mon
travail, parce que je n'écrirais pas à Zurich".
Ma femme a compris, c'est pourquoi elle n'a
rien répondu, mais je ne sais pas ce que sa
mère a ressenti, car je n'ai pas vu son visage.
C'est une femme rusée. Je l'ai remarqué aujour-
d'hui au dîner et au déjeuner. Pendant le dîner,
je lui ai donné une mandarine qui restait sur
ma part. Elle voulait encore des mandarines,
c'est pourquoi elle a commencé à parler de
mandarines. Je lui ai donné ma mandarine et
je lui ai dit que moi, une mandarine ou une
orange, ça m'était égal. Elle a pris la mandarine et n'a rien dit. Je lui ai montré les dents.
Oscar a pris sa défense. Je lui ai montré les
dents encore une fois, en lui reprenant nerveusement la mandarine, et j'en ai donné une
partie à Oscar, et j'en ai proposé une autre
partie à ma femme. Ma femme l'a refusée, car

elle pensait que j'aimais les mandarines. J'ai déposé la mandarine sur l'assiette de sa mère, mais elle ne l'a pas mangée, alors je lui ai montré les dents encore une fois en lui disant qu'elle ressemblait à Tessa. Je lui ai aussi parlé du beurre. Elle m'a compris, car elle n'a rien dit. Je lui ai parlé de cette façon pour qu'elle me comprenne. Elle a senti mes piques, mais elle a fait semblant de rien. C'est une femme très habile. Elle me rappelle Diaghilev. C'est une très bonne artiste, c'est pourquoi elle sait jouer. Je comprends le jeu, car je le sens. Je sais qu'on me dira que tous les artistes ressentent, car sans sentiment on ne peut pas jouer. A ça, je dois dire que tous les artistes ressentent, mais que tous ne ressentent pas bien. Je me gratte le nez, car je sens les poils qui bougent dans mon nez. J'ai remarqué que les poils bougeaient à cause des nerfs. Je n'ai pas de cheveux sur la tête, car j'étais nerveux...

Je sais qu'on me dira que la mère de ma femme est une grande artiste. A ça je dirai que je comprends ce que c'est qu'un artiste, car je suis moi-même artiste. Je la connais en tant que personne, c'est pourquoi je peux juger son jeu. J'ai déjà remarqué étant à Budapest, quand j'étais interné, qu'elle faisait semblant dans la vie. Je sais que tout le monde dira que moi aussi je fais semblant dans la vie, en disant que Dieu le veut. Je dois dire que je fais semblant, car Dieu me le commande, et la mère de ma femme fait semblant dans un but égoïste. Il lui déplaît que je l'aie invitée à vivre chez nous, car elle aime tyranniser les domestiques et elle a remarqué que j'aimais les domestiques. Elle sait que je ne fais pas la cour aux femmes de chambre. Elle se dispute par habitude avec les domestiques. Je ne veux pas qu'on me dise d'aller me coucher. J'irai me coucher quand Dieu me le commandera. J'ai dit à ma femme que j'irais bientôt me coucher, mais je sais que j'écrirai longtemps. Je n'aime pas qu'on me dérange quand je travaille. Je sais moi-même ce qu'il me faut. Je demande de l'aide et pas du dérangement. Je ne suis pas le dérangement. Je suis l'aide...

Elle se dispute avec les domestiques par habitude. Je n'aime pas me disputer avec les domestiques. J'aime partager. La mère de ma femme n'aime pas les domestiques, car les domestiques lui montrent les dents. Les domestiques lui montrent les dents, car elle ne les comprend pas. J'aime les domestiques, c'est pourquoi je fais ce qu'ils aiment. Je ne veux pas gâter les domestiques. Je ne suis pas une gâterie. Je suis l'amour. J'écrirai sur l'amour pour les domestiques plus tard...

....

Je veux beaucoup écrire sur la vie de la mère de ma femme. Je sais que tout le monde dira que je suis aussi comédien qu'elle, seulement la différence c'est qu'elle est une femme et une artiste dramatique, et je suis un homme et un danseur. Je comprends que les gens n'ont pas confiance dans les danseurs, c'est pourquoi je veux montrer ce qu'est un danseur... J'aime la mère de ma femme en tant qu'être humain, mais je ne l'aime pas comme personne dans la vie. C'est une femme méchante. Elle ressent très peu. Elle est égoïste au dernier degré. Elle n'aime qu'elle seule. Je comprends pourquoi son premier mari et le père de ma femme s'est suicidé. Je comprends pourquoi une femme qui était sa domestique lui a tiré dessus. Je comprends pourquoi elle n'a pas voulu faire de procès. Elle avait peur que le tribunal ne découvre ses torts. Elle avait peur chaque fois que cette femme passait près de chez elle. Je comprends qu'on ne peut pas avoir peur sans raison. Je sais que la raison était simple. Elle n'aimait pas cette femme, car celle-ci buvait du vin. La mère de ma femme a tellement crié après elle que son système nerveux a failli éclater, car elle était en plein delirium. Je sais ce que c'est que le delirium. Ça vous rend fou pendant un certain temps. Tous les ivrognes sont sujets à cette maladie...

La mère de ma femme a eu peur et a fermé la porte à clé. Ma femme m'a raconté cette histoire, c'est pourquoi je sais tout. Cette femme a tiré dans la porte, mais avant ça elle s'était cachée derrière un meuble. Quand la mère de ma femme est entrée dans la pièce, la femme lui a montré le revolver. La mère de ma femme s'est mise à courir d'un coin à l'autre de la pièce, puis elle s'est sauvée en fermant la porte. La femme s'est fâchée et a commencé à tirer dans la porte. J'ai senti que cette femme était offensée. Je ne disais pas la vérité quand je défendais la mère de ma femme en disant que c'était elle, et pas cette femme, qui avait raison. Je viens seulement de comprendre cette histoire, car Dieu m'a aidé. J'aime Dieu, c'est pourquoi il m'aide...

....

Les nerfs de mon nez se calment, mais les nerfs de mon crâne me gênent, car je sens que le sang reflue de ma tête. Mes cheveux bougent, car je les sens. J'ai beaucoup mangé, c'est pourquoi je sens la mort. Je ne veux pas de la mort, c'est pourquoi je prie Dieu de m'aider...

Je veux écrire avec une belle écriture, car je sens la beauté. La mère de ma femme a été une belle femme. Elle s'est gâchée elle-même, car elle est tout le temps en colère, disant que sa bile est en mauvais état. A Budapest, je lui disais qu'elle avait mal à la bile, car elle n'arrêtait pas de chicaner et chicaner. Elle ne m'a pas cru. Elle ne croit personne. C'est une méchante femme. Elle recourt à des astuces, car elle veut de la publicité. Elle fait semblant d'aimer les gens simples. Elle serre la main des conducteurs de tramway pour se montrer. Elle le fait maladroitement, car j'ai remarqué que les conducteurs rougissaient. Ils sont gênés, car ils pensent qu'elle se moque d'eux. Elle leur sourit à la Lloyd George. Je sais qu'on me dira que c'est une femme bien, car elle pleure quand elle voit des offensés. Je sais qu'on me dira qu'elle fait l'aumône en trouvant des places à des femmes sans travail. Moi-même j'ai longtemps pensé qu'elle était une femme bien, mais par un simple hasard, j'ai remarqué qu'elle n'aimait pas ma femme. Le jour où nous avons fait connaissance, elle a voulu me plaire, c'est pourquoi elle m'a montré de vieilles photographies de ma femme. Ma femme s'est mise à pleurer car elle s'est sentie offensée. Moi aussi je me suis senti offensé et je suis parti. Depuis je n'ai plus fait confiance à la mère de ma femme. Je la détestais, mais je faisais semblant. Elle sentait ma force, car elle a remarqué que je ne lui prêtais aucune attention. Elle me fâchait et je me disputais avec elle. Elle avait peur que je ne dise du mal d'elle, c'est pourquoi elle disait que j'étais affreux et ne l'aimais pas. Je l'ai découvert en voyant que tout le monde commençait à me tourner le dos. Celui qui m'embrassait avant, ne me saluait plus. La mère de ma femme était au comble de la joie, car elle me croyait vaincu. Je n'étais pas vaincu, car je n'étais pas fâché contre elle. Je faisais semblant, car je voulais qu'elle s'améliore. Je lui montrais les dents chaque jour. Elle m'en montrait le double. J'ai doublé et elle a triplé, et ainsi nous nous sommes disputés pendant dix-huit mois, les mois difficiles où j'ai été interné.

La mère de ma femme est hypocrite. Elle me rappelle Lloyd George. C'est une femme méchante. Je n'aime pas les gens méchants, c'est pourquoi je veux les désarmer en écrivant sur leur vie. Ils se mettront en colère en lisant ces lignes, mais je serai au comble de la joie, car je lui aurai donné une bonne leçon. Je veux qu'avant de mourir elle réalise ses torts envers les gens et s'excuse. Je ne veux pas d'excuses publiques, mais je veux qu'elle ressente. Je veux qu'elle regrette toute sa vie passée. Je sais que toute la critique hongroise se soulèvera et qu'on dira du mal de moi, c'est pourquoi je demanderai à Dieu de désarmer la critique. Je répondrai si Dieu me le commande. Je sais que les gens me comprendront, c'est pourquoi je remercierai Dieu de son amour. Je sais qu'il m'aime et m'aidera en tout. Je suis pauvre. Je suis misérable. Je n'ai ni pain ni toit, car je ne possède rien. La mère de ma femme a une maison de trois étages avec des colonnes de marbre. Elle aime cette maison, parce qu'elle coûte cher. Je n'aime pas cette maison, car elle est construite bête-ment. Je sais que bien des gens diront que je ne comprends pas la beauté de cette maison, car elle contient beaucoup de beaux tableaux anciens et des tapisseries. Je dirai que je n'aime pas l'ancien, car l'ancien sent la mort. Je sais que bien des gens diront que je suis sans âme, car je n'aime pas les vieux. Je dirai que j'aime les vieux, mais je n'aime pas la vieillesse de l'esprit. Je suis un esprit jeune. Tolstoï était un esprit jeune. Wagner et Beethoven étaient des esprits jeunes, etc. Je ne veux pas parler des autres, car je les connais peu. J'aime tout le monde. J'ai écrit sur Tolstoï, car il est Dieu. Wagner n'est pas Dieu. Beethoven est Dieu. Bach n'est pas Dieu...

La mère de ma femme est une femme affreuse. Je ne l'aime pas. Je veux que Dieu l'enlève de la face de la terre. Je sais qu'on me répondra que je suis un homme méchant, car je prie Dieu de "l'enlever de la face de la terre". Je répondrai que j'aime tout le monde et que je veux l'amour de cette femme, c'est pourquoi je prie Dieu qu'il tue en elle tous les mauvais sentiments, et avec ça toute sa vie passée prendra fin. Voilà ce que j'appelle "l'enlever de la face de la terre"...

....
....
....

Je m'en vais à Zurich. Je ne veux rien faire pour mon départ. Tout le monde s'inquiète. Les domestiques sont devenus bêtes, car ils ressentent Dieu. Je le sens aussi, mais je ne suis pas devenu bête. Je ne veux pas me vanter. Je veux dire la vérité. Oscar téléphone à Zurich. Il a peur qu'on ne comprenne pas son nom. Il sent que personne ne connaît son nom, c'est pourquoi il veut les forcer à l'apprendre. Son nom est Pardany. Il prononce son nom en accentuant chaque syllabe. Je comprends pourquoi il veut que tout le monde connaisse son nom. Il veut montrer qu'il est riche. Il ne veut pas que les gens pensent qu'il est pauvre. Il n'aime pas la pauvreté. J'aime la pauvreté. Ça m'est égal qu'on connaisse mon nom ou pas. Je n'ai pas peur que les gens ne m'aiment pas s'ils comprennent que je suis pauvre. Je sais que "pauvreté n'est pas vice". Je sais que tout le monde dira que j'ai une bonne vue, car je peux écrire petit*. Je dois dire que ma vue se fatigue d'une telle écriture. Je viens seulement d'écrire cette page, et je sens déjà que mes yeux se fatiguent. J'ai une vue parfaitement saine, car j'ai peu lu. Je lisais toujours le matin et dans la journée. J'ai compris que la lecture était un travail. A l'école je m'enfermais en faisant semblant d'être malade pour les études. Je restais couché et je lisais. J'aimais lire couché, car j'étais tranquille. Je n'aimais pas rester couché, mais il le fallait, car tout le monde considérait que j'étais malade. Les yeux ne me piquent plus, car Dieu m'a aidé. Je n'aime pas qu'on me dérange. Je veux écrire sur le départ à Zurich. Tout le

* Les dernières pages de ce cahier sont écrites d'une écriture minuscule. *(N.d.T.)*

monde était inquiet. Je n'étais pas inquiet, car ça m'était égal. Je trouvais ce voyage stupide. J'irai, car Dieu le veut, mais si Dieu n'avait pas voulu, je serais resté… ~~en inventant une astuce~~. Je ne veux pas qu'on fasse semblant. Je veux Dieu. Je veux que tout le monde comprenne, c'est pourquoi j'ai barré exprès, pour le montrer. J'ai remarqué que la jambe gauche et le bras me "piquaient". J'appelle "me piquer" quand le sang s'arrête. Je ne peux pas bouger la jambe. Je ne peux pas écrire, car le sang s'est arrêté de bouger dans tout mon corps. Je commence à comprendre Dieu. Je sais que tout mouvement vient de Dieu, c'est pourquoi je le prie de m'aider. Je ne veux pas écrire avec cette plume, car ma plume meurt. Elle griffe le papier, et en arrache de petits morceaux. La plume est mauvaise, car je l'arrange et elle ne s'arrange pas. Je chercherai une autre plume à Zurich. Je demanderai à Oscar d'acheter une plume ordinaire. Je n'écris pas en marchant, c'est pourquoi je n'ai pas besoin d'une fountain-plume avec de l'encre dedans. Je ne suis pas fâché, mais je plains les gens, car une fountain-plume coûte cher. Je sais que tout le monde aime avoir une bonne fountain-plume. J'ai compris mon erreur. J'écrirai avec le bout pointu, car je sais que je pourrai mieux écrire, car le bout pointu s'est émoussé. Je pensais que l'or était plus dur que le papier, mais le papier est plus dur. J'ai commencé à écrire avec le bout pointu. Je comprends la mort du stylo. Le stylo *Waterman's Ideal Fountain-Pen* est une tromperie. J'ai compris comment les gens s'enrichissaient. Les gens s'enrichissent par la tromperie. Je comprends ce que c'est que la Bourse. Je tromperai les boursiers. Demain j'irai à la Bourse avec Oscar. J'observerai Oscar. Il sera nerveux et pas moi. Je ne serai pas nerveux et je décrirai toute la tromperie que je remarquerai…

Je veux parler du voyage. Mon voyage s'est arrêté, car tout le monde a oublié le train. Oscar, la mère de ma femme et ma femme ont cru cette sotte de Louise. Louise a oublié l'heure que lui avait dite l'homme de la gare. Elle a oublié, car elle était inquiète. Ma femme et la mère de ma femme lui ont montré les dents. Je leur ai expliqué, en riant, que ce n'était pas sa faute, mais j'ai senti le regard de la mère de ma femme et j'ai changé. J'ai dit que les trains changeaient souvent d'horaire, car c'est la guerre. La mère m'a compris. Elle croyait que je voulais défendre Louise. Je lui ai fait comprendre que je la comprenais. Elle l'a ressenti, mais elle ne m'a pas compris. J'ai laissé tomber la conversation, car je ne voulais pas de dispute. La mère est de mauvaise humeur, et ma femme aussi. Oscar est inquiet. Je suis assis tranquillement et j'observe. Je vois tous les défauts, car Dieu veut que je sois tranquille. J'ai remarqué que les gens contenaient leur inquiétude et devenaient tout pâles. Je l'ai remarqué chez la mère de ma femme et chez ma femme. Elles étaient pâles et tremblaient légèrement. Je n'étais pas pâle et je ne tremblais pas. Je crois que Lloyd George a beaucoup de mal à cacher son inquiétude. Je crois qu'il recourt à toutes sortes d'astuces pour avoir le teint rose, croyant que le teint rose signifie le calme. Je sais que le teint rose apparaît quand l'homme s'énerve. Je sais que Lloyd George est un homme nerveux, car son sourire se fige. Il peut garder son sourire long-temps, car le photographe peut le photogra-phier. Je sais que tout le monde dira que moi aussi j'ai fait photographier mes sourires...

Ma femme est venue me voir et m'a dit de dire à Kyra que je ne reviendrais plus. Ma femme a senti des larmes et a dit avec émo-tion qu'elle ne m'abandonnerait pas. Je ne pleurais pas, car Dieu ne le voulait pas. Je lui ai dit que je ne resterais pas à Zurich si elle n'a pas peur de moi, mais si elle a peur, je préfère être dans une maison de fous, car je n'ai peur de rien. Elle pleurait dans son âme. Je me suis senti une douleur à l'âme et j'ai dit que si elle n'avait pas peur de moi, je ren-trerais à la maison. Elle s'est mise à pleurer et m'a embrassé en disant qu'elle et Kyra ne m'abandonneraient pas, quoi qu'il arrive. J'ai dit "bien". Elle m'a ressenti et elle est partie. Je parlais de mon sourire sur les photographies. J'ai un sourire plein de sensibilité, car je sens Dieu. Wilson a un sourire plein de sensibilité, car il ressent Dieu. Lloyd George a un sourire bête, car il ne ressent pas Dieu. Je sais que bien des gens diront que Lloyd George est Dieu dans la politique. Je sais qu'on me dira que Lloyd George a prouvé qu'il était Dieu. Je dirai que Lloyd George n'a rien prouvé, car les autres Etats font les frais de sa politique. Il n'aime pas les autres Etats. Il aime son parti qui lui paie beaucoup d'argent. Je sais que tout le monde dira qu'il n'a pas d'argent. Je con-nais les astuces de Lloyd George. Lloyd George cache bien son argent. On ne le découvrira pas, car il a tout caché de telle sorte qu'il croie que Dieu ne le trouvera pas. Je trouverai son argent et je le prendrai. Je prouverai à tout le monde que je le trouverai. Je ne le chercherai pas moi-même. J'espère que le peuple le trouvera. Je laisserai tout à Dieu. Je ne veux pas qu'on le tue, car c'est une créature de dieu. J'aime toutes les créatures de Dieu. Je ne veux pas écrire sur Lloyd George, créature de Dieu avec une majuscule, car ça m'offense... – Je veux qu'on photographie mes manuscrits, car je sens mon manuscrit comme vivant. Je transmettrai la vie aux gens si on photographie mon manuscrit. Je dépisterai les journalistes, car je suis Dieu-physionomiste. Je reconnais les gens à leur physionomie. Je sais qu'un homme n'est pas nerveux s'il n'est coupable de rien. Je vivrai dans les grands hôtels, car je veux que tout le monde me voie. Je ne veux pas d'hôtels chers, car les lloyd-georgiens y habitent. J'irai dans un hôtel ordinaire si ma femme me le permet. J'ai peur pour moi, si ma femme dit qu'elle ne peut pas vivre dans un hôtel pauvre. Je trouverai des astuces pour éviter les grands hôtels. Je préfère vivre dans un appartement. J'irai dans un appartement si je remarque qu'on ne m'aime pas. Je montrerai les dents à tout le monde. Je ne veux pas de méchants, mais je les montrerai, car Dieu les montrera. Je n'ai pas peur des méchants. Je suis brave et riche. On ne peut pas acheter mes gens. Je suis un psysionomiste-Dieu. Je prouverai aux lloyd-georgiens que je suis un homme-Dieu. Venez ! Venez ! vous battre avec moi ! Je vaincrai tout le monde. Je n'ai peur ni d'un coup de feu ni du poison. J'ai peur de la mort spirituelle. Je ne perdrai pas la raison, mais je ne ferai que pleurer et pleurer. Je suis un homme. Je suis Dieu. Je suis un homme en Dieu. J'ai des fautes, car

Dieu le veut. Je montrerai mes fautes et mes perfections, car je ne veux pas qu'on ait peur de moi. Je suis un homme d'amour, et les hommes d'amour sont simples. Je n'ai pas peur de Clemenceau. Je lui montrerai mes manuscrits. Je sais qu'il les traduira. Je sais qu'il les comprendra. J'irai le voir sans me faire annoncer. Je montrerai ma carte de visite, et on me laissera passer, car on me comprendra. Je leur montrerai mon sourire plein de sensibilité et ils me laisseront entrer, car ils savent qu'un homme avec un sourire plein de sensibilité est bon. Les lloyd-georgiens ne sauront pas faire semblant, car le sourire plein de sensibilité vient de Dieu. Dieu n'est pas avec les lloyd-georgiens, mais avec la wil-sonnerie. Aucun artiste ne saura tromper Dieu. Je sais ce que c'est qu'être artiste et Dieu à la fois, c'est pourquoi je n'ai pas peur pour moi. J'irai voir Clemenceau tout de suite après mon arrivée car je lui veux du bien. Je veux qu'on me laisse entrer, c'est pourquoi je recourrai à une astuce. Je tromperai la police de Lloyd George en disant que je suis un lloyd-georgien. Je leur dirai que je suis un Polonais "invétéré". Ils aiment les Polonais "invétérés", car ils peuvent les diriger selon le vent. Je sais d'où souffle le vent, c'est pourquoi je saurai souffler contre lui. J'aime Clemenceau, car c'est un homme d'erreurs. Il corrige ses erreurs c'est pourquoi Dieu est avec lui. Je suis Dieu en Clemenceau. Clemenceau ressent Dieu, et Dieu ressent Clemenceau. Je sais que Clemenceau me comprendra, car il me ressent. J'irai vers lui les bras ouverts, et il n'aura pas peur de moi. Je lui dirai dans mon mauvais français que je l'aime et que je lui veux du bien... Je dois me corriger. J'ai compris que la balle lui avait percé l'épaule, et que par-derrière on lui avait percé les organes aériens. J'ai compris que les lloyd-georgiens étaient méchants, car je sais qu'avec un poumon percé, on vit longtemps, mais on souffre. Clemenceau souffrira, mais j'espère qu'il comprendra toute cette bande de bandits et saura épargner la France. J'aime la France, c'est pourquoi je ne lui veux pas de mal. Je comprends toute la clique qui a provoqué la guerre. Je sais que Clemenceau est riche et n'a besoin de rien, c'est pourquoi je sens que personne n'a pu l'acheter. Les lloyd-georgiens achètent les gens non seulement avec de l'argent, mais aussi avec des promesses. Clemenceau pensait qu'il était bon pour la France de prendre l'Alsace et la Lorraine. J'ai compris qu'il fallait régler cette question pacifiquement. Clemenceau a ressenti Wilson, c'est pourquoi il a approuvé son but. Je comprends que les Français aiment les Alsaciens, et que de nombreuses familles pleurent, car elles se croient offensées de ne pas appartenir à la carte française. Je comprends que les Français n'aiment pas les Allemands. Je comprends comment se développe leur hostilité envers les Allemands. Je sais ce que c'est qu'un Allemand. Je sais qui a appris à la France à dire "Boche". Je ne suis pas un homme méchant. J'aime tout le monde. Je ne veux pas de guerre, c'est pourquoi je veux que tout le monde vive en paix. Il ne faut pas se disputer. Il ne faut pas se disputer. Je suis l'amour. Je suis un homme d'amour. Je sais que les enfants allemands pleurent à cause de leur père. J'aime les Allemands. Je ne suis pas allemand. Je suis un homme. Je n'appartiens à aucun parti. Je suis sans parti. Je suis un homme, et tous sont des hommes. Je comprends l'amour des hommes. Je veux l'amour des hommes. Je ne veux pas d'horreurs. Je veux le paradis sur terre. Je suis Dieu en l'homme. Tous seront des dieux s'ils font ce que je leur dis. Je suis un homme avec des fautes, car je veux que les gens corrigent leurs fautes. Je n'aime pas les gens qui ne corrigent pas leurs fautes. Je suis un homme qui se corrige. Je ne pense pas aux fautes passées. Je ne suis pas méchant. Je ne suis pas une bête, mais un homme. J'aime les bêtes, mais pas les bêtes féroces. Il ne faut pas tuer les bêtes féroces, car c'est Dieu qui leur a donné la vie. Je sais que bien des gens diront que l'homme est sorti de la semence de son père et des entrailles de sa mère. Mais je dois dire que la semence n'est pas venue de l'homme primitif, mais de Dieu. Je comprends que bien des gens me diront que l'homme descend du singe, mais je dois dire que le singe provient de la semence de Dieu. Je sais que bien des gens diront que la semence du singe provient de quelque chose d'autre, alors je dirai que ce quelque chose d'autre provient de Dieu. Je sais qu'on me dira que ce quelque chose d'autre provient de quelque chose d'autre, alors je dirai que ce que vous appelez "quelque chose d'autre" c'est Dieu. Je suis l'infini. Je suis tout. Je suis la vie dans l'infini. Je suis la raison, et la raison est infinie. Je ne mourrai jamais, mais l'intelligence de l'homme meurt avec son corps. L'intelligence de l'homme est limitée. Je sais que bien des gens diront que l'intelligence a tout créé. Que les aéroplanes et les zeppelins, etc., ont été créés par l'intelligence. Je dois dire que les aéroplanes et les zeppelins ont été créés par la raison, car il y a de la vie en eux. Il y a du mouvement dans un aéroplane, il y a du mouvement dans un zeppelin. Je sais que l'aéroplane a été créé par un Français-Dieu. Je sais que les Français ressentent Dieu, mais ils ne le comprennent pas encore, c'est pourquoi ils commettent des erreurs. Le zeppelin est une chose de l'intelligence, car le zeppelin a été inventé d'après l'aéroplane. Je sais que bien des gens diront que l'aéroplane a été inventé d'après l'oiseau. Je dirai que l'oiseau est une chose vivante, et que l'aéroplane est une chose en acier. Je sais que tout le monde dira que le zeppelin aussi est en acier. Je dirai que le zeppelin est une copie de l'aéroplane, mais dans une autre forme. Les savants ont admiré le zeppelin, car ils ont compris son pouvoir. Ils ont compris qu'on pouvait y mettre beaucoup de gens, c'est pourquoi il est bon pour la guerre. Les Allemands ont commandé à Zeppelin beaucoup de zeppelins. Ils pensaient qu'il en sortirait des poulets, mais il en est sorti des hommes morts*…

. . . .

La mère de ma femme est entrée dans ma chambre et s'est excusée. Je lui ai dit d'une voix forte, car je voulais l'en persuader, qu'elle n'avait pas à s'excuser, car tout le monde peut entrer chez moi sans demander la permission. Je n'ai pas peur du bruit et des cris. Je peux travailler quand on crie. Elle a réfléchi et répondu qu'elle comprenait que j'avais l'habitude du bruit, et que c'était très bien.

* Nijinski fait ici une association d'idées entre les mots "zeppelin" et "poulet", qui ont la même consonance en russe. *(N.d.T.)*

J'ai senti dans son "très bien" qu'elle pensait à autre chose, c'est pourquoi elle ne m'a pas compris... Ma femme est entrée et m'a embrassé. J'ai pensé que c'était Dieu. J'ai compris que dieu était dans l'amour. Je ne veux pas écrire dieu avec une majuscule, c'est pourquoi je l'écrirai avec une minuscule. J'ai entendu la voix de ma petite Kyra. Elle m'aime, car elle s'est mise à pleurer quand je lui ai dit que je partais pour toujours. Elle m'a ressenti, et s'est mise à pleurer...

Je suis allé pisser aux waters et j'ai vu que c'était sale. J'ai compris qu'Oscar était un homme malade, car ses matières sont molles. Il avait éclaboussé tous les waters. Je ne voulais pas de saleté, c'est pourquoi j'ai pris une brosse et j'ai nettoyé la saleté. Après ça, j'ai senti que la brosse était sale, c'est pourquoi je l'ai mise dans la cuvette et j'ai pressé la pompe. L'eau a coulé avec force et supprimé la saleté de la brosse. J'ai remarqué que la brosse était mauvaise, car les gens ne prenaient pas soin de la brosse. La brosse a laissé des crins dans la cuvette. J'ai laissé les crins, car j'ai senti que Louise comprendrait que c'était moi et m'aimerait encore plus. Je veux montrer à Louise ce livre en allemand, en lui montrant l'endroit où je parle d'elle. C'est une femme de Zurich, et elle s'appelle Louise Hamberg. Celui qui la verra lui montrera l'endroit où je parle d'elle. J'aime Louise, et elle m'aime aussi. Je ne lui ai pas fait la cour, c'est pourquoi elle m'a aimé encore plus. Elle ne m'a jamais rien dit, mais j'ai compris, car j'ai senti de l'amour...

J'écris petit, car les cahiers coûtent cher. J'ai compris les astuces des magasins. Les magasins profitent de la guerre, car ils ont peur qu'elle ne se termine. L'astuce des magasins, c'est de dire que c'est la guerre qui les oblige à prendre cher. Je suis allé dans un magasin de Saint-Moritz qui s'appelle *la Route*. J'y étais entré selon le commandement de Dieu. Je n'avais pas d'argent. J'ai demandé des cahiers. Une femme mince, avec les cheveux noirs et un pince-nez. Le pince-nez avait une chaîne en or. J'ai compris que cette femme avait des actions dans le magasin, pour la simple raison qu'elle a dit un prix, et la femme du magasin un autre prix. La femme au pince-nez a annoncé un prix élevé, et la femme sans pince-nez un petit prix. J'ai suivi la femme sans pince-nez. J'ai remarqué que la femme au pince-nez était énervée. Je connaissais ce magasin avant, car j'y avais acheté des couleurs et du papier pour mes décors. Je n'épargnais pas l'argent. Les couleurs et le papier coûtaient très cher. J'ai compris leur cherté, et j'ai failli abandonner le travail, mais Dieu m'a aidé, car il m'avait dit qu'il m'aiderait. Je l'ai cru et j'ai acheté beaucoup de couleurs. Je savais que les couleurs séchaient, mais j'ai compris l'erreur des gens, c'est pourquoi je n'ai pas peur que la peinture sèche. Je sais comment on peut faire fondre les couleurs sèches. Je prends un peu d'eau chaude, et je mets un morceau de couleur sèche dans l'eau chaude. Les magasins demandent cher pour tout ce qui se vend en disant que c'est la guerre. J'ai compris l'astuce du magasin, car j'ai longtemps habité Saint-Moritz avec Dieu. J'ai vécu plus d'un an avec Dieu et j'ai travaillé quotidiennement. Je dormais et je pensais à Dieu.

Je sais qu'on me dira qu'un homme ne peut pas dormir et penser. Je dirai que celui qui me fait cette remarque a raison, car je ne pense pas quand je dors, mais je sens. J'ai fait une faute exprès, car je veux faire comprendre aux gens que je ne pense pas quand j'écris, mais que je sens...

Le magasin trompait les gens. Je les trompais aussi. Je comprends les fautes des magasins, c'est pourquoi je sais ce qu'il me faut. Je n'écrirai pas en grandes lettres, mais en petites, car ainsi j'économiserai le papier. Les magasins pensent que les gens sont bêtes, parce qu'ils ont beaucoup d'argent. Je dois dire que ce ne sont pas les gens qui sont bêtes, mais les magasins, car ils vendent des choses pour de l'argent, et pas pour l'amour. J'aime les gens, c'est pourquoi je ne les trompe pas. Je comprends qui provoque les guerres. Les guerres proviennent du commerce. Le commerce est une chose affreuse. Le commerce, c'est la mort de l'humanité. Si les gens ne changent pas leur façon de vivre, le commerce les fera tous périr. Je sais que bien des gens diront que sans le commerce on ne peut pas vivre. Je sais que le commerce est une chose vaine. Je sais que les commerçants ne ressentent pas Dieu. Je sais que dieu n'aime pas les commerçants. Je sais que dieu aime les travailleurs. Je ne suis pas bolchevik. Je ne veux pas d'assassinats. Les bolcheviks sont des assassins. Je suis un homme d'amour. Je veux de l'amour pour tout le monde. Je veux de la vie pour tout le monde. J'aime les choses si j'en ai besoin. Je ne veux pas de choses si je n'en ai pas besoin. J'aime les choses, c'est pourquoi j'en prends soin. J'ai acheté trois grands cahiers pour un prix très élevé. J'ai compris que la femme au pince-nez à la chaîne m'a trompé. Je veux la tromper aussi, c'est pourquoi je vais écrire petit. Je n'aime pas les magasins. J'aime qu'on détruise les usines, car elles apportent de la saleté sur la terre. J'aime la terre, c'est pourquoi je veux la protéger. Je ne veux pas de pogroms. Je veux que les gens comprennent qu'il faut renoncer à toute cette ordure, car il leur reste peu de temps à vivre. Je sens l'asphyxie de la terre. La terre étouffe. Elle produit des tremblements de terre. Je sais ce que c'est qu'un tremblement de terre. Je sais que tout le monde déteste les tremblements de terre et qu'on prie Dieu qu'il n'y ait pas de tremblements de terre. Je veux des tremblements de terre, car je sais que la terre respire. Je sais que les gens ne comprennent pas les tremblements de terre, c'est pourquoi ils s'en prennent à Dieu. Les gens ne comprennent pas qu'ils ont eux-mêmes provoqué les tremblements de terre. Je sais qu'on me dira que les tremblements de terre proviennent des tremblements de terre, car la terre ne s'est pas encore refroidie. Je connais l'erreur des gens, c'est pourquoi je dois dire que les tremblements de terre proviennent de l'asphyxie de la terre. Les gens me diront sûrement que je me trompe, car je n'ai pas étudié la terre. Je dirai que j'ai étudié la terre, car je la sens, et ne pense pas. Je sais que la terre est une chose vivante. Je sais que la terre a été un soleil. Je sais que les étoiles qui clignotent sont des soleils. Je sais que la lune et les autres planètes, comme Mars par exemple, ne sont pas des soleils. Je sais qu'il n'y a pas d'hommes sur Mars. Je sais que les gens auront peur de moi, car je dis des choses que je n'ai pas vues. Je dois dire que je vois sans yeux. Je suis le sentiment. Je sens. Je sais que les aveugles me comprendront, si je leur explique que les yeux sont une chose dépassée. Je dirai que sur Mars les hommes n'ont pas d'yeux. Que sur Mars les hommes vivent avec amour et qu'ils n'ont pas besoin d'yeux, car ils n'ont pas de soleil. Je sais que tous les astronomes crieront que Nijinski est bête et ne comprend pas l'astronomie. Je dirai que tous les astronomes sont bêtes. Les astronomes ont inventé des lunettes pour étudier l'atmosphère. Les astronomes sont les gens les plus ennuyeux du monde. Je sais qu'on me dira que l'astronome est dieu. Je dirai que l'astronome est la bêtise. Je sais qu'on me dira que je suis fou, car je parle de choses que je ne comprends pas. Je sais que je comprends. Je suis l'esprit en l'homme qui porte le corps de Nijinski. J'ai des yeux, mais je sais que si on me crevait les yeux, je saurais vivre sans yeux. Je connais un général français qui se promène chaque jour avec sa femme et qui ressent la vie. Il croit qu'il est malheureux, c'est pourquoi il sourit à tous ceux qu'il rencontre. Je l'ai remarqué, car il marchait bizarrement en portant haut la tête. J'ai compris qu'il était malheureux et j'ai eu pitié de lui. Je l'aimais et j'éprouvais le besoin de le persuader que je n'avais pas peur d'être aveugle, mais j'ai compris qu'il ne me comprendrait pas, c'est pourquoi j'ai laissé ça pour plus tard. Je sais qu'il n'y a pas d'hommes sur Mars, car je sais que Mars est un corps glacé. Mars a été une Terre, mais il y a beaucoup de milliards d'années. La Terre aussi sera une Mars, mais dans quelques centaines d'années. Je sens que la Terre étouffe, c'est pourquoi je prie tout le monde d'abandonner les usines et de m'écouter. Je sais ce qu'il faut pour sauver la Terre. Je sais chauffer un poêle, c'est pourquoi je saurai réchauffer la Terre. Mon garçon de chauffe est bête, il boit et pense que c'est bon pour lui, mais il se tue. Je suis le Sauveur du seigneur. Je suis Nijinski, et pas le Christ. J'aime le Christ, car il était comme moi. J'aime Tolstoï, car il est comme moi. Je veux sauver tout le globe terrestre de l'asphyxie. Tous les savants doivent abandonner leurs livres et venir à moi. J'aiderai tout le monde, car je sais beaucoup de choses. Je suis un homme en Dieu. Je n'ai pas peur de la mort. Je vous demande de ne pas avoir peur de moi. Je suis un homme avec des fautes. Moi aussi j'ai des fautes. Je veux me corriger. Je suis un homme avec des fautes. Il ne faut pas me tuer, car j'aime tout le monde d'un amour égal. J'irai à Zurich et j'étudierai Zurich avec Dieu. J'écrirai sur Zurich. Zurich est une ville commerciale. Je comprendrai ses erreurs. Je décrirai Zurich pour vous prouver que j'ai raison. Je suis la raison, et pas l'intelligence. Je suis Dieu, car je suis la raison. Tolstoï a beaucoup parlé de la raison. Schopenhauer aussi a écrit sur la raison. Moi aussi j'écris sur la raison. Je suis la philosophie raisonnable. Je suis la philosophie vraie, et pas inventée. Nietzsche est devenu fou, car il a compris vers la fin de sa vie que tout ce qu'il avait écrit était des bêtises. Il a eu peur des gens et il est devenu fou. Je n'aurai pas peur des gens si les gens se jettent sur moi avec des grincements de dents. Je comprends la foule. Je sais la diriger. Je ne suis pas un chef d'armée. Je suis un homme dans la foule. Je n'aime pas la foule.

J'aime la vie de famille. Je ne veux pas la multiplication des enfants. Je sais à quoi mène la multiplication des enfants. J'aime tous les enfants. Je suis un enfant. J'aime jouer avec les enfants. Je comprends les enfants. Je suis un père. Je suis un homme marié. J'aime ma femme, car je veux l'aider dans la vie. Je comprends pourquoi les gens courent tout le temps après les filles. Je sais ce que c'est qu'une fille. J'écrirai beaucoup, car je veux expliquer aux gens ce que c'est que la vie, et ce que c'est que la mort. Je ne peux pas écrire vite, car mes muscles se fatiguent. Je n'en peux plus. Je suis un martyr, car je sens une douleur dans l'épaule. J'aime écrire, car je veux aider les gens. Je ne peux pas écrire, car je suis fatigué. Je veux terminer, mais Dieu ne me le permet pas. J'écrirai jusqu'à ce que Dieu m'arrête...

....

J'ai bien déjeuné, mais j'ai senti que je ne devais pas manger de soupe. La soupe était faite de conserves...

J'ai voulu courir chercher de l'argent, car j'ai pensé, mais Dieu m'a prouvé qu'il ne fallait pas. J'ai pris mon carnet de chèques. Je veux emporter mon carnet, et pas l'argent, car je veux montrer à la Bourse que j'ai du crédit. Les boursiers me croiront et me prêteront de l'argent. Je gagnerai sans argent. Je sais que tout le monde aura peur, c'est pourquoi j'irai à la Bourse tout seul. Je mettrai un mauvais costume, car je veux voir toute la vie de la Bourse. Je tromperai les boursiers. Je prendrai mon bon costume, et je ferai semblant d'être un riche étranger, et j'entrerai à la Bourse. J'ai peur de la Bourse, car je ne la connais pas. J'y suis allé une fois avec Diaghilev, il connaissait un homme qui était boursier. Diaghilev jouait petit, c'est pourquoi il gagnait. Je jouerai petit, car je veux gagner moi aussi. Je sais que les petits perdent, parce qu'ils sont nerveux et font des bêtises. J'observerai tout le monde et je comprendrai tout. Je n'aime pas tout savoir d'avance, mais Dieu veut me montrer la vie des gens, c'est pourquoi il m'avertit. J'irai à la gare à pied, et pas en fiacre. Si tout le monde y va en fiacre, j'irai aussi. Dieu veut montrer aux gens que je suis comme eux...

J'irai maintenant...
J'attends...
Je ne veux pas...

J'irai vers la mère de ma femme et je lui parlerai, car je ne veux pas qu'elle pense que j'aime Oscar plus qu'elle. Je vérifie ses sentiments. Elle n'est pas encore morte, parce qu'elle est envieuse...

....
....

ANNEXES

Les quatre lettres qui suivent ont été écrites par Nijinski dans un quatrième cahier qui contient plusieurs poèmes et quelques lettres dont on ne sait si elles ont été envoyées ou non. Nous avons choisi de publier quatre lettres qui s'adressent à des personnes dont Nijinski parle dans les trois autres cahiers. La lettre à sa mère, Eleonora Nijinska, est écrite en polonais. Alors que Nijinski écrivait très fréquemment à sa mère, c'est la seule que nous possédons. Peut-être cette lettre n'a-t-elle jamais été envoyée.

La lettre "A l'Homme" est probablement adressée à Diaghilev, bien que celui-ci n'y soit pas nommé.

Lettre à Jan Reszke

Cher Monsieur Reszke,

Je ne peux pas bien écrire en polonais, et je le regrette beaucoup. J'aime les Polonais, c'est pourquoi je vous écris en polonais. Je sais que vous savez que je suis polonais. Je ne veux rien de vous, je voudrais seulement que vous m'aidiez pour les papiers. Il est maintenant très difficile d'obtenir des papiers, c'est pourquoi je m'adresse à vous avec cette demande. Je vous prie de vous renseigner auprès des autorités françaises, à propos des papiers pour moi. Ma femme m'aime, c'est pourquoi elle voudrait être avec moi. Moi aussi je veux qu'elle vienne avec moi. J'ai aussi une petite fille qui s'appelle Kyra. Je lui ai donné ce prénom parce que j'aimais la Grèce. J'aimais la Grèce, car j'ai inventé *l'Après-Midi d'un faune*. Je sais que vous m'aimez, c'est pourquoi je m'adresse à vous avec cette question. Vous m'avez très peu vu dans la vie, mais vous m'avez exprimé des sentiments amicaux. Je ne sais pas bien parler, car il m'a été impossible de parler polonais. J'aime les Polonais, c'est pourquoi je m'adresse à vous avec cette demande. J'ai appris le polonais chez un danseur de Varsovie qui s'appelait Bonislawski. J'aime cet homme, car il m'a donné la possibilité de connaître les poèmes de Mickiewicz. Moi aussi je suis écrivain, mais je ne sais pas écrire aussi joliment que Mickiewicz. Je connais aussi la littérature polonaise, mais par les traductions russes. Je connais mieux le russe, car ma mère et mon père ont quitté la Pologne quand ils étaient jeunes. Je suis né à Kiev, et j'ai été baptisé à l'église de la Sainte-Croix à Varsovie. Je suis né en 1889, et ma mère m'a fait baptiser à Kiev. On m'a inscrit deux fois dans les registres, car ma mère ne voulait pas que je serve comme soldat. Elle m'a inscrit à Varsovie car elle voulait que je fasse mon service militaire à Varsovie. Ma mère m'a donné son lait et la langue polonaise, c'est pourquoi je suis polonais. J'ai été élevé en Russie où j'étais comme un garçon russe. Je suis polonais parce que mon père est polonais. J'aime la Russie, mais je n'aime pas les bolcheviks. Je trouve leur victoire répugnante. Les victoires des bolcheviks, je les compte parmi les victoires d'où Dieu est absent. Les animaux sans Dieu sont du bétail aux dents aiguisées. Je voulais nommer ces animaux sauvages, mais j'ai oublié leurs noms. J'ai pitié des gens, car je les aime. Moi aussi je suis un homme, c'est pourquoi j'ai pitié des hommes. Je pleure quand j'entends qu'un bolchevik a tué un homme. Je ne suis pas bolchevik, car je nie ce parti. Mon appartenance au parti, c'est aimer tout le monde. Je ne suis pas Pederewski. J'aime Pederewski, mais je n'aime pas sa politique. J'aime la politique de Wilson, parce que je sens qu'il veut du bien pour tout le monde. Je ne veux pas de politique où les gens se disputent et s'entretuent. J'aime tout le monde. Je suis polonais. Je parle polonais. J'aime ma mère et mon père. Je sais aussi que vous savez que je vous aime. Je le sais, car je sens que vous m'aimez. Votre femme m'a exprimé plus d'une fois son amitié. Je ne vous ai pas oublié pendant tout ce temps que je ne vous ai vu. J'ai pleuré quand j'ai appris la mort de votre frère. J'avais de la peine pour lui. Je ne le connaissais pas, mais je le ressentais. Je savais que vous l'aimiez, c'est pourquoi j'avais de la peine. Je ne peux pas écrire avec de belles expressions, car je n'ai pas étudié les langues. J'ai étudié la danse, c'est pourquoi je danse bien. Je veux danser à Paris, c'est pourquoi je veux que vous m'aidiez à obtenir le passage en France. Je n'ai aucune relation, car pendant tout ce temps, j'ai été en Suisse. Je m'occupais de danse et de théâtre dans la danse. J'aime le chant, mais je ne sais pas chanter. Je sais que vous savez chanter. Je sais que vous savez chanter bien que vous ayez perdu la voix, c'est pourquoi je serais heureux de vous entendre chanter. Je suis un artiste qui a de la voix dans la danse. Je n'ai pas encore perdu la voix, car je suis très jeune. Vous avez beaucoup chanté dans votre vie. Je connais la marquise de Ripon. Elle m'a parlé de vous. Je sais que vous avez chanté en Angleterre, et que vous y avez obtenu un grand succès. Vous avez été un grand artiste. Tout le monde vous connaissait. Vous connaissiez tout le monde, c'est pourquoi vous pouvez m'aider. J'ai beaucoup d'amis à Paris, mais je ne les connais pas. Je veux faire beaucoup de connaissances, c'est pourquoi je vous prie de dire à toutes vos connaissances, que je danserai pour eux chez vous. Pendant la guerre, je me

suis beaucoup exercé à la danse, c'est pourquoi j'ai fait de grands progrès. Je veux montrer mes progrès au public, mais je ne veux
pas travailler avec Diaghilev, car il m'a causé
beaucoup de malheurs. Je sais que vous
non plus ne l'aimez pas, c'est pourquoi vous
m'aiderez. Diaghilev croit que je suis mort
pour l'art. Je ne suis pas mort pour l'art. Ici, je
vis plus qu'avant. J'aime les artistes français,
c'est pourquoi je veux danser pour eux. Je
sais que les artistes français ont été massacrés
pendant cette guerre, et beaucoup de pères
sont morts laissant leurs enfants et leurs
femmes sans un morceau de pain. Je sais que
l'Etat ne peut pas leur donner tout ça, c'est
pourquoi je veux danser pour les artistes
pauvres en France. Je danserai aussi pour les
Polonais quand j'irai en Pologne. Je ne sais
pas bien écrire, mais je vous écris car je sais
que vous êtes polonais. J'aime les Polonais,
c'est pourquoi j'aime la France. Les Polonais
aiment la France, parce que la France leur
a donné son âme. Le Polonais aussi a donné
son âme, et il est mort sur le champ de bataille.
La guerre a réuni les Polonais et les Français. La France connaît les exploits héroïques
des Polonais. Je ne connais pas les mots
polonais, mais je les ressens, c'est pourquoi
je peux écrire. Ça fait déjà dix ans que je n'ai
pas écrit, car je n'avais pas à qui écrire. Mon
père est mort il y a dix ans à Kharkov. Je lui
ai toujours écrit en polonais. Mon père a
laissé ma mère et les enfants pour les élever
à Pétersbourg. L'Etat russe m'a élevé. Diaghilev m'a emmené à Paris. J'aime Paris. Paris
est le cœur de la France, et je veux avoir
une place dans le cœur français. Vous serez
l'intermédiaire. Vous me procurerez les papiers.

Vous me donnerez des papiers polonais, et je me procurerai les autres.

Je vous remercie de votre amabilité, et à bientôt.

Avec affection.

Vaslav Nijinski

(Traduit du polonais)

Lettre à Dimitri Kostrovski

Mon cher Dimitri,

Je t'aime, c'est pourquoi je t'écris. Je sais que tu t'ennuies sans moi. Je m'ennuie sans toi. J'ai pitié de toi. J'ai pitié de moi. Tu m'as compris. Je t'ai compris. Je veux que tu viennes me voir. J'ai envie de te voir. Je me préoccuperai de ta santé. Je t'aime. Je ne veux pas que tu danses. Je ne veux pas te fatiguer. Je te veux en bonne santé. J'embrasse ton cahier et je pleure, car ça m'a fait de la peine de te prendre ce cahier. Maintenant je pleure, mais je retiens mes larmes, car je suis un homme solide. Je veux du bonheur pour ta femme et pour toi. Je sais que ta femme t'aime. Je l'aime aussi. Je veux du bonheur pour vous deux. Je veux l'aider. Je connais son malheur. Je l'aiderai. J'ai demandé à Lady Morrell qu'elle demande l'autorisation aux autorités anglaises de laisser ta femme aller en Russie. Je ne veux pas que tu tombes entre les mains des bolcheviks, car ce parti veut du mal à tout le monde. Ce parti s'aime lui-même. J'aime tout le monde. Je ne suis pas un parti. Je suis le peuple. Le peuple est Dieu. Je parle de Dieu. J'aime Dieu. J'aime Tolstoï. Je n'aime pas les bolcheviks. Les bolcheviks peuvent me tuer tant qu'ils le veulent. Je n'ai pas peur de la mort. Je sais que la mort est une chose nécessaire.

Je sais que tout le monde doit mourir, c'est pourquoi je suis toujours prêt à la mort. Je t'aime. Je ne veux pas que tu meures. J'ai pitié de toi. J'aime vivre avec toi. Je suis un homme bien. Je n'ai pas d'arrière-pensées. Je suis un homme avec un devant. Diaghilev est un homme avec un derrière. Je n'aime pas les gens qui ont des arrière-pensées. Je veux que tu viennes chez moi. Je demanderai au gouvernement de te laisser quitter le pays. Je suis un homme puissant. J'ai beaucoup de relations. Je sais que l'Angleterre aime les gens qui ont des relations. Je connais l'amour de l'Angleterre pour les gens. Je sais que tu aimes l'Angleterre. Je sais que les gens sont des Dieux. Je sais que tu es Dieu. Tu ne comprends pas Dieu, c'est pourquoi tu ne sais pas que tu es Dieu. J'ai beaucoup travaillé sur moi-même, je n'ai pas quitté ma chambre pendant des mois. J'aimais être seul. J'ai connu Dieu. Je connais son sens. Les gens me comprendront si tu me comprends. J'écris beaucoup. Je dessine beaucoup. Je danse beaucoup. Je parle beaucoup. Je m'ennuie beaucoup. Je pleure beaucoup.

Je veux que tu répondes à ma lettre. Je sais que les autorités n'interdiront pas cette lettre, car elle parle de Dieu, et pas des bolcheviks. Je ne suis pas bolchevik. Je suis Dieu. J'aime tout le monde.

J'attends ta réponse. Je croirai que tu es mort si je ne reçois pas vite ta réponse. Je sais que le corps meurt, mais l'âme ne meurt pas. L'esprit est Dieu. Dieu vit si le corps vit. Je suis Dieu. Je suis l'esprit dans le corps.

Je vous embrasse toi et ta femme.

Ton ami Vaslav Nijinski

Lettre à Eleonora Nijinska

Ma chère Mère,

Je t'aime comme je t'ai toujours aimée. Je suis
en parfaite santé. Je n'ai reçu aucunes nouvelles de toi. Je t'ai écrit, mais je n'ai pas reçu
de réponse. On m'a retourné mes lettres. Je
suis heureux. Je suis malheureux, parce que
je ne te vois pas. Je t'aime et je te demande
de venir chez moi. Je loue une petite maison
où je me suis installé. J'ai cette maison pour
toi. Je t'aime, car tu m'as élevé. Je sais que
Dieu est beaucoup en toi, c'est pourquoi je
veux que tu le transmettes à ma fille. Ma fille
est une enfant merveilleuse. Elle obéit à ceux
qui l'aiment, c'est pourquoi je sais qu'elle
t'obéira. Dieu veut que tu sois avec ma fille.
Je veux que tu sois avec moi. Je te demande
de venir tout de suite. Je t'enverrai de l'argent
pour le voyage. Je ne veux pas de la politique. Je ne suis pas la politique. Je suis un
homme de Dieu. J'aime tout le monde. Je ne
veux pas de meurtre. Je suis jeune et fort.
Je travaille beaucoup. Je n'ai pas beaucoup
d'argent, mais j'en ai assez pour t'en donner
toute ta vie. Je veux voir Bronia et Sacha. Ils
sont avec toi. Je sais qu'ils t'aiment. Je sais qu'il
leur est très difficile de gagner de l'argent. Ils
sont fatigués. Je veux les aider. J'aime tout le

monde. Ma femme t'aime. Elle veut beaucoup que tu viennes. Je te demande de m'écrire par l'intermédiaire des autorités anglaises. J'ai envoyé cette lettre par l'intermédiaire des autorités anglaises. Mon adresse est les autorités anglaises. Je sais qu'ils t'aimeront s'ils te voient. Je veux que tu ailles les voir seule, sans Sacha. Ils ont peur des bolcheviks, c'est pourquoi ils ne veulent pas de jeunes hommes. Je ne connais pas Sacha, car je ne l'ai pas vu depuis longtemps. Je suis jeune et je ne veux pas de bolcheviks, ils tuent les gens. J'aime Kerenski, car il ne voulait pas la mort des gens. Aujourd'hui, je ne le connais pas, car il ne montre pas ses idées. Je montre mes idées, parce que je veux qu'on me connaisse. Je n'aime pas l'esprit des partis. Je suis sans parti. Je sais que Dieu aime les hommes, et ne veut pas leur mort. Les bolcheviks n'ont pas compris Tolstoï. Tolstoï n'est pas les bolcheviks. J'ai souvent lu Tolstoï. Je vois qu'il aime tout le monde. Tolstoï aime Dieu, et pas le parti. J'aime Dieu, et pas le parti. Mon parti c'est Dieu. Dieu est avec moi et je suis avec lui.

Je t'embrasse Maman, et je te demande d'embrasser tous ceux qui m'aiment.

Ton fils Wacio

(Traduit du polonais)

Lettre à Serge Diaghilev

A l'Homme

Je ne peux pas te nommer, car on ne peut pas te nommer. Je ne t'écris pas à la hâte, car je ne veux pas que tu croies que je suis nerveux. Je ne suis pas un homme nerveux. J'aime écrire calmement. J'aime écrire. Je n'aime pas écrire de belles phrases. Je n'ai pas appris à écrire de belles phrases. Je veux écrire la pensée. J'ai besoin de la pensée. Je n'ai pas peur de toi. Je sais que tu me détestes. Je t'aime comme on aime un être humain. Je ne veux pas travailler avec toi. Je veux te dire une chose. Je travaille beaucoup. Je ne suis pas mort. Je vis. Dieu vit en moi. Je vis en Dieu. Dieu vit en moi. Je travaille beaucoup la danse. Ma danse progresse. J'écris bien, mais je ne sais pas écrire de belles phrases. Tu aimes les belles phrases. Je n'aime pas les belles phrases. Tu formes des troupes. Je ne forme pas de troupes. Je ne suis pas un cadavre. Je suis un homme vivant. Tu es un homme mort, car tes buts sont morts. Je ne t'ai pas appelé ami, car je sais que tu es mon ennemi. Je ne suis pas ton ennemi. L'ennemi n'est pas Dieu. Dieu n'est pas un ennemi. Les ennemis recherchent la mort, je recherche la vie. J'ai de l'amour. Tu as de la méchanceté.

Je ne suis pas une bête féroce. Tu es une bête féroce. Les bêtes féroces n'aiment pas les gens. J'aime les gens. Dostoïevski aimait les gens. Je ne suis pas un idiot. Je suis un homme. L'Idiot de Dostoïevski est un homme. Je suis un idiot. Dostoïevski est un idiot. Tu croyais que j'étais bête. Je croyais que tu étais bête. Nous croyions que nous étions bêtes. Je ne veux pas conjuguer. Je n'aime pas les conjugaisons. Tu aimes qu'on s'incline devant toi. J'aime qu'on s'incline devant moi. Tu injuries ceux qui s'inclinent. J'aime ceux qui s'inclinent. J'attire les inclinations. Tu fais peur aux inclinations. Ton inclination n'est pas une inclination. Mon inclination est une inclination. Je ne veux pas de ton sourire, car il sent la mort. Je ne suis pas la mort, et je ne souris pas. Je n'écris pas pour me moquer. J'écris pour pleurer. Je suis un homme avec du sentiment et de la raison. Tu es un homme avec de l'intelligence, mais sans sentiment. Ton sentiment est mauvais. Mon sentiment est bon. Tu veux me perdre. Je veux te sauver. Je t'aime. Tu ne m'aimes pas. Je te veux du bien. Tu me veux du mal. Je connais tes astuces. Je faisais semblant d'être nerveux. Je faisais semblant d'être bête. Je n'étais pas un gamin. J'étais Dieu. Je suis Dieu en toi. Tu es une bête, et je suis amour. Tu n'aimes pas ceux-là maintenant. J'aime ceux-là et tous maintenant. Ne pense pas, n'écoute pas. Je ne suis pas à toi. Tu n'es pas à moi. Je t'aime maintenant. Je t'aime toujours. Je suis à toi. Je suis à moi. Tu es à moi. J'aime te conjuguer. J'aime me conjuguer. Je suis à toi. Je suis à moi.

Tu es à moi. Je suis Dieu.
Tu as oublié que Dieu existe.
J'ai oublié que Dieu existe.
Tu es en moi, et je suis en toi.
Tu es à moi, et je suis à toi.
Tu es celui qui veut la mort
Tu es celui qui aime la mort
J'aime l'amour l'amour.
Je suis amour, et tu es mort
Tu as peur de la mort, de la mort
J'aime, j'aime, j'aime
Tu es mort, et je suis sang.
Ton sang n'est pas amour.
Je t'aime, toi, toi.
Je ne suis pas sang, je suis esprit
Je suis sang et esprit en toi.
Je suis amour, je suis amour.
Tu ne veux pas vivre avec moi.
Je te veux du bien.
Tu es à moi, tu es à moi.
Je suis à toi, je suis à toi.

(…)

Vous êtes celui qui appelle la mort
Je suis à toi, et tu n'es pas à moi
Le mien n'est pas le sien, et le sien n'est pas
le tien
Tu es un pic-vert, et je ne suis pas un pic-vert
Tu toques, et je ne toque pas
Le toc toc, ton toc toc, et le mien est un toc toc
Je toque, et tu ne toques pas
Toc toc toc, il y a un toc toc dans un toc toc
Je suis toc toc, mais je ne toque pas.
Tu toques, tu toques, tu toques
Je toque, je toque, je toque
Je toque dans ton âme
Tu toques dans ton cerveau.

Je t'aime mon toc toc
Je suis toc toc, et tu n'es pas toc toc.
Je veux toquer dans le toc toc.
 Tu toques dans le cerveau, dans le cerveau.
Je veux te toquer, toc toc toc
 Toc toc le coq.
Je suis le coq, mais pas le coq
 Tu es le coq, mais pas le coq
Je bois je bois je bois.
 Tu bois tu bois tu bois
Je bois je bois je bois
 Tu bois tu bois tu bois
Je suis coq coq coq
Je suis coq coq coq
 Mon coq boit boit
 Ton coq boit boit
Je suis coq et tu n'es pas à moi
Je suis coq et tu n'es pas à toi.
 Nous buvons dans le coq.
Je bois sans le coq.
 Nous buvons sur le coq.
Je bois sans le coq.
 Bois coq, bois coq.
 Ton coq mourra, mourra.
Je bois, je bois. Je mourrai, je mourrai.
Je bois, je bois, je mourrai, je mourrai.
Tu mourras sans coq.
Je mourrai avec coq.
Ton coq est mort, est mort.
Mon coq est vie, est vie.
Je t'aime coq.
Je t'aime coq.

(…)

Je suis une bite, mais pas à toi.
Tu es moi, mais je ne suis pas à toi.
La bite est à moi, car Bite.

Je suis une Bite, je suis une Bite.
Je suis Dieu dans ma bite.
Je suis Dieu dans ma bite. Ta bite n'est pas à moi, pas à moi.
Je suis bite dans Sa bite.
Je bite, je bite, je bite
Tu es bite, mais pas Bite.

Je veux t'écrire beaucoup, mais je ne veux pas travailler avec toi, car tes buts sont autres. Je sais que tu sais faire semblant. Je n'aime les faux-semblants. J'aime les faux-semblants, quand l'homme veut du bien. Tu es un homme méchant. Tu n'es pas un tsar. Et moi je suis un tsar. Tu n'es pas mon tsar, et moi je suis ton tsar. Tu me veux du mal. Je ne te veux pas de mal. Tu es méchant, et moi je suis une berceuse. Dodo, dodo, dodo, dodo. Dors paisiblement, dodo, dodo. Dodo. Dodo. Dodo.

D'homme à homme

Vaslav Nijinski

N. B. : Comme nous l'avons mentionné dans l'avant-propos Nijinski pratique l'alternance des majuscules et des minuscules selon qu'il veut donner ou enlever de l'importance à un personnage ou à un mot. Nous avons respecté cette alternance dans ce dernier poème. *(N.d.T.)*

TABLE

OUVRAGE RÉALISÉ
PAR LES ATELIERS GRAPHIQUES ACTES SUD
REPRODUIT ET ACHEVÉ D'IMPRIMER
EN DÉCEMBRE 1994
SUR ROTO-PAGE
PAR L'IMPRIMERIE FLOCH
A MAYENNE,
SUR PAPIER DES
PAPETERIES DE JEAND'HEURS
POUR LE COMPTE DES ÉDITIONS
ACTES SUD
LE MÉJAN
13200 ARLES

DÉPÔT LÉGAL
1re ÉDITION : JANVIER 1995
N° impr. : 36920.
(Imprimé en France)